빠작 초등 국어 문학 독해 **무료 스마트러닝**

첫째 QR코드 스캔하여 1초 만에 바로 강의 시청

둘째 최적화된 강의 커리큘럼으로 학습 효과 UP!

지문 분석 강의
- 문학 작품 갈래별 지문 분석을 통한 바른 감상법 강의 제공
- 소설, 시, 수필, 극 등 갈래별 작품 구성 요소와 배경지식 제공

빠작 초등 국어 **문학 독해 2단계** 강의 목록

빠작 초등 국어 문학 독해 2단계 **학습 계획표**

학습 계획표를 따라 차근차근 독해 공부를 시작해 보세요.
빠작과 함께라면 문학 독해, 어렵지 않습니다.

작품명	학습한 날			교재 쪽수	작품명	학습한 날			교재 쪽수
꺼벙이 억수 ❶	1일차	월	일	012 ~ 015쪽	개와 고양이 ❸	21일차	월	일	092 ~ 095쪽
꺼벙이 억수 ❷	2일차	월	일	016 ~ 019쪽	달나라 옥토끼 ❶	22일차	월	일	096 ~ 099쪽
꺼벙이 억수 ❸	3일차	월	일	020 ~ 023쪽	달나라 옥토끼 ❷	23일차	월	일	100 ~ 103쪽
만복이네 떡집 ❶	4일차	월	일	024 ~ 027쪽	달나라 옥토끼 ❸	24일차	월	일	104 ~ 107쪽
만복이네 떡집 ❷	5일차	월	일	028 ~ 031쪽	아낌없이 주는 나무 ❶	25일차	월	일	108 ~ 111쪽
만복이네 떡집 ❸	6일차	월	일	032 ~ 035쪽	아낌없이 주는 나무 ❷	26일차	월	일	112 ~ 115쪽
비가 오면 ❶	7일차	월	일	036 ~ 039쪽	아낌없이 주는 나무 ❸	27일차	월	일	116 ~ 119쪽
비가 오면 ❷	8일차	월	일	040 ~ 043쪽	플랜더스의 개 ❶	28일차	월	일	120 ~ 123쪽
비가 오면 ❸	9일차	월	일	044 ~ 047쪽	플랜더스의 개 ❷	29일차	월	일	124 ~ 127쪽
심심이 네 개 ❶	10일차	월	일	048 ~ 051쪽	플랜더스의 개 ❸	30일차	월	일	128 ~ 131쪽
심심이 네 개 ❷	11일차	월	일	052 ~ 055쪽	김장하는 날	31일차	월	일	134 ~ 137쪽
심심이 네 개 ❸	12일차	월	일	056 ~ 059쪽	귤 한 개	32일차	월	일	138 ~ 141쪽
영식이의 영식이 ❶	13일차	월	일	060 ~ 063쪽	기린과 하마	33일차	월	일	142 ~ 145쪽
영식이의 영식이 ❷	14일차	월	일	064 ~ 067쪽	바람과 빈 병	34일차	월	일	146 ~ 149쪽
영식이의 영식이 ❸	15일차	월	일	068 ~ 071쪽	입 안이 근질근질	35일차	월	일	150 ~ 153쪽
들쥐와 손톱 ❶	16일차	월	일	072 ~ 075쪽	꽃밭에서	36일차	월	일	154 ~ 157쪽
들쥐와 손톱 ❷	17일차	월	일	076 ~ 079쪽	장난감 가게	37일차	월	일	160 ~ 163쪽
들쥐와 손톱 ❸	18일차	월	일	080 ~ 083쪽	약손	38일차	월	일	164 ~ 167쪽
개와 고양이 ❶	19일차	월	일	084 ~ 087쪽	양반을 가르친 하인	39일차	월	일	168 ~ 171쪽
개와 고양이 ❷	20일차	월	일	088 ~ 091쪽	의좋은 형제	40일차	월	일	172 ~ 175쪽

초등 국어

문학 독해

2단계

1·2학년

바른 독해의 빠른 시작,

〈빠작 초등 국어 독해〉를 추천합니다

독해 교재의 홍수 속에서 보석을 하나 찾은 느낌입니다. 『빠작 초등 국어 독해』는 **문학과 비문학을 나누어 초등학생 눈높이에 맞게 만든 독해 전문 교재**라는 생각이 드네요. 특히 지문의 핵심 내용을 이해하는 것은 물론 깊이 있는 배경지식까지 쌓을 수 있도록 섬세하게 구성한 점이 굉장히 마음에 듭니다. 『빠작 초등 국어 문학 독해』와 『빠작 초등 국어 비문학 독해』로 문학과 비문학의 독해 방법을 바르게 배워 보세요.

김소희 원장 | 한올국어학원

최근 수능에서 국어 영역이 가장 까다롭기로 유명합니다. 이런 국어를 잘하려면 무엇보다도 독해력을 길러야 합니다. 특히 문학은 작가가 전하는 주제를 파악하는 것이 중요합니다. 『빠작 초등 국어 문학 독해』는 다양한 갈래의 작품을 읽고, **작품의 구성 요소를 파악해 중심 내용을 스스로 정리해 보는 지문 분석 훈련**을 할 수 있어 좋습니다. 『빠작 초등 국어 문학 독해』로 까다로워진 수능 국어 영역을 지금부터 대비하시기 바랍니다.

하승희 원장 | 리딩아이국어논술학원

독해 능력은 글 읽기를 두려워하지 않는 데에서 출발합니다. 그리고 좋은 제재의 글을 읽으며 호기심과 즐거움을 느낄 때 독해는 완성되지요. 『빠작 초등 국어 비문학 독해』는 **영역별 다양한 제재의 지문과 사실적·추론적 사고력을 묻는 문제, 지문의 핵심 내용을 파악하는 지문 분석 훈련**으로 글을 정확하게 읽게 합니다. 또한 비문학 독해 비법을 충실히 담고 있어 낯설고 어려운 지문도 재미있게 읽을 수 있도록 이끌어 줄 것입니다.

김종덕 원장 | 갓국어학원

『빠작 초등 국어 독해』는 지문 독해, 지문 분석, 어휘 공부까지 탄탄한 구성이 눈길을 끄는 교재입니다. 특히 **비문학에서 영역을 세분화하여 지문을 수록한 것과 문학에서 온작품을 다룬 것은 깊이 있는 독해를 가능하게** 할 것입니다. 다양한 글을 읽고 내용을 바르게 파악해야 하는 비문학과 작품을 읽고 제대로 감상해야 하는 문학의 독해력은 단기간에 높일 수 없습니다. 지금부터 『빠작 초등 국어 독해』와 함께 독해 연습을 부지런히 하길 추천합니다.

강행림 원장 | 수풀림학원

이 책을 검토하신 선생님

강명자	창원지역방과후교사
강유정	참좋은보습학원
강행림	수풀림학원
구민경	혜음국어논술
권애경	해냄국어논술
김나나	국어와나
김미숙	글과문장독서논술
김민경	리드인
김소희	한올국어논술학원
김수진	브레인논술교습소
김종덕	갓국어학원
문주희	다독과정독논술학원
박윤희	장복논술
박창현	탑학원
박현순	뿌리깊은독서논술국어교습소
방은경	열정학원
배성현	아카데미창논술국어학원
설호준	청암국어학원
송설아	한우리독서토론논술
심억식	천지인학원
안수현	안샘학원
염현경	박쌤과국어논술학원
오연	글오름국어언어논술학원
오영미	천호하나보습학원
윤인숙	윤쌤국어논술
이대일	멘사수학과연세국어학원
이동수	국동국어고샘수학학원
이선이	수논술교습소
이시은	이시은논술
이용순	한우리공부방
이정선	토론하는아이들
이지영	해랑
이지은	이지은의이지국어논술학원
이지해	이지국어학원
이창미	박원국어논술학원
이현주	토론하는아이들
이화정	창신보습학원
전민희	토론하는아이들
전지영	두드림에듀학원
조원식	이석호국어학원
조현미	국어날개달기학원
하승희	리딩아이국어논술학원
한민수	숙명창의인재교육
한수진	리드앤리드논술학원
허성완	st클래스입시학원
홍미애	이엠영수전문학원

바른 독해의 빠른 시작,

〈빠작 초등 국어 독해〉를 소개합니다

❶ 비문학과 문학을 분리하여 각각의 특성에 맞게 독해를 훈련하는 초등 국어 독해 기본서입니다.

❷ 설명문, 논설문 등 비문학 글의 종류별 지문 분석 훈련으로 바른 독해 학습이 가능합니다.

❸ 소설, 시, 수필 등 문학 작품의 갈래별 지문 감상 훈련으로 바른 독해 학습이 가능합니다.

빠작 비문학 독해

단계	대상	영역
1단계	1~2학년	언어, 실용/생활, 사회, 문화, 경제, 자연/과학, 기술, 예술, 인물, 안전/위생
2단계		
3단계	3~4학년	언어, 역사, 사회, 문화, 경제, 과학, 기술, 예술, 인물, 환경
4단계		
5단계	5~6학년	언어, 인문, 사회, 문화, 경제, 과학, 기술, 예술, 인물, 환경
6단계		

주요 키워드

- **1~2단계** 가족 (1단계 실용/생활), 낮과 밤 (2단계 자연/과학), 이 닦기 (2단계 안전/위생)
- **3~4단계** 문명 (3단계 역사), 물물 교환 (3단계 경제), 조선 건국 (4단계 역사)
- **5~6단계** 커피 (5단계 인문), 백신 (5단계 과학), 심리학 (6단계 인문)

빠작 문학 독해

단계	대상	갈래
1단계	1~2학년	창작·전래·외국 동화, 동시, 동요, 수필, 희곡
2단계		
3단계	3~4학년	창작·전래·외국 동화, 시, 현대·고전·외국 수필, 희곡
4단계		
5단계	5~6학년	현대·고전·외국 소설, 현대시, 고전 시조, 현대·고전 수필, 시나리오
6단계		

주요 작품

- **1~2단계** 아기의 대답 (1단계 시), 꺼벙이 억수 (2단계 창작 동화), 만복이네 떡집 (2단계 창작 동화)
- **3~4단계** 바위나리와 아기별 (3단계 창작 동화), 잘못 뽑은 반장 (4단계 창작 동화), 물새알 산새알 (4단계 시)
- **5~6단계** 이상한 선생님 (5단계 현대 소설), 고무신 (6단계 현대 소설), 풀잎에도 상처가 있다 (6단계 현대시)

비문학과 문학,

바른 독해 방법이 다릅니다

비문학의 바른 독해 방법

비문학은 핵심 주제를 파악하고 글쓴이의 관점을 이해하는 것이 중요합니다.

비문학은 지식이나 정보 또는 자신의 의견을 전달하는 글의 특성이 있기 때문에, 전체 글의 핵심 주제, 문단별 핵심 내용, 글쓴이의 관점 등을 이해하며 읽는 훈련을 해야 합니다. 따라서 비문학을 바르게 읽고 이해하려면 글의 전체 구조를 그려볼 수 있어야 하고, 글 전체의 중심 내용과 문단별 중심 내용 그리고 핵심 주제를 찾아보는 연습이 필요합니다.

설명문의 일반 구조

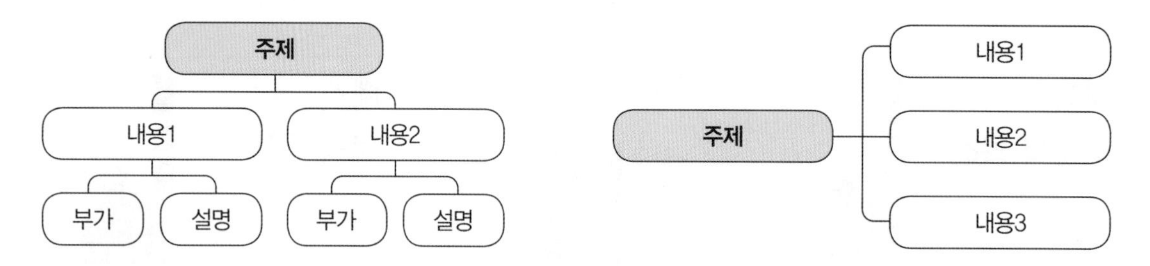

논설문의 일반 구조

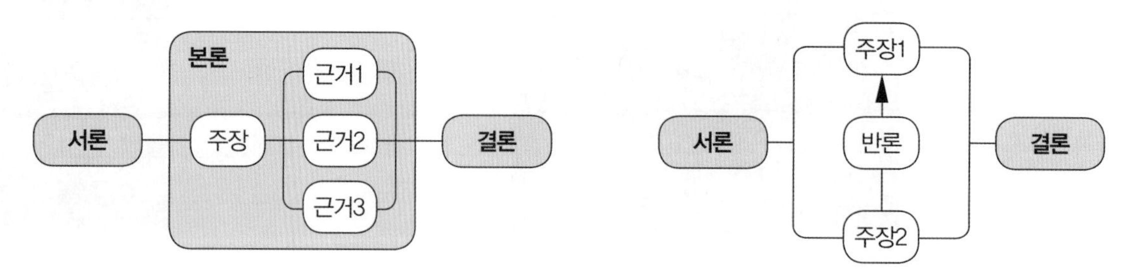

비문학은 정보 전달의 목적이 있기 때문에 다양한 지식과 정보를 쌓아야 합니다.

비문학은 어린이 신문이나 잡지 등을 통해 지식과 정보를 쌓는 것이 독해에 도움을 줍니다. 또한 독해 교재를 학습하면서 비문학 지문의 내용을 깊이 있게 이해하는 것도 중요합니다.

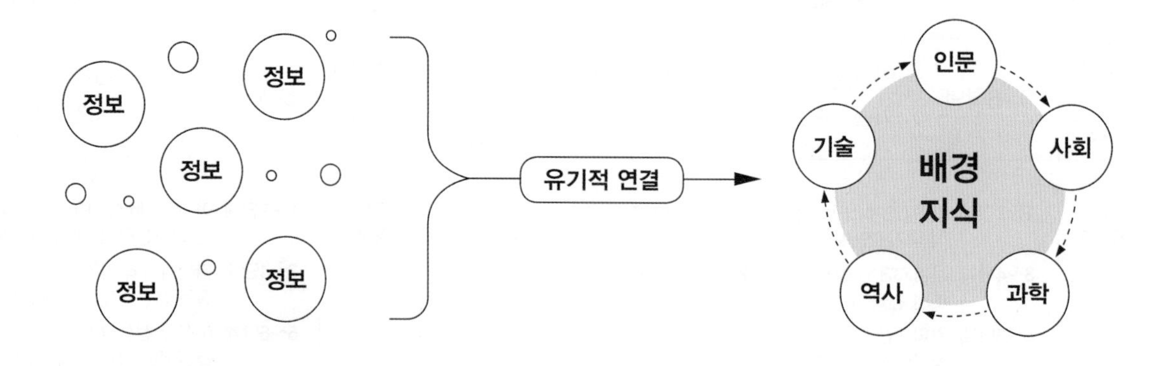

문학의 바른 독해 방법

문학은 갈래별 구성 요소를 이해하고 작품을 감상하는 것이 중요합니다.

문학은 소설, 시, 수필, 희곡 등 갈래에 따라 작품을 구성하는 요소가 다르기 때문에 갈래별 특징을 이해하고 작품을 감상하는 것이 중요합니다. 따라서 문학 작품을 읽고, 갈래에 따른 구성 요소를 중심으로 작품의 중요 내용을 정리하는 훈련이 필요합니다. 이때 온작품을 읽으면 작품 내용을 더욱 깊이 있게 이해할 수 있습니다.

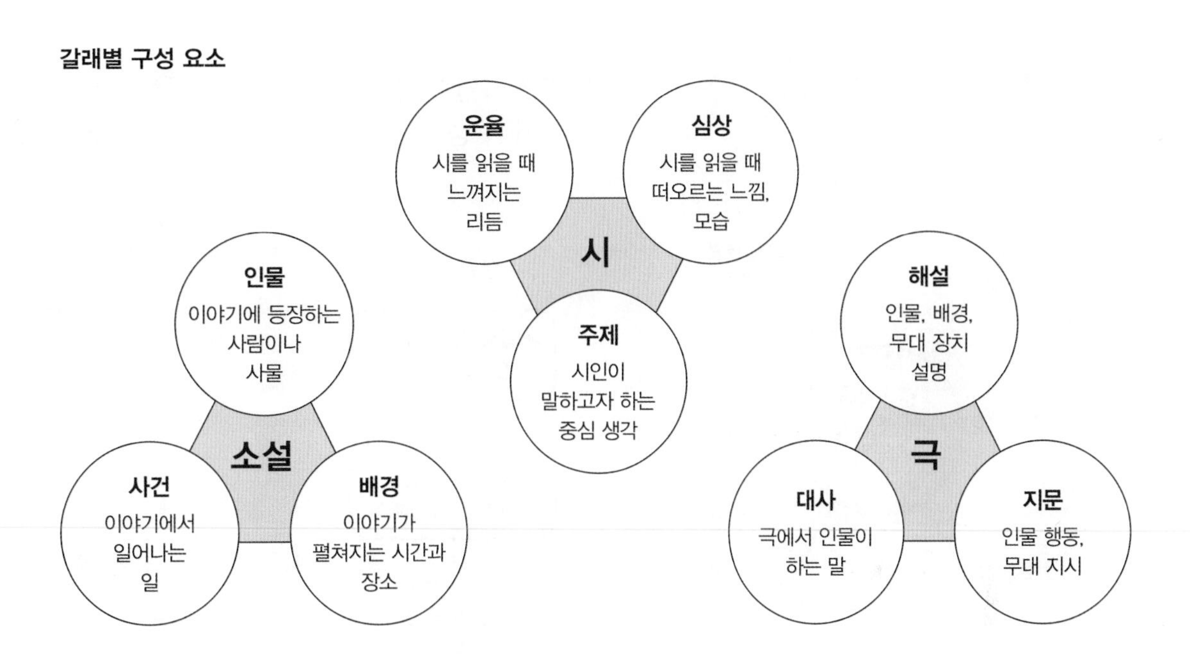

문학 작품을 감상하기 위해서 시대적 배경을 이해하고, 내용 흐름을 파악해야 합니다.

문학 작품을 읽을 때 작품이 쓰인 시대적 배경이나 작가의 삶과 관련지어 감상하면 작가가 전하고 싶은 주제를 파악하는 데 도움이 됩니다. 또 글의 내용 흐름을 제대로 파악하는 것도 중요합니다.

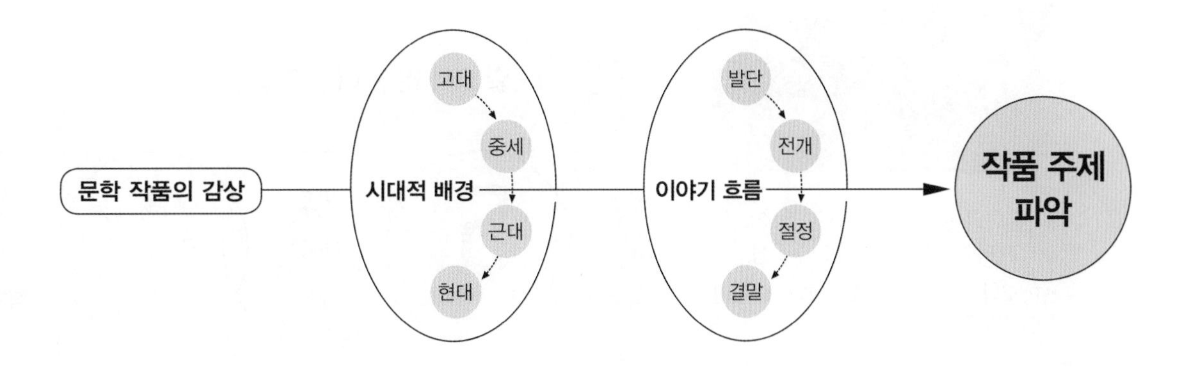

빠작 초등 국어 문학 독해 2단계

구성과 특징

빠작 초등 국어 문학 독해 2단계는 초등 1~2학년 학생들이 문학 작품을 읽고 내용을 정확하게 이해하는 훈련 중심으로 구성하였습니다. 특히 창작 동화, 전래 동화, 외국 동화, 동시, 동요, 수필 등 다양한 갈래의 작품을 읽고, 지문 분석 훈련을 통해 바른 독해 학습을 할 수 있습니다.

1 차별화된 문학 독해 지문 구성

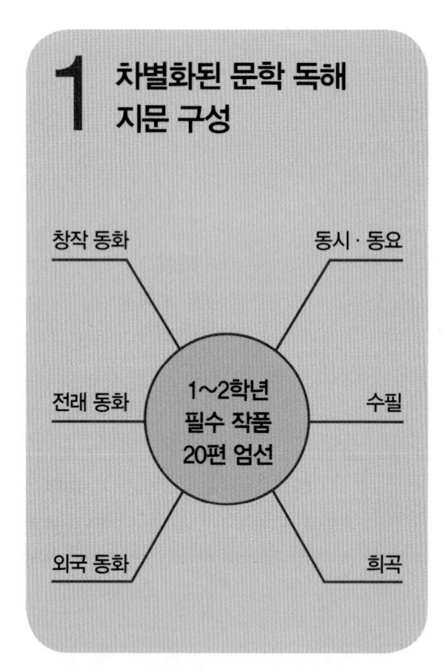

2 구조화된 지문 독해 문제 구성

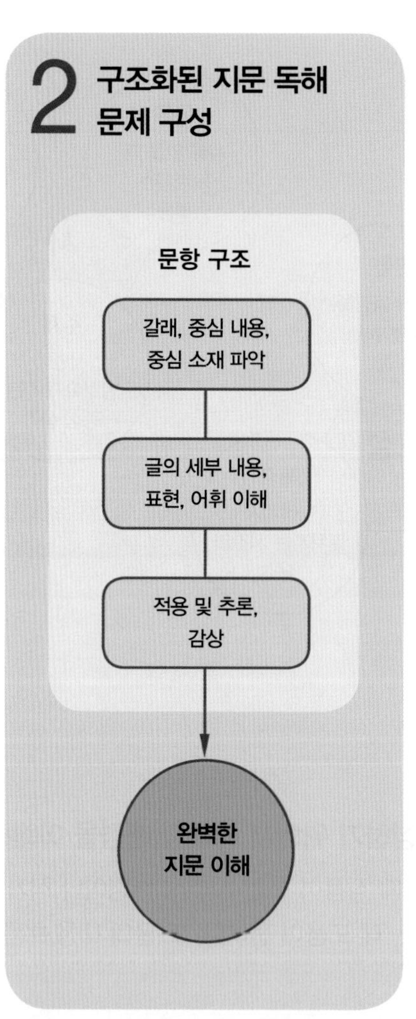

3 지문 분석을 통한 바른 독해 훈련

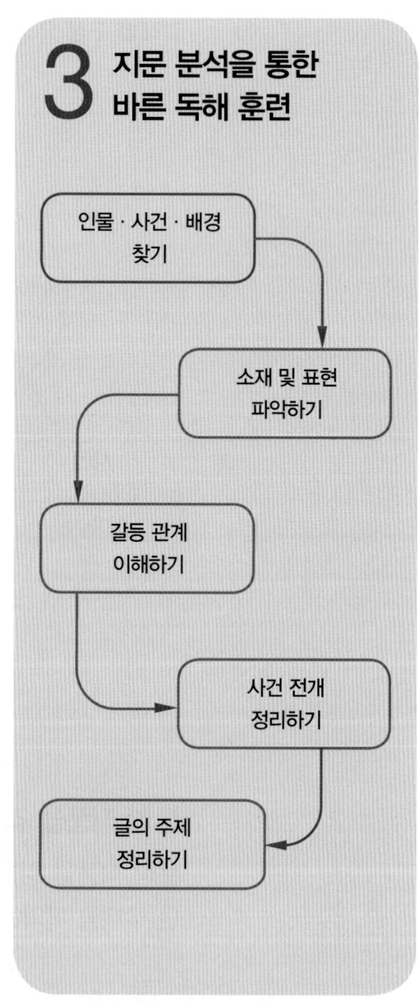

4 다양한 배경지식 습득

- 세밀화와 함께 작품과 관련한 이야기를 재미있게 읽을 수 있도록 구성
- 1~2학년 눈높이에 맞춰 쉽게 이해할 수 있도록 구성

5 지문별 5개 필수 어휘 학습

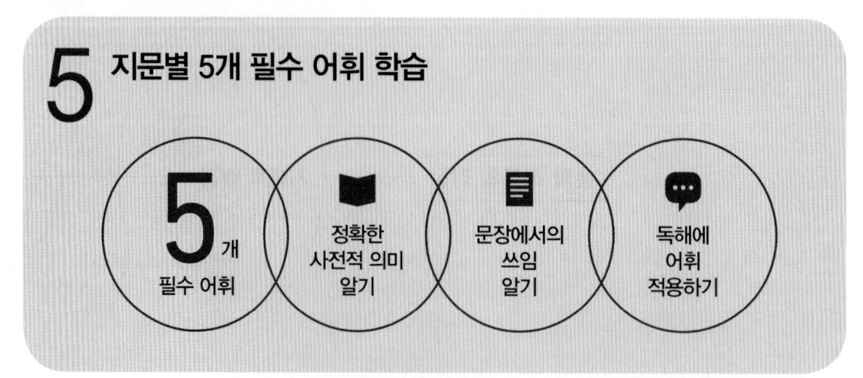

차별화된 독해 지문

구조화된 독해 문제

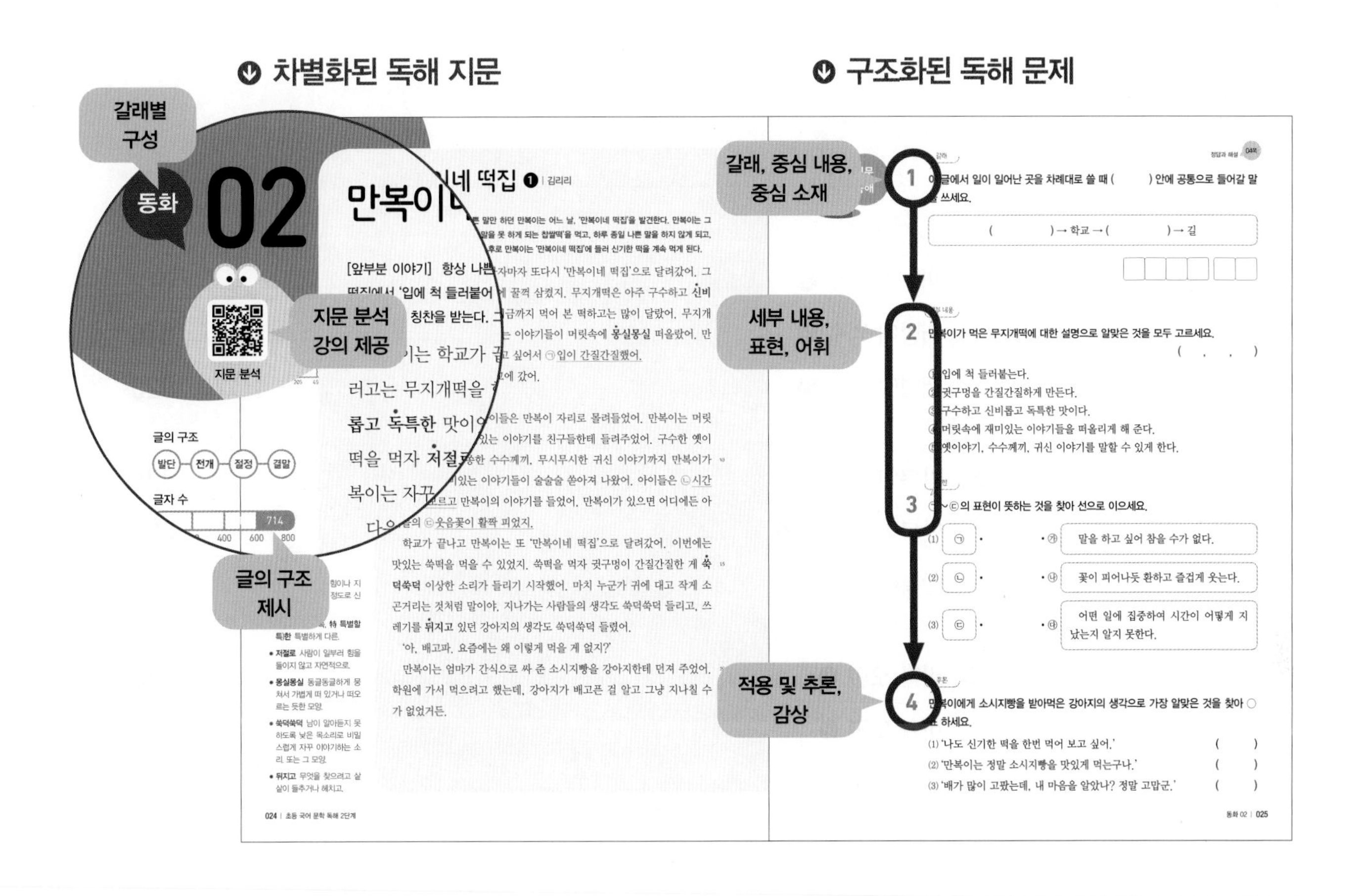

지문 분석 & 배경지식

오늘의 어휘

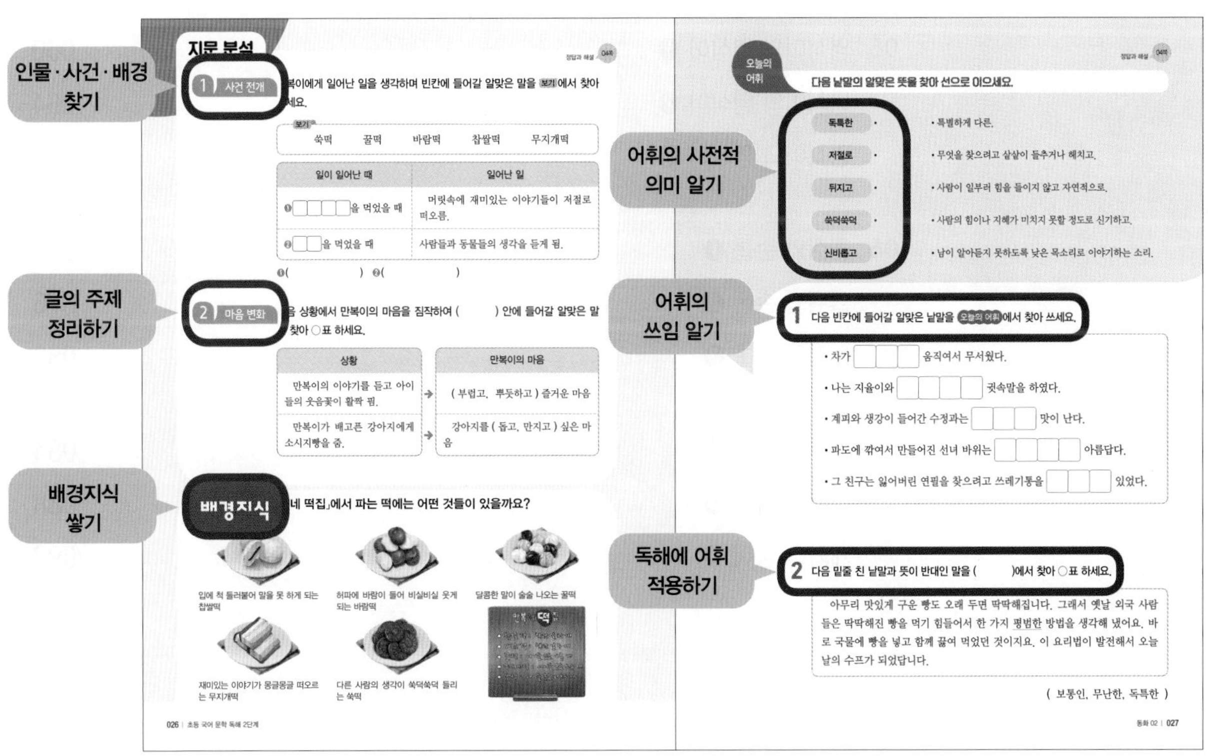

빠작 초등 국어 문학 독해 2단계

차례

동화

동화

꺼벙이 억수 ❶ | 윤수천

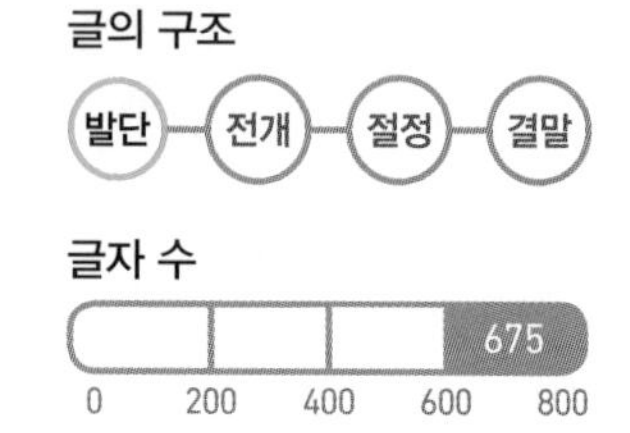

글의 구조

발단 — 전개 — 절정 — 결말

글자 수

675 (0 200 400 600 800)

찬호는 올해 초등학교에 들어갔어요. 샛별초등학교, 학교 이름이 마음에 쏙 들었어요. 무엇보다도 찬호가 기쁜 건 좋아하는 고은이가 같은 반이라는 사실이지요. 이젠 아파트 **단지**에서보다 학교에서 더 자주 볼 수 있게 됐으니 얼마나 좋겠어요!

그런데 딱 한 아이가 마음에 걸렸어요. 가끔 길에서 마주치는 밤송이 머리에 **뻐드렁니**가 난 억수. 까만 얼굴에 자주 빨지도 않은 것 같은 옷. 그리고 뭐가 좋은지 늘 헤헤거리는 '꺼벙이' 같은 아이였지요.

어느 날, 찬호는 고은이에게서 생일 초대장을 받았어요. 찬호는 너무너무 기뻤어요. 그래서 엄마한테 **부탁**해서 스물네 가지 색이 든 그림물감을 샀어요.

고은이는 친구들이 가져온 선물을 받고는 좋아서 **입이 함박만 해졌어요**. 한창 음식을 맛있게 먹고 있을 때 꺼벙이 억수가 들어왔어요.

"고은아, 생일 축하해……."

꺼벙이는 아이들이 가져온 선물을 보더니 얼굴이 빨갛게 달아올랐어요. 하긴 그럴 만도 하지요. **염치**도 없게 **빈손**으로 왔으니까요.

"고은아, 선물을 못 줘서 미안해. 하지만, 대신 내가 노래를 불러 줄게."

그러더니 꺼벙이는 차렷 자세로 노래를 부르기 시작했어요. 그것도 한 곡이 아니라 세 곡을 **연달아서**요. 아마 자기 딴에 세 곡 정도는 불러야 생일 선물이 될 거라고 생각한 모양이에요. 아이들이 박수를 치면서 웃었어요.

'쟨 역시 꺼벙이야!'

찬호는 속으로 비웃었어요.

- **단지** 같은 목적으로 사용하기 위해 만든 건물 등이 모여 있는 지역.
- **뻐드렁니** 밖으로 벋은 앞니.
- **부탁** 어떤 일을 해 달라고 하거나 맡김.
- **입이 함박만 해졌어요** 입이 매우 커질 정도로 기뻐하고 만족했어요.
- **염치** 부끄러움을 아는 마음.
- **빈손** 아무것도 가진 것이 없는 손.
- **연달아서** 어떤 일이나 행동 등이 이어 발생하여.

갈래

1 **언제 일어난 일을 중심으로 이야기가 펼쳐지고 있는지 쓰세요.**

고은이의 ☐☐날

세부 내용

2 **이 글의 내용으로 알 수 있는 것은 무엇인가요? (　　　　)**

① 찬호와 억수는 친한 친구 사이이다.
② 찬호와 고은이는 올해 같은 반이 되었다.
③ 찬호는 고은이의 생일 초대장을 받지 못했다.
④ 고은이는 엄마께 생일 선물로 그림물감을 받았다.
⑤ 억수는 학교에서 고은이를 자주 보게 되어 좋아했다.

표현

3 **이 글에서 아이들이 억수를 부르는 별명으로, 다음 뜻을 가진 낱말을 찾아 쓰세요.**

> 똑똑하지 못하고 조금 모자란 것처럼 행동하는 사람을 낮잡아 이르는 말.

☐☐☐

감상

4 **이 글을 읽고 생각한 점을 알맞게 말한 것은 무엇인가요? (　　　　)**

① 억수의 노래를 들은 아이들이 매우 감동을 받은 것 같아.
② 고은이는 자신의 생일날 억수를 초대하기 싫었던 것 같아.
③ 고은이는 친구들을 사귈 때 겉모습을 중요하게 생각하는 것 같아.
④ 찬호는 온통 억수 생각만 하는 것을 보니 다른 친구들에게는 관심이 없는 것 같아.
⑤ 억수는 고은이에게 미안한 마음에 자신이 잘하는 노래라도 불러 주려고 한 것 같아.

지문 분석

정답과 해설 01쪽

1 인물 특징 억수에 대한 설명으로 맞는 것에 ○표, 맞지 않는 것에 ×표 하세요.

억수

- 수줍음이 많다. (　　)
- 옷차림이 지저분하다. (　　)
- 늘 헤헤거린다. (　　)
- 밤송이머리를 하고 있다. (　　)

2 인물 성격 찬호의 행동을 통해 알 수 있는 성격으로 알맞은 것을 찾아 ○표 하세요.

찬호의 행동		찬호의 성격
억수의 겉모습을 보고 꺼벙이 같은 아이라고 생각하며 좋아하지 않음.	➔	• 겉모습만 보고 친구를 판단한다. (　　) • 친구의 실수를 용서할 줄 모른다. (　　)

배경지식 이야기를 전달하는 사람은 누구일까요?

이야기에는 누가 언제 어디에서 어떤 일을 겪었는지가 나타나 있습니다. 그런데 이러한 이야기는 누구의 입을 통해 전달되는 것일까요?

이야기 속에 '나'라는 인물이 등장할 때는 '내'가 겪은 일이나 '내' 주위의 다른 사람이 겪은 일을 직접 전해 줍니다. 그런데 「꺼벙이 억수」에서는 '나'가 등장하지 않고 있어요. 대신 「꺼벙이 억수」에서는 찬호가 바라본 억수에 대한 이야기가 펼쳐지고 있지요. 그래서 억수에 대한 찬호의 마음과 생각도 이 글 속에 함께 나타나고 있어요.

오늘의 어휘

다음 낱말의 알맞은 뜻을 찾아 선으로 이으세요.

단지 •	• 부끄러움을 아는 마음.
부탁 •	• 아무것도 가진 것이 없는 손.
빈손 •	• 어떤 일을 해 달라고 하거나 맡김.
염치 •	• 어떤 일이나 행동 등이 이어 발생하여.
연달아서 •	• 같은 목적으로 사용하기 위해 만든 건물 등이 모여 있는 지역.

1 다음 빈칸에 들어갈 알맞은 낱말을 오늘의 어휘에서 찾아 쓰세요.

- 갑자기 □□□□ 전화벨이 울렸다.
- 우리 아파트 □□ 안에 놀이터가 생겼다.
- 정호가 자신의 짐을 잠깐 봐 달라며 □□을 했다.
- 동생이 □□는 있는지 허락을 받고 과자를 먹었다.
- 나는 짐도 들지 않고 가볍게 □□으로 학교를 나섰다.

2 다음 밑줄 친 낱말과 뜻이 비슷한 말을 (　　　)에서 찾아 ○표 하세요.

오늘 담임 선생님께서 발표를 잘한다고 칭찬해 주셨다. 그리고 피아노 선생님께서는 피아노 연습을 열심히 했다고 칭찬해 주셨고, 엄마는 내 방이 깨끗하다며 칭찬해 주셨다. 칭찬을 세 번이나 잇따라 들어서 기분이 매우 좋은 하루이다.

(곧, 연달아, 나중에)

글의 구조

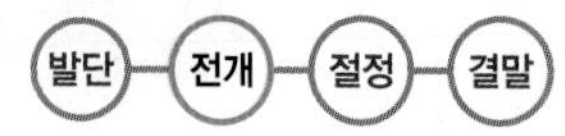

글자 수

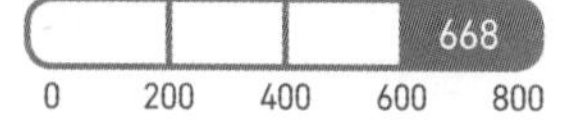

꺼벙이 억수 ❷ | 윤수천

"㉠ 얘들아, 피해!"

도환이가 찻길 위에 물이 괸 웅덩이를 가리키며 소리쳤어요.

찬호는 재빠르게 나무 뒤로 몸을 피했어요.

그런데 이를 어쩌면 좋아요? 고은이가 찻길 옆에 그대로 서 있는 거예요. 트럭이 사정없이 달려오는데 말이에요.

그때였어요. 뒤따라오던 꺼벙이가 **쏜살같이** 뛰어오더니 고은이를 ㉡ 제 몸으로 가려 주는 것이었어요.

'차악! 찍!'

트럭이 지나가며 흙탕물을 한 **양동이** 튀겼어요. 그 바람에 꺼벙이는 흙탕물을 흠뻑 뒤집어쓰고 말았어요. 꺼벙이 덕분에 고은이 옷은 말짱했고요. 〈중략〉

어느 날 아침, 웬 꼬부장한 할머니가 교실 문을 열고 **대뜸** 선생님에게 물었어요.

"저어……, 여기가 일 학년 일 반 맞지유?" 〈중략〉

"우리 억수가 무슨 잘못이라도……."

"아이, 잘못이라니유? ㉢ 저 아가 하도 **기특해서** 고맙단 인사하러 왔지유."

"우리 억수한테요?"

"난, 요 학교 앞 시장 골목에서 땅콩을 팔고 있는 장사꾼이구먼유. 근디 그저께 오토바이가 지나가다가 우리 가게의 땅콩을 **죄다** 쏟았지 뭐예유. 온 시장 바닥이 땅콩 **천지**였구먼유. 이를 어쩌나 하고 있는디, ㉣ 저 땅콩만 한 아가 뛰어오더니 땅콩을 줍기 시작하는 게 아니것어유? 하이고, ㉤ 어린 것이 기특하기도 하지!"

'그저께라면……, 억수가 지각한 날?'

선생님은 그제야 생각이 났어요. 억수는 학교에 오다가 땅에 흩어진 땅콩을 줍느라 지각을 했던 거예요.

- **쏜살같이** 쏜 화살과 같이 매우 빠르게.
- **양동이** 한 손으로 들 수 있도록 손잡이를 단 들통.
- **대뜸** 이것저것 생각할 것 없이 그 자리에서 곧.
- **기특(奇 기이할 기, 特 특별할 특)해서** 말이나 행동이 놀라우면서 자랑스럽고 귀여워서.
- **죄다** 남김없이 모조리.
- **천지** 대단히 많음.

중심 내용

1 이 글의 중심 내용을 정리할 때 꼭 들어가야 하는 낱말이 아닌 것은 무엇인가요? (　　　)

① 찻길　② 땅콩　③ 지각
④ 흙탕물　⑤ 장사꾼

표현

2 ㉠~㉤ 중 가리키는 인물이 다른 것은 무엇인가요? (　　　)

① ㉠　② ㉡　③ ㉢
④ ㉣　⑤ ㉤

세부 내용

3 할머니가 학교에 찾아온 까닭은 무엇인가요? (　　　)

① 아이들에게 땅콩을 나눠 주려고
② 땅콩을 줍는 것을 도와준 억수를 칭찬하려고
③ 시장에 있는 땅콩 가게의 위치를 알려 주려고
④ 억수가 그저께 지각한 까닭을 선생님께 알려 주려고
⑤ 땅콩을 엎지르고 간 오토바이를 본 아이가 있는지 찾아보려고

추론

4 다음 상황에서 인물들의 속마음을 상상한 것으로 가장 알맞은 것을 찾아 ○표 하세요.

(1) 흙탕물을 뒤집어쓴 억수를 본 고은이: ‘억수의 옷이 더러워져서 어떻게 하나? 평소에도 조심성이 없더니, 결국 흙탕물을 맞았네.’ (　　　)

(2) 땅콩을 줍는 억수를 본 할머니: ‘어린 것이 나를 돕느라 지각하게 생겼네. 아이가 혼나지 않게 지금 담임 선생님께 전화를 걸어야겠다.’ (　　　)

(3) 할머니의 이야기를 들은 선생님: ‘그저께 억수가 지각한 까닭을 말하지 않아서 몰랐었네. 착한 일을 하고도 티 내지 않는 억수는 참 기특한 아이구나.’ (　　　)

지문 분석

정답과 해설 02쪽

1 인물 마음 다음 상황에서 고은이의 마음을 짐작하여 (   ) 안에 들어갈 알맞은 말을 찾아 ○표 하세요.

상황		고은이의 마음
트럭이 물이 괸 웅덩이를 지나갈 때 억수가 자기 몸으로 고은이를 가려 주고 대신 흙탕물을 뒤집어씀.	→	억수에게 (화나고, 고맙고) 미안한 마음

2 인물 성격 억수의 행동을 통해 알 수 있는 성격으로 알맞은 것을 찾아 ○표 하세요.

억수의 행동		억수의 성격
학교에 오다가 땅콩 가게 할머니의 땅콩을 함께 주워 주느라 지각을 했지만 지각한 까닭을 선생님께 말하지 않음.	→	•다른 사람에게 자기 것을 양보할 줄 앎. ( ) •자신이 한 올바른 행동을 자랑하지 않음. ( )

배경지식 우리가 할 수 있는 작지만 사람들을 기분 좋게 만드는 일을 찾아볼까요?

누구에게나 반갑게 인사를 하는 일은 아주 작지만, 사람들을 기분 좋게 만드는 일이랍니다. 아침에 일어나서 부모님께 "안녕히 주무셨어요?"라고 말해 보세요. 학교에 오면 선생님들께도 인사를 하고요. 학교와 우리를 지켜 주시는 경비실 아저씨께도 "우리를 안전하게 지켜 주셔서 감사합니다."라고 인사하고, 우리에게 맛있는 밥과 반찬을 만들어 주시는 급식실 영양사 선생님과 조리사 선생님들께도 "매일 맛있는 밥을 만들어 주셔서 감사합니다." 하고 크게 인사를 해 보세요. 인사를 하는 여러분도 인사를 받는 분들도 마구마구 기분이 좋아진답니다.

오늘의 어휘

다음 낱말의 알맞은 뜻을 찾아 선으로 이으세요.

대뜸 •	• 대단히 많음.
천지 •	• 남김없이 모조리.
죄다 •	• 쏜 화살과 같이 매우 빠르게.
쏜살같이 •	• 이것저것 생각할 것 없이 그 자리에서 곧.
기특해서 •	• 말이나 행동이 놀라우면서 자랑스럽고 귀여워서.

1 다음 빈칸에 들어갈 알맞은 말을 오늘의 어휘에서 찾아 쓰세요.

- 지금 공원에는 여기저기 코스모스 ☐☐이다.
- 아이들은 ☐☐ 요즘 유행하는 가방을 들고 있다.
- 나는 엄마가 ☐☐ 성적표를 보여 달라고 하셔서 당황했다.
- 쉬는 시간 종이 울리자 모두들 ☐☐☐☐ 달려 나갔다.
- 스스로 알아서 숙제를 하는 동생이 ☐☐☐☐ 한참을 바라보았다.

2 다음 밑줄 친 낱말과 뜻이 비슷한 말을 (　　　)에서 찾아 ○표 하세요.

치타는 튼튼한 다리와 날렵한 몸을 가지고 있습니다. 그래서 육지에서 사는 동물 중에서 짧은 거리를 가장 빨리 달릴 수 있습니다. 치타는 먹잇감을 발견하면 <u>벼락같이</u> 달려가 사냥을 합니다.

(악착같이, 새벽같이, 쏜살같이)

꺼벙이 억수 ❸ | 윤수천

글의 구조

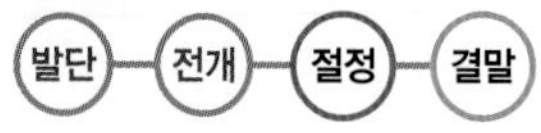

글자 수

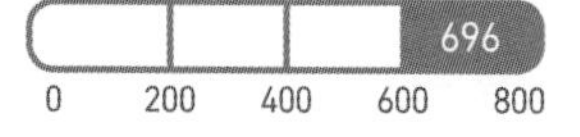

월요일 아침 시간, 선생님이 들어오더니 칠판에다 **큼지막하게** 글씨를 썼어요.

'**학급** 별'

"어제 선생님들 회의에서 결정된 거예요. 앞으로 한 달에 한 번 착한 일을 많이 한 친구를 반에서 한 사람씩 뽑기로 했어요. **이를테면**, '우리 반의 별'인 셈이죠." 〈중략〉

[가]

현주가 남은 세 장 중에서 한 장을 집어 들더니 **살며시** 펼쳤어요.

"이찬호!" / **마침내** 찬호가 억수보다 한 표 더 많아졌어요. 이제 억수 이름만 나오지 않으면 찬호는 학급 별이 되는 거예요. 현주가 두 장 가운데에서 한 장을 펼쳤어요.

"최억수!"

이제 학급 별은 표 한 장에 달려 있었어요. 교실 안은 긴장감이 감돌았어요. 현주도 떨리는지 깊은 숨을 내쉬더니 한 장을 조심스럽게 펼쳤어요.

"최억수!" / "우아!"

아이들이 **일제히 함성**을 지르며 억수를 쳐다보았어요.

"여러분! 왜 억수를 학급 별로 뽑았나요?"

"진선이가 팔 다쳤을 때 가방을 들어 줬어요."

"땅바닥에 떨어진 땅콩을 주웠어요."

"고은이 대신 흙탕물을 뒤집어썼어요."

"휴지가 떨어져 있으면 주워요."

여기저기서 아이들이 소리쳤어요. 억수가 왜 학급 별로 뽑혔는지 찬호는 이제 알 것 같았어요. 그리고 어쩌면 억수는 좋은 아이일지도 모른다고 생각했어요.

선생님은 작고 예쁜 별을 억수의 앞가슴에 달아 주었어요. 아이들이 손뼉을 쳤어요. 찬호도 **힘껏** 손뼉을 쳤어요. 진짜 큰 별 하나가 자신의 마음속으로 쏘옥 들어오는 것을 느끼면서요.

- **큼지막하게** 꽤 큼직하게.
- **학급**(學 배울 학, 級 등급 급) 한 교실에서 함께 공부하는 학생들의 집단.
- **이를테면** 예를 들어 말하자면.
- **살며시** 드러나지 않게 살짝.
- **마침내** 드디어 마지막에는.
- **일제히** 여럿이 한꺼번에.
- **함성** 여러 사람이 함께 외치거나 지르는 소리.
- **힘껏** 있는 힘을 다하여.

중심 내용

1 어떤 일을 중심으로 이야기가 펼쳐지고 있는지 쓰세요.

□□ □을 뽑는 일

세부 내용

2 억수가 한 착한 일이 아닌 것은 무엇인가요? (　　　)

① 휴지가 떨어져 있으면 주웠다.
② 땅바닥에 떨어진 땅콩을 주웠다.
③ 고은이 대신 흙탕물을 뒤집어썼다.
④ 선생님 대신에 칠판에 글씨를 썼다.
⑤ 진선이가 팔을 다쳤을 때 가방을 들어 주었다.

표현

3 가에서 표가 한 장 남았을 때 교실 안의 분위기를 나타낸 말로, 다음 뜻을 가진 낱말을 찾아 쓰세요.

마음을 놓지 못하고 정신을 바짝 차리고 있는 느낌.

□□□

적용

4 이 글이 주는 깨달음과 다른 행동을 한 친구를 찾아 기호를 쓰세요.

㉮ 친구들의 좋은 점을 인정해 주고 본받으려고 노력하는 희수
㉯ 착한 일을 할 때마다 친구들에게 자신이 한 일을 자랑하는 연우
㉰ 반에서 궂은일을 도맡아 하는 친구들에게 고마운 마음을 가지고 도와주려고 노력하는 성연

(　　　　　　　)

지문 분석

정답과 해설 03쪽

1 결말 의미

이 글의 마지막 내용이 뜻하는 것을 생각하며 빈칸에 들어갈 알맞은 말을 보기에서 찾아 쓰세요.

보기

억수 현주 친구 형제 영웅

마지막 내용	찬호도 힘껏 손뼉을 쳤어요. 진짜 큰 별 하나가 마음속으로 쏘옥 들어오는 것을 느끼면서요.

↓

찬호가 ❶☐☐를 소중한 ❷☐☐(으)로 여기게 되었음.

❶( ) ❷( )

2 주제

이 글의 중요한 내용을 보고 주제를 찾아 ○표 하세요.

중요한 내용		주제
겉모습만 보고 억수를 꺼벙이라고 비웃었던 찬호가 억수의 좋은 모습을 알게 되고 진정한 친구로 인정하게 됨.	→	• 친구를 놀리거나 괴롭히지 말고 소중하게 대해야 한다. ( ) • 겉모습만 보고 사람을 판단하지 말고, 친구의 좋은 점을 인정해 주자. ( )

배경지식 「꺼벙이 억수」 전체 줄거리

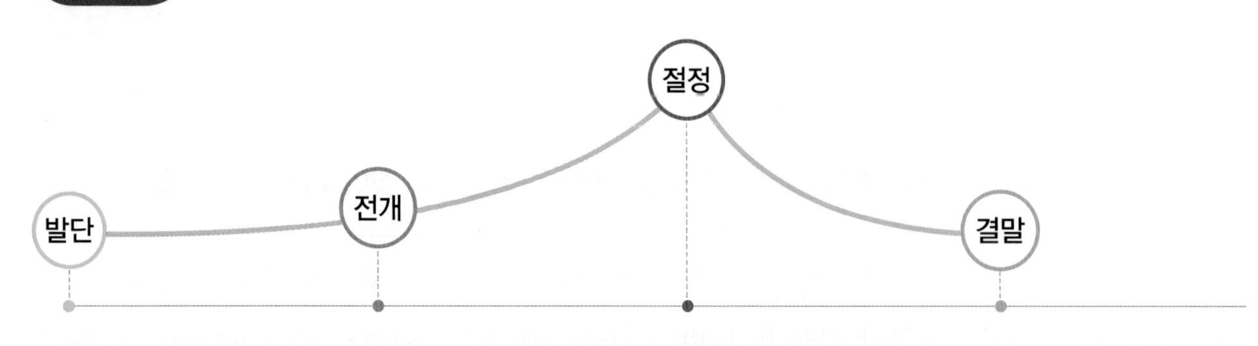

발단	전개	절정	결말
찬호는 지저분한 겉모습을 하고 고은이에게 생일 선물 대신 노래를 불러 주는 꺼벙이 같은 억수를 비웃음.	억수는 고은이 대신 흙탕물을 흠뻑 뒤집어쓰기도 하고, 가게 할머니의 쏟아진 땅콩을 주워드리다가 지각을 하기도 함.	한 달에 한 번 착한 일을 많이 한 친구를 뽑는 '학급 별'의 후보로 찬호와 억수가 마지막까지 남았다가 억수가 뽑힘.	찬호는 억수가 학급 별로 뽑힌 까닭을 알게 되면서 억수가 좋은 아이일지도 모른다고 생각하게 됨.

오늘의 어휘

다음 낱말의 알맞은 뜻을 찾아 선으로 이으세요.

함성 •	• 꽤 큼직하게.
힘껏 •	• 여럿이 한꺼번에.
살며시 •	• 있는 힘을 다하여.
일제히 •	• 드러나지 않게 살짝.
큼지막하게 •	• 여러 사람이 함께 외치거나 지르는 소리.

1 다음 빈칸에 들어갈 알맞은 말을 오늘의 어휘에서 찾아 쓰세요.

- 수지는 호수에 돌멩이를 ☐☐ 던졌다.
- 나는 잠자리를 잡으려고 ☐☐☐ 다가갔다.
- 엄마가 수박을 ☐☐☐☐☐ 자르셨다.
- 아이들이 ☐☐을 지르자 새들이 놀라 날아가 버렸다.
- 우리나라 선수가 승리한 순간 관중들은 ☐☐☐ 박수를 쳤다.

2 다음 밑줄 친 낱말과 뜻이 비슷한 말을 (　　　)에서 찾아 ○표 하세요.

경기장은 열심히 경기를 뛰는 선수들, 이들을 응원하는 사람들로 시끌시끌했다. 경기가 계속될수록 자기가 응원하는 팀이 승리하기를 바라는 사람들의 <u>고함</u> 소리도 점점 커져 갔다.

(함성, 울음, 요청)

만복이네 떡집 ❶ | 김리리

글의 구조

발단 – 전개 – 절정 – 결말

글자 수

714

0 200 400 600 800

[앞부분 이야기] 항상 나쁜 말만 하던 만복이는 어느 날, '만복이네 떡집'을 발견한다. 만복이는 그 떡집에서 '입에 척 들러붙어 말을 못 하게 되는 찹쌀떡'을 먹고, 하루 종일 나쁜 말을 하지 않게 되고, 사람들에게 칭찬을 받는다. 그 후로 만복이는 '만복이네 떡집'에 들러 신기한 떡을 계속 먹게 된다.

만복이는 학교가 끝나자마자 또다시 '만복이네 떡집'으로 달려갔어. 그러고는 무지개떡을 한입에 꿀꺽 삼켰지. 무지개떡은 아주 구수하고 **신비롭고 독특한** 맛이었어. 지금까지 먹어 본 떡하고는 많이 달랐어. 무지개떡을 먹자 **저절로** 재미있는 이야기들이 머릿속에 **몽실몽실** 떠올랐어. 만복이는 자꾸 이야기를 하고 싶어서 ㉠ 입이 간질간질했어. 5

다음 날, 만복이는 학교에 갔어.

"만복이 온다."

누군가 소리치자 아이들은 만복이 자리로 몰려들었어. 만복이는 머릿속에 떠오르는 재미있는 이야기를 친구들한테 들려주었어. 구수한 옛이야기부터 알쏭달쏭한 수수께끼, 무시무시한 귀신 이야기까지 만복이가 10 입만 열면 재미있는 이야기들이 술술술 쏟아져 나왔어. 아이들은 ㉡ 시간 가는 줄 모르고 만복이의 이야기를 들었어. 만복이가 있으면 어디에든 아이들의 ㉢ 웃음꽃이 활짝 피었지.

학교가 끝나고 만복이는 또 '만복이네 떡집'으로 달려갔어. 이번에는 맛있는 쑥떡을 먹을 수 있었지. 쑥떡을 먹자 귓구멍이 간질간질한 게 **쑥덕쑥덕** 이상한 소리가 들리기 시작했어. 마치 누군가 귀에 대고 작게 소 15 곤거리는 것처럼 말이야. 지나가는 사람들의 생각도 쑥덕쑥덕 들리고, 쓰레기를 **뒤지고** 있던 강아지의 생각도 쑥덕쑥덕 들렸어.

'아, 배고파. 요즘에는 왜 이렇게 먹을 게 없지?'

만복이는 엄마가 간식으로 싸 준 소시지빵을 강아지한테 던져 주었어. 20 학원에 가서 먹으려고 했는데, 강아지가 배고픈 걸 알고 그냥 지나칠 수가 없었거든.

- **신비롭고** 사람의 힘이나 지혜가 미치지 못할 정도로 신기하고.
- **독특(獨 홀로 독, 特 특별할 특)한** 특별하게 다른.
- **저절로** 사람이 일부러 힘을 들이지 않고 자연적으로.
- **몽실몽실** 동글동글하게 뭉쳐서 가볍게 떠 있거나 떠오르는 듯한 모양.
- **쑥덕쑥덕** 남이 알아듣지 못하도록 낮은 목소리로 비밀스럽게 자꾸 이야기하는 소리. 또는 그 모양.
- **뒤지고** 무엇을 찾으려고 샅샅이 들추거나 헤치고.

갈래

1 **이 글에서 일이 일어난 곳을 차례대로 쓸 때 (　　　) 안에 공통으로 들어갈 말을 쓰세요.**

(　　　　　) → 학교 → (　　　　　) → 길

세부 내용

2 **만복이가 먹은 무지개떡에 대한 설명으로 알맞은 것을 모두 고르세요.**

(, ,)

① 입에 척 들러붙는다.
② 귓구멍을 간질간질하게 만든다.
③ 구수하고 신비롭고 독특한 맛이다.
④ 머릿속에 재미있는 이야기들을 떠올리게 해 준다.
⑤ 옛이야기, 수수께끼, 귀신 이야기를 말할 수 있게 한다.

표현

3 **㉠~㉢의 표현이 뜻하는 것을 찾아 선으로 이으세요.**

(1) ㉠ • 　　• ㉮ 말을 하고 싶어 참을 수가 없다.

(2) ㉡ • 　　• ㉯ 꽃이 피어나듯 환하고 즐겁게 웃는다.

(3) ㉢ • 　　• ㉰ 어떤 일에 집중하여 시간이 어떻게 지났는지 알지 못한다.

추론

4 **만복이에게 소시지빵을 받아먹은 강아지의 생각으로 가장 알맞은 것을 찾아 ○표 하세요.**

(1) '나도 신기한 떡을 한번 먹어 보고 싶어.' (　　)
(2) '만복이는 정말 소시지빵을 맛있게 먹는구나.' (　　)
(3) '배가 많이 고팠는데, 내 마음을 알았나? 정말 고맙군.' (　　)

지문 분석

정답과 해설 04쪽

1 사건 전개

만복이에게 일어난 일을 생각하며 빈칸에 들어갈 알맞은 말을 보기 에서 찾아 쓰세요.

보기

쑥떡 꿀떡 바람떡 찹쌀떡 무지개떡

일이 일어난 때	일어난 일
❶ □□□□을 먹었을 때	머릿속에 재미있는 이야기들이 저절로 떠오름.
❷ □□을 먹었을 때	사람들과 동물들의 생각을 듣게 됨.

❶( ) ❷( )

2 마음 변화

다음 상황에서 만복이의 마음을 짐작하여 ( ) 안에 들어갈 알맞은 말을 찾아 ○표 하세요.

상황		만복이의 마음
만복이의 이야기를 듣고 아이들의 웃음꽃이 활짝 핌.	→	(부럽고, 뿌듯하고) 즐거운 마음
만복이가 배고픈 강아지에게 소시지빵을 줌.	→	강아지를 (돕고, 만지고) 싶은 마음

배경지식 「만복이네 떡집」에서 파는 떡에는 어떤 것들이 있을까요?

입에 척 들러붙어 말을 못 하게 되는 찹쌀떡

허파에 바람이 들어 비실비실 웃게 되는 바람떡

달콤한 말이 술술 나오는 꿀떡

재미있는 이야기가 몽글몽글 떠오르는 무지개떡

다른 사람의 생각이 쑥덕쑥덕 들리는 쑥떡

오늘의 어휘

다음 낱말의 알맞은 뜻을 찾아 선으로 이으세요.

독특한 •	• 특별하게 다른.
저절로 •	• 무엇을 찾으려고 샅샅이 들추거나 헤치고.
뒤지고 •	• 사람이 일부러 힘을 들이지 않고 자연적으로.
쑥덕쑥덕 •	• 사람의 힘이나 지혜가 미치지 못할 정도로 신기하고.
신비롭고 •	• 남이 알아듣지 못하도록 낮은 목소리로 이야기하는 소리.

1 다음 빈칸에 들어갈 알맞은 낱말을 오늘의 어휘에서 찾아 쓰세요.

- 차가 ☐☐☐ 움직여서 무서웠다.
- 나는 지율이와 ☐☐☐☐ 귓속말을 하였다.
- 계피와 생강이 들어간 수정과는 ☐☐☐ 맛이 난다.
- 파도에 깎여서 만들어진 선녀 바위는 ☐☐☐☐ 아름답다.
- 그 친구는 잃어버린 연필을 찾으려고 쓰레기통을 ☐☐☐ 있었다.

2 다음 밑줄 친 낱말과 뜻이 반대인 말을 (   )에서 찾아 ○표 하세요.

아무리 맛있게 구운 빵도 오래 두면 딱딱해집니다. 그래서 옛날 외국 사람들은 딱딱해진 빵을 먹기 힘들어서 한 가지 평범한 방법을 생각해 냈어요. 바로 국물에 빵을 넣고 함께 끓여 먹었던 것이지요. 이 요리법이 발전해서 오늘날의 수프가 되었답니다.

(보통인, 무난한, 독특한)

만복이네 떡집 ❷ | 김리리

글의 구조

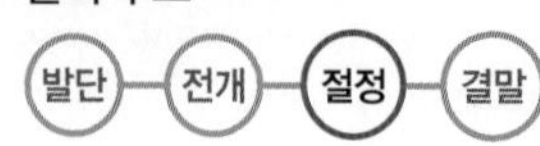

글자 수

은지 옆을 지나자 은지의 생각이 쑥덕쑥덕 들렸어.

'애들이 날 싫어하나 봐. 나한테 말도 잘 안 걸고……. 친구들이 함께 놀자고 하면 얼마나 좋을까?'

㉠은지의 **고민**을 알자 만복이는 그냥 지나칠 수가 없었어. 만복이는 은지한테 먼저 다가가서 말을 걸어 주었어. 5

선생님 **곁**을 지날 때도 선생님의 고민이 쑥덕쑥덕 들렸어.

'**평소**처럼 바지를 입고 올걸, **괜히** 치마를 입었나? 오늘따라 화장도 이상한 것 같고……. 저녁에 데이트가 있는데 어쩌지?'

만복이는 선생님한테 조용히 다가가서 말했어.

"선생님은 바지를 입는 것도 예쁘지만, 치마를 입는 것도 잘 어울려요. 10 얼굴도 오늘 더 예뻐 보여요."

선생님은 기분이 좋은지 **싱글벙글** 웃었어.

'만복이가 요즘 아주 착해졌단 말이야. 지난번에 부모님 오시라고 했는데, 아무래도 오시지 않아도 된다고 해야겠어.'

만복이의 **귓가**로 선생님의 생각이 다시 들려왔어. 15

초연이 옆을 지날 때는

'예전에는 만복이가 정말 싫었는데, 요즘에는 만복이가 좋아진단 말이야. 만복이도 나를 좋아할까?'

하는 소리가 들렸어. 만복이는 기분이 좋아서 하늘로 **붕붕** 날아오를 것 같았어. 20

"초연이, 나도 네가 좋아."

만복이는 다른 친구들한테 들리지 않게 작은 소리로 말했어. 만복이의 이야기를 들은 초연이의 얼굴이 사과처럼 아주 빨개졌지 뭐야.

- **고민**(苦 쓸 고, 悶 번민할 민) 마음속으로 괴로워하고 애를 태움.
- **곁** 어떤 대상의 옆.
- **평소**(平 평평할 평, 素 흴 소) 특별한 일이 없는 보통 때.
- **괜히** 아무 까닭이 없게.
- **싱글벙글** 매우 만족한 듯이 눈과 입을 크게 벌리면서 소리 없이 자꾸 웃는 모양.
- **귓가** 귀의 가장자리.
- **붕붕** 가볍게 공중에 떠오르는 모양. 또는 그 느낌.

갈래

1 이 글에 등장하지 않는 인물은 누구인가요? (　　　)

① 은지　② 초연이　③ 만복이
④ 선생님　⑤ 만복이 부모님

표현

2 ㉠과 같은 만복이 행동을 표현할 때 사용하기에 알맞은 말을 찾아 ○표 하세요.

(1) 눈에 띄다: 두드러지게 드러나다. (　　　)
(2) 발 벗고 나서다: 적극적으로 나서다. (　　　)
(3) 손에 손을 잡다: 서로 힘을 합쳐 협력하다. (　　　)

세부 내용

3 선생님의 고민을 들은 만복이가 한 행동으로 알맞은 것을 찾아 기호를 쓰세요.

㉮ 선생님을 부르며 힘껏 달려갔다.
㉯ 초연이에게 선생님의 고민을 알려 주었다.
㉰ 선생님에게 조용히 다가가서 선생님의 모습을 칭찬했다.

(　　　)

적용

4 초연이가 겪은 일과 비슷한 일은 무엇인가요? (　　　)

① 반 친구들에게 나의 비밀이 소문 난 일
② 친구가 갑자기 큰 목소리로 화를 낸 일
③ 혼자 있던 나에게 친구가 말을 걸어 준 일
④ 나의 짝꿍이 다른 친구와 더 친하게 지낸 일
⑤ 내가 좋아하는 친구가 나에게 좋아한다고 고백한 일

지문 분석

정답과 해설 05쪽

1 인물 마음 **다음 인물들의 마음으로 알맞은 것을 찾아 선으로 이으세요.**

은지 •		• 초연이가 나를 좋아해 주어 기분이 좋다.
초연이 •		• 친구들이 나에게 함께 놀자고 하면 좋겠다.
만복이 •		• 오늘따라 화장한 내 모습이 이상하게 보여 신경 쓰인다.
선생님 •		• 요즘 만복이가 좋은데 만복이도 나를 좋아하는지 모르겠다.

2 인물 성격 **다음 만복이의 행동을 보고 만복이의 성격을 짐작하여 (　　　　) 안에 들어갈 알맞은 말을 찾아 ○표 하세요.**

만복이의 행동
'만복이네 떡집'에서 쑥떡을 먹은 만복이는 친구들과 선생님의 고민을 차례로 듣고, 그 고민을 해결할 수 있도록 도와줌.

➔ 만복이는 (욕심, 배려심)이 많고, (소심, 다정)한 성격임.

배경지식 잔칫날에 먹는 떡에는 어떤 뜻이 담겨 있을까요?

떡은 곡식 가루를 찌거나 삶아서 익힌 것을 빚어서 재료를 넣거나 고물을 묻힌 음식입니다. 떡은 예로부터 우리나라의 잔칫날에 빠지지 않는 음식이었어요. 잔칫날 먹는 떡에는 여러 가지 뜻이 담겨 있어요.

빨간 수수팥떡에는 나쁜 일을 막아 달라는 뜻이 담겨 있지요. 그리고 하얀 백설기에는 하얀 눈처럼 순수하고 건강하게 오래 살라는 뜻이 담겨 있어요. 또 송편은 속이 꽉 차라는 뜻을 가지고 있고, 인절미는 끈기 있는 사람이 되라는 뜻을 담고 있답니다.

오늘의 어휘

다음 낱말의 알맞은 뜻을 찾아 선으로 이으세요.

곁 •	• 귀의 가장자리.
괜히 •	• 어떤 대상의 옆.
고민 •	• 아무 까닭이 없게.
귓가 •	• 특별한 일이 없는 보통 때.
평소 •	• 마음속으로 괴로워하고 애를 태움.

1 다음 빈칸에 들어갈 알맞은 낱말을 오늘의 어휘에서 찾아 쓰세요.

- 형수는 ☐☐처럼 공원을 지나 학교에 갔다.
- 영은이는 자꾸 오늘 배운 노래가 ☐☐에 맴돌았다.
- 준호는 무슨 일인지 궁금해서 영이의 ☐으로 다가갔다.
- 정호는 짝꿍에게 ☐☐ 말을 걸었다가 짜증만 들었다.
- 동생은 나에게 바나나를 나누어 줄 것인지 계속 ☐☐했다.

2 다음 밑줄 친 낱말과 뜻이 비슷한 말을 (　　　)에서 찾아 ○표 하세요.

동물들은 사람들 가까이에 살면서 여러 도움을 줍니다. 먼저 젖소는 고소한 우유를 만들어 줍니다. 젖소가 주는 우유를 먹으면 뼈가 튼튼해집니다. 또, 암탉은 달걀을 낳아 줍니다. 달걀로 만든 음식은 맛도 좋고, 우리 몸을 건강하게 해 줍니다.

(곁, 멀찍이, 나란히)

만복이네 떡집 ③ | 김리리

글의 구조

글자 수

그런데 장군이 옆을 지날 때였어.

'난 왜 이렇게 공부를 못하지? 공부를 좀 잘하면 얼마나 좋을까?'

만복이는 장군이를 **진심**으로 도와주고 싶었어.

㉠"장군아, 내가 좀 도와줄까?"

만복이가 물었어. 5

"네가 뭘 도와줘?"

장군이는 눈을 **치켜뜨고** 만복이를 **노려보았어**.

"다음에는 시험 잘 볼 수 있게 내가 공부 좀 가르쳐 줄게."

만복이가 말을 마치자마자 곧바로 장군이의 주먹이 날아오지 뭐야.

"너 나한테 죽고 싶어? 이게 어디서 잘난 척이야." 10

만복이는 또 코피가 터졌어. ㉡만복이는 너무 화가 나서 주먹을 꼬옥 쥐었어. 그런데 장군이의 생각이 다시 들려오지 뭐야.

'아이, 때리려고 그런 게 아닌데 ……. 만복이가 또 코피 나잖아. 정말 아프겠다. 난 왜 이렇게 **만날** 사고만 치지? 난 정말 나쁜 애야.'

㉢만복이는 쥐고 있던 주먹을 풀었어. 장군이의 마음을 알자 미운 마 15 음이 눈 녹듯 사라져 버렸거든.

그날 집으로 돌아가는 길에 골목 **모퉁이**를 지날 때였어. 떡집은 그대로였지만 뭔가 좀 달라진 것 같았어. ㉣만복이는 걸음을 멈추고 고개를 들어 간판을 보았어.

떡집 **간판**에는 커다란 글씨로 '장군이네 떡집'이라고 쓰여 있었어. ㉤만 20 복이는 헤벌쭉 웃으면서 떡집 앞을 그냥 지나쳐 갔어.

- **진심**(眞 참 진, 心 마음 심) 거짓이 없는 참된 마음.
- **치켜뜨고** 눈을 아래에서 위로 올려 뜨고.
- **노려보았어** 미운 감정으로 매섭게 계속 바라보았어.
- **만날** 매일같이 계속하여서.
- **모퉁이** 길이나 건물의 모가 지거나 구부러져 돌아간 부분.
- **간판** 가게의 이름을 남이 쉽게 볼 수 있도록 세우거나 걸거나 붙여 놓은 판.

지문 독해

중심 내용

1 이 글의 다른 제목으로 알맞은 것을 찾아 ○표 하세요.

(1) 친구들에게 인기가 있는 떡집 (　　)

(2) 만복이를 변화시킨 신비한 떡집 (　　)

(3) 만복이와 장군이를 싸우게 만든 떡집 (　　)

세부 내용

2 이 글의 내용으로 알맞은 것을 두 가지 고르세요. (　　,　　)

① 장군이가 만복이의 코피를 터지게 하였다.

② 장군이는 만복이에게 시험 공부를 부탁하였다.

③ 만복이는 장군이를 진심으로 도와주고 싶어 하였다.

④ 만복이가 공부를 못해 고민인 것을 장군이가 알게 되었다.

⑤ 만복이는 집으로 돌아가는 길에 새로 생긴 떡집을 보았다.

세부 내용

3 ㉠~㉤ 중 장군이를 용서하는 만복이의 마음이 나타난 행동은 무엇인가요?

(　　)

① ㉠　② ㉡　③ ㉢

④ ㉣　⑤ ㉤

추론

4 떡집 간판이 '장군이네 떡집'으로 바뀐 까닭으로 알맞은 것은 무엇인가요?

(　　)

① 떡집 주인이 새롭게 이름을 바꾸어서

② 만복이네가 멀리 이사를 가게 되어서

③ 장군이네가 동네에 새로 떡집을 열어서

④ 장군이가 착한 아이가 될 차례가 되어서

⑤ 만복이가 신기한 떡을 먹지 않기로 해서

지문 분석

1 인물 갈등 만복이와 장군이가 다툰 일을 생각하며 (   ) 안에 들어갈 알맞은 말을 찾아 ○표 하세요.

만복이의 행동	장군이의 행동
장군이에게 (노래, 공부)를 가르쳐 주겠다고 말함.	만복이가 잘난 척한다고 생각해 만복이에게 (주먹, 공책)을 날림.

↓

다툼의 해결
만복이는 장군이가 자신에게 (질투하는, 미안해하는) 마음을 알게 되어 화를 풀게 됨.

2 주제 이 글 전체의 중심 내용을 생각하며 교훈을 찾아 ○표 하세요.

중심 내용		교훈
만복이는 '만복이네 떡집'의 떡을 하나씩 먹을 때마다 착한 일을 하고, 주변 사람들의 기분을 좋게 만듦.	→	• 상대방에게 솔직한 사람이 되자. ( ) • 상대방의 입장에서 생각하고 행동하자. ( )

배경지식 「만복이네 떡집」 전체 줄거리

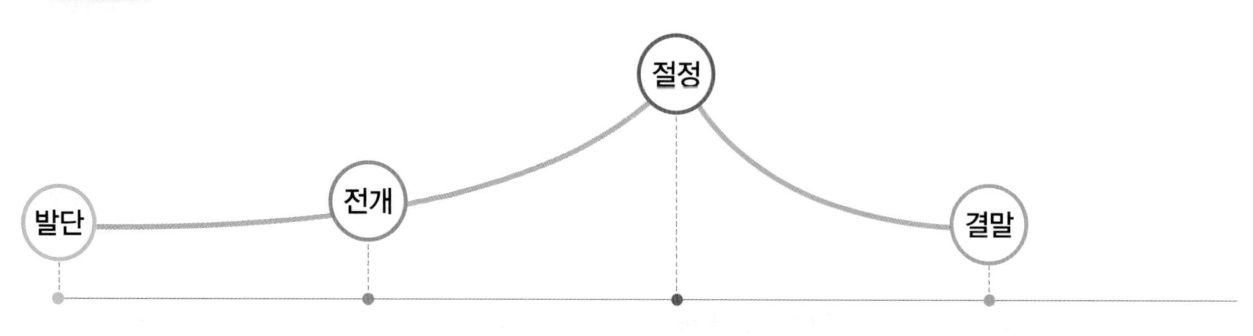

- **발단**: 만복이는 걸핏하면 친구들과 싸우고, 항상 주변 사람들에게 나쁜 말만 하고, 선생님께도 화만 냄.
- **전개**: 어느 날, 만복이는 '만복이네 떡집'을 발견하고 여러 가지 떡을 먹으면서 조금씩 착한 일을 하기 시작함.
- **절정**: 만복이는 친구들과 선생님의 생각을 다 듣게 되고, 그들의 마음을 알게 되어 배려하며 말하고 행동하게 됨.
- **결말**: 만복이는 장군이가 싸움을 걸어도 화를 참았고, 그 뒤 '만복이네 떡집'의 간판은 '장군이네 떡집'으로 바뀜.

오늘의 어휘

다음 낱말의 알맞은 뜻을 찾아 선으로 이으세요.

진심 •	• 매일같이 계속하여서.
만날 •	• 거짓이 없는 참된 마음.
간판 •	• 눈을 아래에서 위로 올려 뜨고.
모퉁이 •	• 길이나 건물의 모가 지거나 구부러져 돌아간 부분.
치켜뜨고 •	• 가게의 이름을 남이 쉽게 볼 수 있도록 붙여 놓은 판.

1 다음 빈칸에 들어갈 알맞은 낱말을 오늘의 어휘에서 찾아 쓰세요.

- 우리 가게 ☐☐은 매일 불이 켜져 있다.
- 형주는 친구에게 ☐☐으로 사과를 했다.
- 동생은 나에게 눈을 ☐☐☐☐ 대들었다.
- 정미는 ☐☐ 지각을 해서 선생님께 혼이 난다.
- 골목길의 ☐☐☐만 돌면 우리 학교가 나온다.

2 다음 밑줄 친 낱말과 뜻이 비슷한 말을 (　　　)에서 찾아 ○표 하세요.

우리 가족은 늘 집안일을 나누어서 한다. 집안일을 나누어 하면 빠른 시간에 마칠 수 있어 좋다. 또, 자신이 해야 할 집안일을 정해 두면 책임감을 갖고 일할 수 있어 좋다. 다른 사람에게 미루지 말고, 지금 내가 해야 할 일부터 열심히 하자!

(만날, 가끔, 어쩌다가)

비가 오면 ❶ | 신혜은

글의 구조

발단 — 전개 — 절정 — 결말

글자 수

620

0 200 400 600 800

㉠투두둑, 툭툭. 갑자기 비가 내리기 시작했습니다.

"우산 가져왔어?" / "아니." / "금방 그칠까?"

아이들이 창밖을 바라보며 **웅성거렸습니다**.

선생님이 칠판에 글씨를 쓰다 말고 뒤를 돌아보셨습니다.

"자, 얘들아! 조용히 하고……. 수업 **마저** 해야지." 5

빗줄기가 점점 굵어졌습니다. 하늘은 어두컴컴해지고 운동장 여기저기 흙탕물이 작은 시내를 이루었습니다.

수업 마침을 알리는 종이 울렸습니다.

"내일 헌 종이 가져오는 거 잊지 말고, 청소 **당번**은 청소 끝나면 검사 맡으러 오고, 나머지는 걸상 다 올리고 가라. 알겠지? 자 그럼 이상!" 10

〈중략〉 선생님이 나가시자마자 ㉡드르륵 뒷문이 열렸습니다.

"진수야, 할미 왔다. 어여 나온."

"우아, 할머니다!"

진수는 신이 나서 가장 먼저 교실을 나갔습니다. **걸상** 올리는 소리, 아이들 나가는 소리로 한동안 교실이 **어수선했습니다**. 15

"소은아! 뭐 해? 빨리 청소하고 집에 가야지."

"응? 으응."

"오늘은 네가 청소 검사 맡으러 가는 날이다. 알지?"

은영이가 내게 빗자루를 건네며 말했습니다.

"으응." 20

현관은 엄마를 기다리는 아이들과 아이들을 데리러 온 엄마들로 가득했습니다. 나는 **곁눈질**로 엄마들 쪽을 바라보았습니다. 많은 엄마 중에 우리 엄마는…… 없습니다.

비 오는 날 엄마가 학교에 오신 적이 한 번 있었습니다. 일 학년 때였던 것 같습니다. 지금은 오실 수가 없습니다. 25

- **웅성거렸습니다** 여러 사람이 모여 소란스럽게 떠드는 소리가 자꾸 났습니다.
- **마저** 남김없이 모두.
- **당번** 여럿이 서로 나누어서 하는 어떤 일을 할 차례가 된 사람. 또는 그 차례.
- **걸상** 주로 책상과 짝이 되는, 걸터앉는 데 쓰는 기구.
- **어수선했습니다** 어지럽고 정돈이 안 되어 있었습니다.
- **현관** 건물의 주된 출입구가 있는 문간.
- **곁눈질** 고개를 돌리지 않고 눈알만 옆으로 굴려서 슬쩍 보는 것.

지문 독해

중심 소재

1 언제 일어난 일을 중심으로 이야기가 펼쳐지고 있는지 쓰세요.

[ ]가 오는 날

세부 내용

2 '나'에 대한 설명으로 알맞은 것을 두 가지 고르세요. (,)

① 이름이 '소은'이다.
② 오늘의 청소 당번이다.
③ 비가 오는 날을 좋아한다.
④ 할머니가 부르는 소리에 교실을 나갔다.
⑤ 운동장에서 흙탕물 밟는 놀이를 좋아한다.

표현

3 ㉠과 ㉡이 흉내 내는 소리를 찾아 선으로 이으세요.

(1) ㉠ •　　　　• ㉮ 문이 열리는 소리

(2) ㉡ •　　　　• ㉯ 비가 한두 방울씩 내리는 소리

추론

4 '내'가 현관을 바라보았을 때 가졌을 마음으로 알맞은 것을 두 가지 고르세요.

(,)

① 비를 맞을 생각에 신이 남.
② 엄마가 늦게 와서 걱정이 됨.
③ 집에 혼자 돌아가야 해서 무서움.
④ 혹시나 엄마가 오지 않았나 기대해 봄.
⑤ 아이들을 데리러 온 엄마들을 보며 부러워함.

지문 분석

정답과 해설 07쪽

1 사건 전개

일이 일어난 시간 순서에 맞게 보기에서 기호를 찾아 차례대로 쓰세요.

보기
㉮ 수업이 끝날 무렵 갑자기 비가 내리기 시작함.
㉯ '나'는 자신의 엄마가 데리러 오지 않은 것을 확인함.
㉰ 진수의 할머니가 찾아와서 진수가 가장 먼저 교실을 나감.
㉱ 현관에는 엄마를 기다리는 아이들과 아이들을 데리러 온 엄마들로 가득 참.

(　　　) → ㉰ → (　　　) → (　　　)

2 마음 변화

다음 상황에서 '나'의 마음을 짐작하여 (　　　) 안에 들어갈 알맞은 말을 찾아 ○표 하세요.

상황		'나'의 마음
'내'가 곁눈질로 아이들을 데리러 온 다른 엄마들을 바라봄.	→	(부러운, 즐거운) 마음
'나'는 아이들을 데리러 온 많은 엄마들 중에 자신의 엄마가 없다는 것을 확인함.	→	(슬픈, 놀란) 마음

배경지식 이야기의 배경이란 무엇일까요?

이야기에서 일이 일어나는 시간과 장소 등을 이야기의 배경이라고 해요. 그중에서도 시간적 배경은 낮과 밤, 계절 등과 같이 일이 일어나는 시간을 뜻해요. 공간적 배경은 집, 학교, 산, 강과 같이 일이 일어나는 장소를 뜻합니다.

그러니까 「비가 오면」의 공간적인 배경은 '학교'이고, 시간적인 배경은 '비가 오는 날 학교 수업을 마친 뒤'인 것이죠. 이야기의 배경은 이야기 속의 일이 실제로 일어난 것처럼 사실적으로 느껴지게 해요. 그러니까 배경은 이야기에서 굉장히 중요한 부분이에요. 이야기를 읽을 때는 시간적 배경이 언제이고, 공간적 배경은 어디인지 확인해 보세요.

정답과 해설 07쪽

오늘의 어휘

다음 낱말의 알맞은 뜻을 찾아 선으로 이으세요.

낱말	뜻
마저 •	• 남김없이 모두.
당번 •	• 건물의 주된 출입구가 있는 문간.
현관 •	• 주로 책상과 짝이 되는, 걸터앉는 데 쓰는 기구.
걸상 •	• 고개를 돌리지 않고 눈알만 옆으로 굴려서 슬쩍 보는 것.
곁눈질 •	• 여럿이 서로 나누어서 하는 어떤 일을 할 차례가 된 사람. 또는 그 차례.

1 다음 빈칸에 들어갈 알맞은 낱말을 오늘의 어휘 에서 찾아 쓰세요.

- 오늘은 내가 우리 집 분리수거 ☐☐이다.
- 엄마는 아침밥을 ☐☐ 먹고 나가라고 하셨다.
- 우리는 책상과 ☐☐을 모두 교실 뒤로 옮겼다.
- 아침에 깜빡하고 집 ☐☐에 도시락을 두고 나왔다.
- 정수가 자꾸 나의 얼굴을 ☐☐☐로 훔쳐보았다.

2 다음 밑줄 친 낱말과 뜻이 비슷한 말을 (   )에서 찾아 ○표 하세요.

진나라의 차윤이라는 사람은 늘 책을 가까이 했습니다. 그러나 등불을 켤 기름이 없어서 밤에는 책을 읽지 못했습니다. 차윤은 어느 날 낮에 보던 책을 <u>전부</u> 읽고 싶어서 밤에 잠을 이루지 못했습니다. 그러다가 차윤은 결국 반딧불이의 빛에 의지해 책을 다 읽었다고 합니다.

(그만, 마저, 다시)

비가 오면 ❷ | 신혜은

글의 구조

글자 수

"선생님, 청소 다 했어요."

"그래? 그럼 얼른 집에 가야지. 우산은 가져왔니?"

"아…… 아니요."

"응, 그렇구나. 그럼 오늘은 우리 둘 다 비를 맞고 가겠네. 나도 우산이 없거든." 5

나는 가방을 메고 현관으로 나왔습니다. 현호와 성찬이는 딱지를 접느라 정신이 없었습니다.

"네 엄마도 안 오시니?"

혼자 공기놀이를 하던 은영이가 물었습니다.

"응……." / "그래? 그럼 비 그칠 때까지 나랑 공기놀이하자." 10

나는 은영이 옆에 **쪼그리고** 앉았습니다. 〈중략〉

나는 **한동안** **읍내** 쪽 하늘을 쳐다보았습니다.

"엄마는 괜찮으실까? 비가 오면 장사도 잘 안 된다고 하셨는데……."

아직 비구름이 두껍게 **드리워져** 있었습니다. 쌀쌀해선지 팔에 **소름**이 돋았습니다. 그때였습니다. 15

"얘들아! 너희 라면 먹고 갈래?"

선생님이 현관에 나와 계셨습니다.

"라면요?" / 우리는 눈이 **휘둥그레졌습니다.**

"네에에에!"

우리는 신이 나서 선생님을 따라 **숙직실**로 갔습니다. 벌써 물이 팔팔 끓고 있었습니다. 선생님이 라면과 수프를 차례로 넣고 젓가락으로 한번 휘휘 저으셨습니다. 숙직실 안은 **금세** 라면 냄새로 가득 찼습니다. 20

입 안 가득 침이 고였습니다. 후루루룩 쩝쩝. 후루룩 쩝쩝. 눈 깜짝할 사이에 냄비 바닥이 드러났습니다.

"우와, 진짜 맛있다!" 25

- **쪼그리고** 팔다리를 오그려 몸을 작게 옴츠리고.
- **한동안** 꽤 오랫동안.
- **읍내** 읍의 구역 안.
- **드리워져** 빛, 어둠, 그늘, 그림자 등이 깃들거나 뒤덮여져.
- **소름** 무섭거나 추울 때 살갗이 오므라들며 좁쌀 같은 것이 도톨도톨하게 돋는 것.
- **휘둥그레졌습니다** 놀라거나 두려워서 눈이 크고 둥그렇게 됐습니다.
- **숙직실**(宿 잠잘 숙, 直 곧을 직, 室 집 실) 직장에서, 밤에 그 건물이나 시설을 지키는 일을 하는 사람이 있는 방.
- **금세** 지금 바로.

지문 독해

갈래

1 **이 글에서 일이 일어난 곳을 차례대로 쓸 때 (　　　) 안에 들어갈 알맞은 말을 쓰세요.**

학교 현관 → (　　　　)

세부 내용

2 **'나'와 친구들이 처한 상황에 대해 바르게 설명한 것을 찾아 ○표 하세요.**

(1) 우산을 찾고 있다. (　　)

(2) 비가 그치길 기다리고 있다. (　　)

(3) 청소 당번이라서 남아서 청소를 하고 있다. (　　)

세부 내용

3 **'나'의 엄마가 학교에 오지 못하시는 까닭은 무엇인가요? (　　)**

① 몸이 아파서

② 회사 일이 바빠서

③ 저녁 준비를 하고 있어서

④ 읍내에서 장사를 하고 있어서

⑤ 동생들을 먼저 데리러 가야 해서

적용

4 **이 글의 아이들과 비슷한 기분을 느낀 친구를 찾아 기호를 쓰세요.**

㉮ 어제 본 무서운 영화가 생각나서 팔에 소름이 돋은 진아

㉯ 골목길에서 큰 개를 만났지만 용감하게 그 옆을 지나간 지은

㉰ 비가 와서 놀이공원에 가지 못했지만 엄마가 해 준 떡볶이를 먹고 기분이 좋아진 연수

(　　　　)

지문 분석

정답과 해설 08쪽

1 인물 행동

이 글에서 누가 무엇을 하였는지 선으로 이으세요.

현호와 성찬 •	• 정신없이 딱지를 접음.
'나'와 은영 •	• 아이들을 위해 라면을 끓여 줌.
선생님 •	• 공기놀이를 하며 비가 그치기를 기다림.

2 인물 성격

'나'와 선생님의 성격을 짐작하여 ( ) 안에 들어갈 알맞은 말을 찾아 ○표 하세요.

'나'의 행동		'나'의 성격
우산이 없어 집에 못 가면서도, 비가 오면 장사가 잘 안 된다는 엄마의 말을 떠올리며 엄마를 걱정함.	➔	(호기심, 이해심)이 많고, 착함.

선생님의 행동		선생님의 성격
우산이 없어 집에 가지 못하고 있는 아이들을 생각하며 라면을 끓여 줌.	➔	(자상, 엄격)하고, 아이들을 사랑함.

배경지식 구름을 나타내는 우리말에는 어떤 것들이 있을까요?

우리말에는 구름을 나타내는 여러 가지 말이 있어요. 「비가 오면」에 나오는 '비구름'도 구름을 나타내는 우리말에 속해요. 비를 몰고 오기 때문에 붙여진 이름이지요. 이 밖에 구름을 나타내는 우리말에는 어떤 것이 있을까요?

'양떼구름'은 양털 모양이 촘촘하게 이어져 있다고 해서 붙여진 이름이에요. 또, '면사포구름'은 신부의 면사포처럼 희고 얇은 구름이 온 하늘을 덮어 붙여진 이름이지요. 이 구름도 비가 오기 전에 나타나요. '새털구름은' 새털 같은 하얀 줄무늬 모양이에요. 새털구름은 날씨가 맑다가 흐려지기 시작할 때 나타납니다.

오늘의 어휘

다음 낱말의 알맞은 뜻을 찾아 선으로 이으세요.

낱말	뜻
소름 •	• 지금 바로.
금세 •	• 꽤 오랫동안.
한동안 •	• 팔다리를 오그려 몸을 작게 옴츠리고.
쪼그리고 •	• 빛, 어둠, 그늘, 그림자 등이 깃들거나 뒤덮여져.
드리워져 •	• 무섭거나 추울 때 살갗이 오므라들며 좁쌀 같은 것이 도톨도톨하게 돋는 것.

1 다음 빈칸에 들어갈 알맞은 낱말을 오늘의 어휘에서 찾아 쓰세요.

- 귀신 이야기를 들으니 팔에 ☐☐이 돋았다.
- 할아버지께서 아프셔서 ☐☐☐ 뵙지 못했다.
- 비가 오려는지 먹구름이 ☐☐☐☐ 있었다.
- 영수는 뜨거운 물에 들어갔다가 ☐☐ 다시 나왔다.
- 나와 동생은 ☐☐☐☐ 앉아서 개미를 구경했다.

2 다음 밑줄 친 낱말과 뜻이 반대인 말을 (   )에서 찾아 ○표 하세요.

오빠가 어제 태권도 대회에 나가서 1등을 했다. 오빠는 1학년 때 <u>잠깐</u> 태권도 학원에 다녔을 뿐인데, 대회에서 1등을 한 것이다. 오빠가 매우 자랑스럽고 멋있게 느껴졌다.

(오래전, 한동안, 잠시 후)

비가 오면 ③ | 신혜은

글의 구조

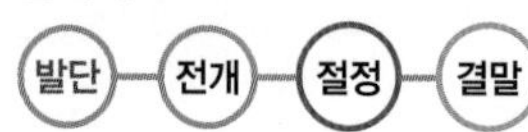

글자 수

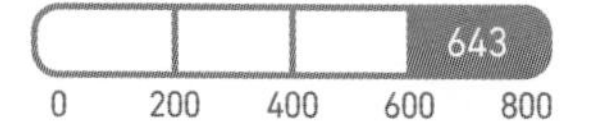

"얘들아, 너희들 그거 아니? 비구름 뒤엔 항상 파란 하늘이 있다는 거."

선생님은 하늘을 올려다보며 말씀하셨습니다.

"네에?" / 우리는 모두 쪼르르 창에 매달렸습니다.

"저기 저 검은 **먹구름** 뒤에는 늘 파란 하늘이 있단다. 여기서는 안 보이지만……. 비가 내릴 때 그걸 떠올리기란 쉽지 않지. 선생님도 **가끔** 잊어버리곤 해." 5

"으응, 그렇구나……."

"자, 이제 비가 많이 가늘어졌으니 집에들 가야지?"

"네에." 10

우리는 대답을 하고도 까만 하늘을 한동안 **뚫어져라** 쳐다보았습니다.

"㉠ 먹구름 뒤엔 언제나 파란 하늘이 있다……."

나는 그 말을 자꾸만 **되뇌었습니다**.

"난 다음에도 비가 오면 학교에 **무조건** 끝까지 남을 거야."

성찬이가 말했습니다. 15

"나도!" / 현호가 **맞장구**를 쳤습니다.

은영이와 나도 서로 마주 보며 / "우리도!" / 하며 **피식** 웃었습니다.

"하하하!" 우리들 웃음소리가 운동장 가득 울려 퍼졌습니다.

얼굴에 닿는 빗방울이 시원하게 느껴졌습니다. 학교 담장 옆, 오동나무가 눈에 들어왔습니다. 20

"얘들아, 저 오동나무 잎, 넓어서 우산이 될 수 있을 거 같지 않니?"

나는 달려가며 소리쳤습니다.

"와! 정말!"

성찬이와 현호도 **한달음에** 달려와 커다란 잎을 하나씩 땄습니다.

"소은아, 이거 진짜 우산 같아!" 25

은영이도 신이 났습니다.

- **먹구름** 몹시 검은 구름.
- **가끔** 어쩌다가 한 번씩.
- **뚫어져라** 뚫어질 정도로 집중하여.
- **되뇌었습니다** 같은 말을 되풀이하여 말했습니다.
- **무조건** 아무런 조건이나 거리낌이 없는 것.
- **맞장구** 남의 말에 찬성하는 말을 하는 것.
- **피식** 입술을 힘없이 터뜨리며 싱겁게 한 번 웃을 때 나는 소리.
- **한달음에** 중간에 쉬지 않고 계속 달려서.

중심 내용

1 선생님이 말씀하신 '비구름 뒤엔 항상 파란 하늘이 있다'는 말의 뜻으로 알맞은 것은 무엇인가요? (　　　　)

① 비가 금세 그칠 것이다.
② 세월은 빠르게 흘러가 버린다.
③ 비구름은 파란 하늘일 때 생긴다.
④ 착한 마음을 가지면 좋은 일이 일어난다.
⑤ 어려운 일을 이겨 내면 좋은 일이 생긴다.

어휘

2 ㉠과 뜻이 비슷한 속담을 찾아 ○표 하세요.

(1) 고생 끝에 낙이 온다 (　　　　)
(2) 바늘 가는 데 실 간다 (　　　　)
(3) 소 잃고 외양간 고친다 (　　　　)

세부 내용

3 아이들이 우산 대신 쓴 것은 무엇인가요? (　　　　)

① 모자　② 책가방　③ 라면 봉지
④ 오동나무 잎　⑤ 실내화 주머니

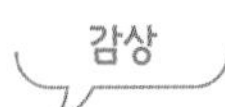

4 이 글을 읽고 깨달은 점을 바르게 말한 친구는 누구인지 쓰세요.

성연: 어려운 일이 닥쳐도 희망을 잃지 않는 자세가 필요하다는 것을 깨달았어.
지영: 어려운 일일수록 친구들과 협동해야만 이겨 낼 수 있다는 것을 깨달았어.
혜민: 어려운 상황이 되어야 어떤 친구가 좋은 친구인지를 알게 된다는 것을 깨달았어.

(　　　　　　　　　　)

지문 분석

정답과 해설 09쪽

1 사건 전개

일이 일어난 차례를 생각하며 빈칸에 들어갈 알맞은 말을 보기에서 찾아 쓰세요.

보기

학교　구름　하늘　쓸쓸한　즐거운

선생님께서 비구름 뒤엔 항상 파란 ❶□□이 있다고 말씀해 주심.

↓

아이들은 다음에도 비가 오면 ❷□□에 남을 것이라고 말함.

↓

아이들은 오동나무 잎을 쓰고 ❸□□□ 마음으로 돌아감.

❶(　　　　)　❷(　　　　)　❸(　　　　)

2 주제

이 글의 중요한 내용을 보고 주제를 찾아 ○표 하세요.

중요한 내용		주제
우산이 없어도 엄마가 데리러 와 줄 수 없는 상황에 처한 아이들이 학교에 남아 선생님과 라면을 먹으며 소중한 추억을 쌓음.	→	• 지금 상황이 너무 힘들면 빨리 포기하자. (　　) • 지금 상황이 힘들어도 용기와 희망을 갖자. (　　)

배경지식 「비가 오면」 전체 줄거리

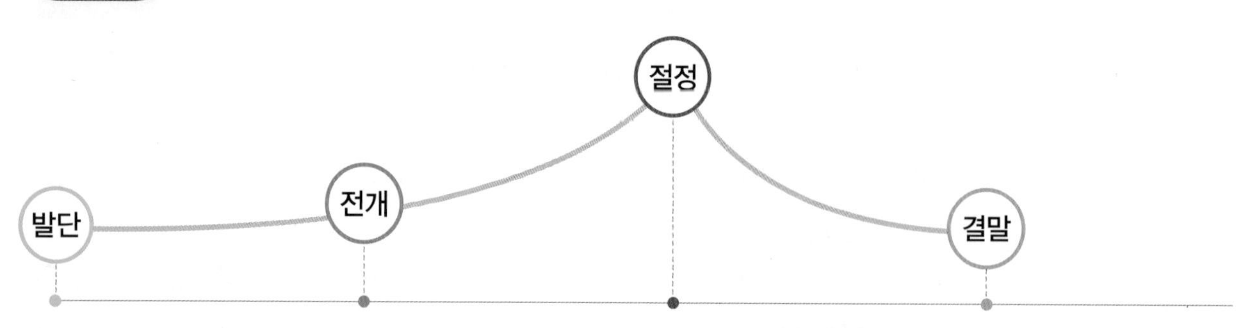

발단	전개	절정	결말
수업 중에 갑자기 비가 내렸지만 오늘 청소 당번인 '나'를 데리러 엄마가 학교에 오실 수가 없음.	우산이 없어 비가 그치기를 기다리던 아이들은 선생님께서 끓여 주신 라면을 맛있게 먹음.	선생님은 아이들에게 비구름 뒤엔 항상 파란 하늘이 있다며 희망을 가지라고 용기를 주심.	즐거워진 아이들은 오동나무 잎을 따서 우산처럼 쓰고 빗속을 신나게 달려 집으로 돌아감.

오늘의 어휘

다음 낱말의 알맞은 뜻을 찾아 선으로 이으세요.

가끔 •	• 몹시 검은 구름.
맞장구 •	• 어쩌다가 한 번씩.
무조건 •	• 중간에 쉬지 않고 계속 달려서.
먹구름 •	• 남의 말에 찬성하는 말을 하는 것.
한달음에 •	• 아무런 조건이나 거리낌이 없는 것.

1 다음 빈칸에 들어갈 알맞은 낱말을 오늘의 어휘에서 찾아 쓰세요.

- □□□이 몰려오더니 소나기가 쏟아졌다.
- 영주는 수희의 말이라면 □□□ 찬성을 한다.
- 나는 축구를 하자는 짝꿍의 말에 □□□를 쳤다.
- 그 아이는 □□ 도서관에 들러서 책을 빌려 오기도 하였다.
- 나는 집에 있는 강아지가 보고 싶어서 □□□□ 달려갔다.

2 다음 밑줄 친 낱말의 뜻을 포함하는 말을 (   )에서 찾아 ○표 하세요.

구름은 물기가 아주 작은 물방울이나 얼음 알갱이가 되어 한데 모여서 하늘에 떠 있는 것을 말해요. 보통 흰색이지만 어두운 색일 때도 있어요. 구름에는 <u>꽃구름</u>, <u>먹구름</u>, <u>뭉게구름</u> 등이 있어요.

(구름, 물방울, 알갱이)

심심이 네 개 ❶ | 김자연

글의 구조
발단 — 전개 — 절정 — 결말

글자 수
672
0 200 400 600 800

송이네 집 식당에서 콩나물국밥 메뉴는 두 종류다. 맑은 콩나물국 심심이와 고춧가루와 청양고추를 ㉠송송 썰어 넣은 얼큰이. ㉡보글보글 끓는 **뚝배기**에 **반숙** 달걀 한 개와 새우젓. 반찬은 김치와 무말랭이가 **전부**이다. 손님들은 반숙 달걀 그릇에 김을 잘게 부셔 넣고 ㉢후룩후룩 마시거나 뚝배기에 넣고 휘휘 저어 먹는다. 5

'쟤는 왜 **하필** 우리 식당에 자주 오는 거야.'

평소 콩나물국밥을 잘 안 먹는 송이는 속으로 투덜댔다. 친구 최보리는 송이네 집 가까이에서 할머니, 할아버지랑 산다. 이름이 보리라 꽁보리라는 **별명**이 붙여졌다. 최보리네 가족은 송이네 집 콩나물국밥을 아주 좋아했다. 〈중략〉 10

송이는 할머니, 할아버지랑 콩나물국밥을 맛있게 먹는 최보리를 슬쩍 바라보았다. 최보리는 할머니가 **대접**에 덜어 준 콩나물국밥을 **넙죽넙죽** 맛있게 잘도 삼켰다.

"흥! 촌스럽기는."

말은 그렇게 했지만 무엇이든 잘 먹는 꽁보리가 부럽기도 했다. 손님들이 하나둘 식당을 빠져나갔다. 최보리도 할머니, 할아버지와 함께 집으로 돌아갔다. 그제야 송이네는 늦은 저녁을 먹으려고 식탁에 모였다. 15

"뭐야, 또 콩밥이네!"

송이는 밥그릇에 담긴 콩을 보자마자 얼굴을 찌푸렸다.

"까다롭기는. 그러니까 보리가 너더러 빼빼땅콩이라고 부르지." 20

송이는 엄마가 또 최보리와 자기를 비교하자 괜히 **심통**이 났다.

송이는 젓가락으로 콩을 쏙쏙 빼서 밥뚜껑에 담아 놓았다.

- **뚝배기** 찌개를 끓이거나 국밥 같은 것을 담는 그릇.
- **반숙** 달걀이나 음식 등에 열을 가해 반쯤 익힘.
- **전부** 무엇의 일부분이 아닌 모두.
- **하필** 다르게 되지 않고 어찌 꼭 그렇게.
- **별명** 본디 이름이 아니고 그 특징을 나타내도록 남들이 지어 부르는 다른 이름.
- **대접** 국이나 물 등을 담는 데 쓰는 넓적한 그릇.
- **넙죽넙죽** 무엇을 받아먹을 때 입을 빠르게 벌렸다 닫았다 하는 모양.
- **심(心 마음 심)통** 마땅치 않게 여기는 나쁜 마음.

지문 독해

갈래

1 이 글에 대해 바르게 말한 것을 두 가지 찾아 ○표 하세요.

(1) 송이와 최보리가 주고받은 말이 나온다. (　　)

(2) 송이의 생각과 마음이 글에 나타나 있다. (　　)

(3) 보리네 집 식당에서 일어난 일이 중심이 된다. (　　)

(4) 최보리의 별명과 가족에 대한 설명이 나타나 있다. (　　)

표현

2 ㉠~㉢이 흉내 내는 소리나 모양을 찾아 선으로 이으세요.

(1)	㉠	㉮	뚝배기의 국밥이 끓는 소리
(2)	㉡	㉯	고추를 아주 잘게 빨리 써는 모양
(3)	㉢	㉰	반숙 달걀을 빠르게 들이마시는 소리

세부 내용

3 송이가 심통이 난 까닭은 무엇인가요? (　　)

① 저녁을 너무 늦게 먹어서

② 저녁으로 또 콩밥이 나와서

③ 엄마가 보리와 자신을 비교해서

④ 보리가 콩나물국밥을 너무 잘 먹어서

⑤ 보리가 자신을 빼빼땅콩이라고 불러서

추론

4 보리가 송이를 '빼빼땅콩'이라고 부르는 까닭을 알맞게 짐작한 것을 찾아 기호를 쓰세요.

㉮ 송이가 땅콩을 너무 좋아해서

㉯ 송이가 안 먹는 음식이 많아 몸이 작고 말라서

㉰ 송이가 한 가지 종류의 콩나물국밥만 먹으며 편식을 해서

(　　　　)

지문 분석

정답과 해설 10쪽

1 인물 특징 송이와 보리의 특징을 생각하며 빈칸에 들어갈 알맞은 말을 보기에서 찾아 쓰세요.

보기

과일　음식　식당　꽁보리　최보리

송이	보리
• 부모님이 콩나물국밥 ❶ □□ 을 하신다. • ❷ □□ 을 가려 먹는다.	• 할머니, 할아버지와 같이 산다. • 별명이 ❸ □□□ 이다. • 무엇이든 잘 먹는다.

❶(　　　) ❷(　　　) ❸(　　　)

2 마음 변화 다음 상황에서 송이의 마음을 짐작하여 (　　　) 안에 들어갈 알맞은 말을 찾아 ○표 하세요.

상황		송이의 마음
콩나물국밥을 맛있게 잘 먹는 보리를 보았을 때	→	(부러운, 뿌듯한) 마음
엄마가 보리와 자신을 비교했을 때	→	(긴장되는, 화가 나는) 마음

배경지식 사람들이 콩나물국밥을 즐겨 먹게 된 까닭이 무엇일까요?

콩나물국밥을 먹어 본 적 있나요? 콩나물국밥은 콩나물국에 밥을 넣어 팔팔 끓여 만든 음식입니다. 새우젓을 넣어 간을 맞추고, 고춧가루와 송송 썬 파를 넣어 만들어요. 값이 싼 재료로 일년 내내 먹을 수 있는 음식이어서 옛날부터 생활 형편이 어려운 사람들도 콩나물국밥을 즐겨 먹었어요.

콩나물국밥 중에서도 전주 콩나물국밥이 제일 유명해요. 전라북도 전주의 날씨와 물이 콩나물 재배에 알맞기 때문이랍니다.

오늘의 어휘

다음 낱말의 알맞은 뜻을 찾아 선으로 이으세요.

전부 •	• 무엇의 일부분이 아닌 모두.
하필 •	• 마땅치 않게 여기는 나쁜 마음.
별명 •	• 다르게 되지 않고 어찌 꼭 그렇게.
심통 •	• 무엇을 받아먹을 때 입을 빠르게 벌렸다 닫았다 하는 모양.
넙죽넙죽 •	• 본디 이름이 아니고 그 특징을 나타내도록 남들이 지어 부르는 다른 이름.

1 다음 빈칸에 들어갈 알맞은 낱말을 오늘의 어휘에서 찾아 쓰세요.

- ☐☐이면 소풍 가는 날 비가 왔다.
- 희수는 키가 커서 ☐☐이 키다리이다.
- 동생은 아이스크림을 먹지 못했다며 ☐☐을 부렸다.
- 내가 모은 돈 ☐☐를 가지고 엄마 생신 선물을 샀다.
- 팔을 다친 정호는 엄마가 주시는 김밥을 ☐☐☐☐ 받아먹었다.

2 다음 밑줄 친 낱말과 뜻이 반대인 말을 (　　　)에서 찾아 ○표 하세요.

음식이나 옷 등 사람들이 필요한 여러 가지를 사는 데 돈을 쓰는 것을 소비라고 합니다. 사람들은 벌어 온 돈 중에서 일부는 소비를 하고 일부는 저축을 합니다. 저축은 미래를 위해 가지고 있는 돈 중 일부를 쓰지 않고 모아 두는 것을 말합니다.

(약간, 조금, 전부)

심심이 네 개 ② | 김자연

글의 구조

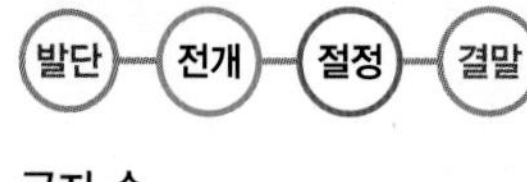

글자 수

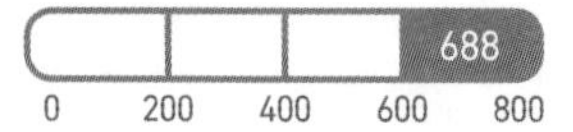

'엄만 만날 최보리와 날 **비교**해. 우리 집이 피자, 통닭, 돈가스, 비빔국수를 팔면 얼마나 좋아. 먹지 말라고 해도 **실컷** 먹을 텐데.'

송이는 열이 나고 속도 상해 식당에 딸린 방으로 들어가 이불을 목까지 끌어당겨 덮었다. 자꾸 몸이 으슬으슬 떨리고 어지럽기까지 했다. 목구멍도 따끔따끔하고 머리도 아팠다. 마침내 송이는 끙끙 앓았다. 5

할머니가 아픈 송이를 **발견**하고 아빠를 찾았다.

"애가 열이 펄펄 끓네! 아비야, 어서 와 봐라."

아빠가 송이를 들쳐 업고 병원 응급실을 찾았다.

"감기인데다 따님이 **영양실조**네요. 잘 먹이세요." 〈중략〉

송이가 많이 아프다는 소식을 듣고 최보리가 찾아왔다. 10

"꽁보리, 너 왜 왔냐?"

"식당에 네가 없으니 콩나물국밥이 맛없어서 왔다. 왜?"

㉠송이가 피식 웃었다. 최보리도 씩 웃었다.

"빼빼땅콩, 빨리 나아. 네가 없으니까 심심해 죽겠다."

최보리가 다녀간 뒤 하루가 지나 송이는 **겨우** 자리에서 일어났다. 15

"송이야? 괜찮아? 머리 안 아파?"

"휴, 이제야 열이 조금 내렸구나."

"할머니 나 죽는 줄 알았어."

할머니가 송이 이마에 손을 얹었다. 송이는 계속 목이 타는지 할머니가 건네준 물을 꿀떡꿀떡 넘겼다. 20

"이게 뭐예요?"

"콩나물 **달인** 물이야. 이것 먹고 너 열이 내렸어."

"정말요?"

그날 이후 송이는 할머니가 끓인 콩나물국밥에 **관심**이 생겼다.

- **비교** 여럿을 서로 견주어 보는 것.
- **실컷** 마음에 하고 싶은 대로 한껏.
- **발견** 미처 찾아내지 못했거나 아직 알려지지 않은 사실을 찾아냄.
- **영양실조** 영양소가 모자라서 일어나는 몸의 이상 상태.
- **겨우** 어렵게 힘들여.
- **달인** 액체 등을 끓여서 진하게 만든.
- **관심** 어떤 것에 마음이 끌려 주의를 기울임.

중심 내용

1 **이 글에서 일어난 가장 중요한 일에 맞게 빈칸에 들어갈 알맞은 말을 쓰세요.**

> 송이가 아팠을 때 ☐☐☐ 달인 물을 먹고 나은 뒤 콩나물국밥에 ☐☐이 생긴 일

세부 내용

2 **송이가 ㉠처럼 피식 웃은 까닭을 찾아 ○표 하세요.**

(1) 보리가 이해할 수 없는 말을 해서 ( )
(2) 보리가 밝게 웃는 모습을 보니 기분이 좋아서 ( )
(3) 보리 때문에 비교당하고 속상했던 마음이 풀려서 ( )

세부 내용

3 **이 글을 읽고 바르게 이해한 것은 무엇인가요? ( )**

① 송이의 가족들은 송이의 건강에 관심이 없다.
② 송이는 먹고 싶은 음식을 먹지 못해서 아팠다.
③ 송이는 할머니의 정성 덕분에 나을 수 있었다.
④ 보리는 아픈 송이를 약 올리려고 병원에 찾아갔다.
⑤ 보리는 송이가 콩나물국밥 식당에 없어서 좋았다.

적용

4 **송이가 겪은 일과 비슷한 경험을 말한 것을 찾아 기호를 쓰세요.**

> ㉮ 아주 가깝게 지내던 친구가 이사를 가서 슬프고 외로웠어.
> ㉯ 생일날 내가 좋아하는 음식을 실컷 먹을 수 있어서 행복했어.
> ㉰ 심한 감기에 걸렸을 때 엄마가 밤새 간호해 주신 덕에 금방 나아서 감사했어.

( )

지문 분석

정답과 해설 11쪽

1 사건 전개 일이 일어난 시간 순서에 맞게 보기에서 기호를 찾아 차례대로 쓰세요.

보기

㉮ 보리가 아픈 송이를 보러 찾아옴.
㉯ 송이는 콩나물 달인 물을 먹고 열이 내림.
㉰ 할머니가 방에서 앓고 있는 송이를 발견함.
㉱ 아빠가 송이를 들쳐 업고 응급실에 데리고 감.

(　　　) → (　　　) → (　　　) → ㉯

2 인물 마음 다음 할머니의 말에 담긴 마음을 짐작하여 (　　　) 안에 들어갈 알맞은 말을 찾아 ○표 하세요.

할머니의 말		할머니의 마음
"휴, 이제야 열이 조금 내렸구나." "콩나물 달인 물이야. 이것 먹고 너 열이 내렸어."	→	송이를 (걱정, 질투)하고 사랑하는 마음

배경지식 왜 채소를 먹어야 할까요?

채소에는 우리 몸에 꼭 필요한 영양소가 많이 들어 있어요. 그래서 채소를 먹으면 몸을 아프게 만드는 병균을 물리칠 수 있고, 병을 잘 이겨 낼 수 있어요. 채소가 우리 몸에 얼마나 좋은지 알아보아요.

먼저, 콩나물은 우리 몸의 열을 내려 주어서 감기 치료에 매우 좋아요. 호박은 우리 몸속의 장이 활발하게 움직이게 도와줘서 변비에 걸리지 않게 해 주지요.

또, 시금치는 피를 맑게 하고, 뼈를 튼튼하게 만들어 준답니다. 오이에는 비타민 C가 들어 있어서 피부 건강에 좋고, 몸에 쌓인 피로도 잘 풀어 준답니다.

오늘의 어휘

다음 낱말의 알맞은 뜻을 찾아 선으로 이으세요.

비교 •	• 어렵게 힘들여.
실컷 •	• 마음에 하고 싶은 대로 한껏.
발견 •	• 여럿을 서로 견주어 보는 것.
겨우 •	• 어떤 것에 마음이 끌려 주의를 기울임.
관심 •	• 미처 찾아내지 못했거나 아직 알려지지 않은 사실을 찾아냄.

1 다음 빈칸에 들어갈 알맞은 낱말을 오늘의 어휘에서 찾아 쓰세요.

- 새로 전학 온 친구에게 ☐☐이 생겼다.
- 나는 시험만 끝나면 ☐☐ 놀 생각이다.
- 콜럼버스는 아메리카 대륙을 ☐☐했다.
- 나는 물건을 살 때 가격을 꼼꼼하게 ☐☐한다.
- 영호는 공부를 열심히 하지 않아서 시험에 ☐☐ 합격했다.

2 다음 밑줄 친 낱말과 뜻이 비슷한 말을 (　　　)에서 찾아 ○표 하세요.

'토사구팽'이라는 말이 있습니다. 토끼가 죽으면 토끼를 잡던 사냥개도 필요 없게 되어 주인에게 삶아 먹히게 된다는 뜻으로, 필요할 때는 마음껏 쓰고 필요 없을 때는 인정 없이 버리는 경우를 나타내는 말입니다.

(실컷, 약간, 잠시)

심심이 네 개 ❸ | 김자연

글의 구조

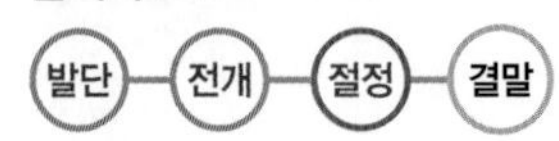

글자 수

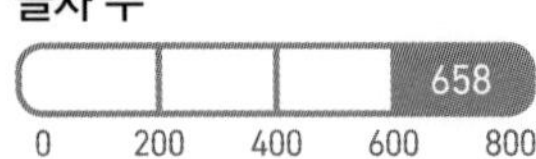

"할머니, 내가 왜 콩나물국밥을 싫어한 줄 알아?"

"그 이유가 뭔데? 괜찮아. 어서 말해 봐."

송이가 한참을 **머뭇거리다** 입을 열었다.

"**주변** 사람들이 나만 보면 콩나물국밥집은 내가 이어받을 거라고 했어. 그러니까 잘 보고 배우라고. 콩나물만 보면 그냥 싫었어. 내 꿈은 방송 기자거든."

"그랬구나! 그냥 우리 송이가 하고 싶은 것 하면 돼." 〈중략〉

오후가 되자 꽁보리가 할머니, 할아버지와 함께 식당 문을 열고 들어왔다.

"야, 넌 우리 집 콩나물국밥이 질리지도 않냐?"

"너희 콩나물국밥보다 맛있는 곳을 찾지 못해 그런다. 어쩔래?"

"아이고, 너희들은 왜 만나기만 하면 **티격태격**이냐?" 〈중략〉

"하긴 우리 집 콩나물국밥이 좀 특별하긴 하지. 우리 할머니가 **정성** 들여 기른 콩나물로 국밥을 만드니까."

"어쭈, 너는 콩나물국밥 싫어하잖아. 그래도 콩나물국밥집 딸이라고 자기 집 자랑도 하네."

할머니와 엄마는 송이의 달라진 **태도**가 믿기지 않는다는 표정을 지었다.

"**주문**이요. 아빠, 여기 심심이 네 개!" / "네 개라니?"

주위 사람들이 ㉠ **어리둥절해서** 송이를 바라보았다.

"응, 한 개는 내 거야."

"뭐, 네가 콩나물국밥을 먹는다고?"

최보리가 믿기지 않는다는 듯이 입을 벌리고 눈까지 동그랗게 떴다.

"당연하지. 아빠, 오늘 콩나물국밥은 **공짜** 맞지요?"

"그래. 우리 딸 마음이지."

- **머뭇거리다** 말이나 행동 등을 선뜻 하지 못하고 자꾸 망설이다.
- **주변**(周 두루 주, 邊 가 변) 어떤 대상의 둘레.
- **티격태격** 서로 뜻이 맞지 않아 말로 다투는 모양.
- **정성** 온갖 힘을 다하려는 참되고 성실한 마음.
- **태도** 어떤 일이나 상황을 대하는 마음가짐. 또는 마음가짐이 드러난 자세.
- **주문** 어떤 것을 만들거나 보내 달라고 부탁하는 일.
- **어리둥절해서** 무슨 일인지를 빨리 알아차리지 못해서.
- **공짜** 돈이나 힘을 들이지 않고 거저 얻은 물건.

중심 소재

1 **이 글에서는 무엇을 중심으로 이야기가 펼쳐지고 있는지 쓰세요.**

세부 내용

2 **송이가 콩나물국밥을 싫어한 까닭은 무엇인가요? (　　　　)**

① 콩나물에서 나는 냄새가 싫어서
② 최보리가 콩나물국밥을 좋아해서
③ 어려서부터 콩나물국밥을 너무 많이 먹고 질려서
④ 가족들이 콩나물국밥 장사를 하느라 바빠 송이에게 관심을 주지 않아서
⑤ 자기의 꿈은 따로 있는데 주변 사람들이 송이가 콩나물국밥집을 이어받을 거라고 해서

어휘

3 **㉠ 대신에 쓸 수 있는 낱말로 알맞은 것은 무엇인가요? (　　　　)**

① 화나서　　② 움츠려서　　③ 웅성거려서
④ 얼떨떨해서　　⑤ 우왕좌왕해서

4 **이 글을 읽고 생각한 점을 알맞게 말한 것을 찾아 ○표 하세요.**

(1) 송이는 할머니의 뜻을 받아들여 콩나물국밥집을 이어 가게 될 것 같아. (　　　)
(2) 보리네는 자신에게만 양이 많은 콩나물국밥을 주는 송이네 식당의 단골 손님이 될 것 같아. (　　　)
(3) 송이는 보리가 병문안을 와 준 것에 고마워하며 오늘 콩나물국밥은 공짜라고 말한 것 같아. (　　　)

지문 분석

정답과 해설 12쪽

1 인물 마음 송이가 한 말을 보고 송이의 마음으로 알맞은 것을 찾아 선으로 이으세요.

"하긴 우리 집 콩나물 국밥이 좀 특별하긴 하지. 우리 할머니가 정성 들여 기른 콩나물로 국밥을 만드니까." •

• 송이네 콩나물국밥이 자랑스럽고 좋음.

• 송이도 할머니처럼 특별한 콩나물국밥을 만들어 보고 싶음.

2 제목 의미 이야기의 마지막 내용을 보고 이 글의 제목이 뜻하는 것을 찾아 ○표 하세요.

마지막 내용	송이는 자신과 보리네 세 가족의 콩나물국밥을 주문하며 "심심이 네 개!"라고 말함.

↓

- 송이가 보리와 같이 밥을 먹는 식구가 되었음. (　　)
- 송이가 싫어하던 콩나물국밥을 좋아하게 되었고, 보리와도 친하게 지내게 되었음. (　　)

배경지식 「심심이 네 개」 전체 줄거리

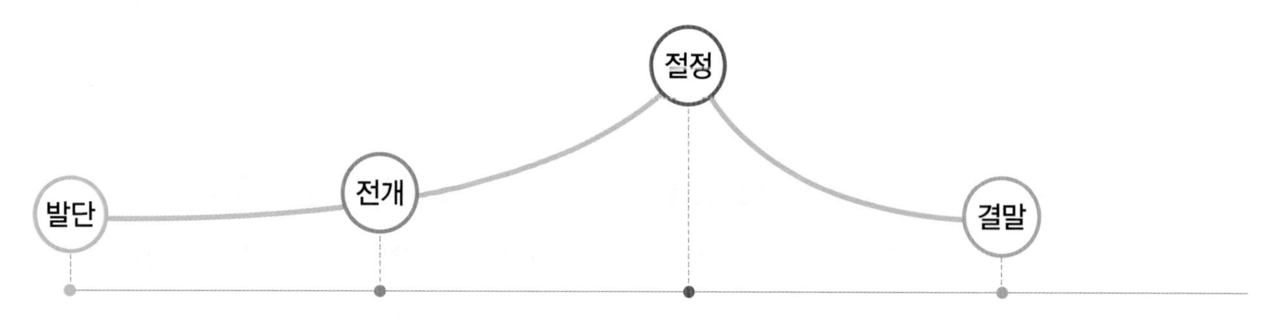

- 발단: 콩나물국밥을 싫어하는 콩나물국밥집 딸 송이는 무엇이든 잘 먹어 자신과 비교되는 보리가 얄미웠음.
- 전개: 송이가 감기와 영양실조까지 걸려 병이 나자 걱정된 보리가 송이를 찾아오고, 송이는 콩나물 달인 물을 먹고 나음.
- 절정: 건강을 회복한 송이가 자신의 꿈과 콩나물국밥을 싫어한 까닭을 말하자 할머니는 하고 싶은 것을 하라고 말씀하심.
- 결말: 송이는 보리네 식구들에게 콩나물국밥을 자랑하면서 공짜 콩나물국밥을 선물하고, 자신의 것도 한 그릇 주문함.

오늘의 어휘

다음 낱말의 알맞은 뜻을 찾아 선으로 이으세요.

정성 •	• 온갖 힘을 다하려는 참되고 성실한 마음.
주문 •	• 돈이나 힘을 들이지 않고 거저 얻은 물건.
태도 •	• 어떤 것을 만들거나 보내 달라고 부탁하는 일.
공짜 •	• 말이나 행동 등을 선뜻 하지 못하고 자꾸 망설이다.
머뭇거리다 •	• 어떤 일이나 상황을 대하는 마음가짐. 또는 마음가짐이 드러난 자세.

1 다음 빈칸에 들어갈 알맞은 낱말을 오늘의 어휘에서 찾아 쓰세요.

- 슈퍼 아저씨께서 ☐☐로 사탕을 나눠 주셨다.
- 일주일 전에 ☐☐한 물건이 아직 오지 않았다.
- 선생님께서는 나의 학습 ☐☐가 좋다고 칭찬하셨다.
- 영훈이는 ☐☐을 들여 만든 선물을 친구에게 주었다.
- 친구는 ☐☐☐☐☐ 나에게 슬금슬금 다가왔다.

2 다음 밑줄 친 낱말과 뜻이 반대인 말을 (　　　)에서 찾아 ○표 하세요.

○○ 동물원에서는 어린이날을 맞아 태어난 지 한 달 된 아기 판다를 처음으로 공개합니다. 그런데 다른 동물관은 모든 어린이가 자유롭게 볼 수 있지만, 아기 판다가 있는 곳은 4살 이상부터 유료로 관람이 가능합니다.

(돈, 공짜, 가짜)

영식이의 영식이 ❶ | 강소천

영식이는 올해 초등학교 1학년으로 아주 **활발하고** 똑똑한 아이입니다.

두 해 동안이나 유치원에 다녔기 때문에, 이제 **막** 학교에 들어갔는데도 조금도 **서먹서먹하지** 않고 **낯선** 생각도 들지 않았습니다.

그러니까 학교생활이 무척 재미있을 것 같지요? 그러나 영식이는 그렇지 않았습니다. 유치원보다도 더 재미없었습니다.

'앞으로 나란히'니 '앞으로 가'니 하는 유치원에서 다 배운 걸 또 시작하니 재미가 있을 게 뭡니까. 〈중략〉

그런데 영식이는 글을 배우기 시작하면서부터 학교가 재미있는 데라고 생각했습니다. 처음에는 그림 공부만 했지만 글자를 읽고 쓰기 시작한 영식이는 정말 신이 났습니다.

이제 영식이는 자기 이름 석 자를 **척척** 쓸 수 있게 되었습니다. 〈중략〉

영식이에겐 여기저기에 자기 이름을 써 놓는 게 무척 신나고 재미있는 일이 되어 버렸습니다.

학교 교실에서 쓰다 남은 **몽당** 분필을 주워 가지고 집에 돌아와서는 여기저기에 '박영식' 하고 썼습니다. 굴뚝에도 '박영식'이라고 써 놓았습니다. 분필이 **닳아** 없어지거나 쓸 자리가 모자라기 전엔 '박영식'은 계속해서 이곳저곳에 쓰여졌습니다. 〈중략〉

그런 어느 날 첫 시간이었습니다.

선생님이 출석을 부르기 시작했습니다.

"강남향, 김길수……."

아이들은 제각기 '예, 예' 하고 대답했습니다.

그런데 이상한 일이 생겼습니다. 정말 이상한 일이 생겼어요. 글쎄 선생님이,

"박영식-." 하고 부르자 **한꺼번에** 여럿이 '예.' 하는 게 아니겠습니까.

글의 구조

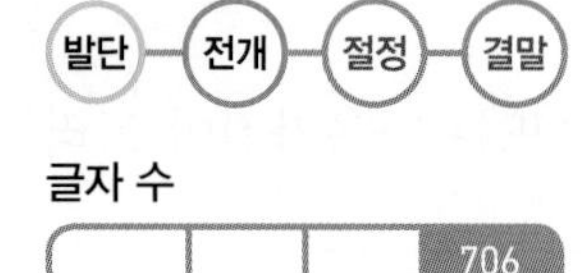

글자 수

706 (0 200 400 600 800)

- **활발하고** 생기 있고 힘차며 시원스럽고.
- **막** 바로 지금.
- **서먹서먹하지** 낯설거나 친하지 않아 자꾸 어색하지.
- **낯선** 전에 본 기억이 없어 익숙하지 않은.
- **척척** 전혀 망설이지 않고 선뜻선뜻 행동하는 모양.
- **몽당** 물건의 끝이 닳아서 몽톡하게 몽그라진 모양.
- **닳아** 갈리거나 오래 쓰여서 물건이 낡아지거나, 그 물건의 길이, 두께, 크기 등이 줄어들어.
- **한꺼번에** 몰아서 한 차례에.

지문 독해

갈래

1 어디에서 일어난 일을 중심으로 이야기가 펼쳐지고 있는지 쓰세요.

세부 내용

2 다음 상황에서 영식이의 마음으로 알맞은 것을 찾아 선으로 이으세요.

(1) 글을 배우기 전 • 　　　　• ㉮ 학교가 지루하다.

(2) 글을 배운 뒤 • 　　　　• ㉯ 학교가 재미있다.

세부 내용

3 영식이에게 가장 재미있는 일은 무엇인가요? (　　　)

① 친구들이랑 노는 것
② 유치원에서 배운 것을 복습하는 것
③ 친구들에게 글자를 가르쳐 주는 것
④ 자신의 이름을 여기저기에 써 놓는 것
⑤ 학교에 가지 않고 하루 종일 집에서 노는 것

추론

4 이 글 뒤에 이어질 내용을 짐작한 것으로 알맞은 것을 찾아 기호를 쓰세요.

㉮ 선생님이 영식이를 부른 까닭이 무엇인지가 드러날 것이다.
㉯ 영식이가 선생님에게 여러 번 대답한 까닭이 무엇인지가 드러날 것이다.
㉰ 선생님이 "박영식-." 하고 부르는 소리에 대답한 여럿이 누구인지 드러날 것이다.

(　　　　　　　　　)

지문 분석

1 인물 특징

영식이에 대한 설명으로 맞는 것에 ○표, 맞지 않는 것에 ×표 하세요.

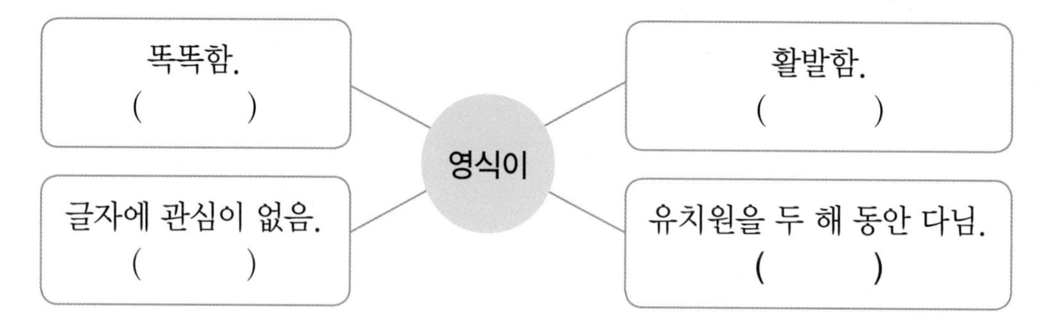

2 사건 전개

일이 일어난 차례를 생각하며 (　　　　) 안에 들어갈 알맞은 말을 찾아 ○표 하세요.

영식이는 올해 (유치원, 초등학교)에 들어갔지만 지루하게 느껴짐.

영식이는 (글, 그림)을 배우기 시작하면서 신이 나서 여기저기에 자신의 이름을 쓰고 다님.

어느 날 선생님이 (출석, 반장)을 부르며 "박영식"이라고 말하자 여럿이 한꺼번에 '예.'라고 대답함.

배경지식 옛날 교실의 모습을 알아볼까요?

「영식이의 영식이」는 옛날 학교를 배경으로 하는 이야기예요. 지금의 학교와는 조금 다른 모습인데요, 옛날 학교의 교실은 어떤 모습이었는지 함께 살펴볼까요?

50~60년 전에는 한 반에 정말 많은 친구들이 함께 공부했습니다. 한 반에 학생이 100명이나 되는 학교들도 있을 정도로 학생이 정말 많았어요.

또, 옛날 교실에서는 겨울에 교실 한가운데에 난로를 놓아 두고, 그 위에 양철 도시락을 데워 먹었습니다. 에어컨과 난방 시스템이 잘 갖추어져 있는 지금의 교실과는 매우 다른 모습이지요.

그리고 옛날 학생들은 쉬는 시간에 딱지치기, 구슬치기, 공기놀이 등을 하며 놀았습니다. 쉬는 시간에 여러 가지 놀이를 하는 모습은 지금 교실의 모습과 크게 다르지 않네요.

오늘의 어휘

다음 낱말의 알맞은 뜻을 찾아 선으로 이으세요.

막 •	• 바로 지금.
낯선 •	• 생기 있고 힘차며 시원스럽고.
척척 •	• 전에 본 기억이 없어 익숙하지 않은.
몽당 •	• 전혀 망설이지 않고 선뜻선뜻 행동하는 모양.
활발하고 •	• 물건의 끝이 닳아서 몽톡하게 몽그라진 모양.

1 다음 빈칸에 들어갈 알맞은 낱말을 오늘의 어휘에서 찾아 쓰세요.

- 형우는 선생님의 질문에 ☐☐ 대답했다.
- 연지는 ☐☐☐☐ 항상 밝게 웃는다.
- 연필을 오래 쓰다 보니 짧아져 ☐☐ 연필이 되었다.
- 재진이는 정거장을 지나쳐 ☐☐ 곳에 내리니 무서웠다.
- 여행에서 이제 ☐ 돌아온 우리 가족은 짐 정리부터 시작하였다.

2 다음 밑줄 친 낱말과 뜻이 반대인 말을 (   )에서 찾아 ○표 하세요.

전화는 우리에게 너무나 익숙한 물건입니다. 그런데 전화가 없던 옛날에는 어떻게 멀리 떨어진 사람과 연락을 할 수 있었을까요? 옛날에는 멀리 떨어져 있는 사람에게 소리를 지르거나, 더 먼 거리이면 북을 울리거나 깃발을 들어 신호를 보냈다고 합니다.

(낯선, 유익한, 필요한)

영식이의 영식이 ❷ | 강소천

글의 구조

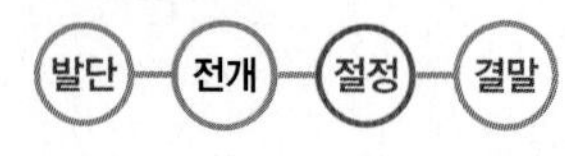

글자 수

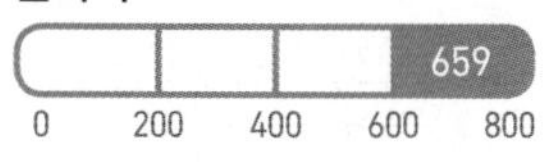

선생님은 그만, / "악."

하고 소리를 지를 뻔했습니다. 정말 이상한 일이 생긴 것입니다.

글쎄 **연통**이며 **장독**들이 교실 가운데에 늘어서 있는 것이 아니겠습니까.

출석을 부르기 시작한 조금 전까지도 없던 ㉠이 **망측한** 것들이 언제 어디에서 무엇하러 굴러 온 것일까요?

박영식이란 이름을 불렀을 때, / "예-."

하고 대답한 것은 **틀림없이** ㉡이것들이라고 선생님은 생각했습니다. 그래서 모른 체 다른 학생들 이름을 부르다 다시 한번,

"박영식-." / 하고 불렀습니다. 〈중략〉

아니나 다를까 '예.' 하고 대답하는 것은 연통과 장독들이었습니다. 선생님은 그만 **기가 막혔습니다**. 아이들도 처음에 수많은 '예.' 소리에 질려 가만히 있었지만, 다시 한번 ㉢그것들이 '예.' 하고 대답하자,

"와아-." 하고 웃어 버렸습니다. **금방** 교실은 웃음 마당이 되어 버리고 말았습니다. 〈중략〉

"㉣너희들이 왜 박영식이란 말이냐?"

선생님은 소리를 **버럭** 질렀습니다. 그러자 장독 하나가 빙그르르 선생님 쪽으로 돌더니,

"자! 보세요. 여기 **분필**로 쓴 글씨를……. 그래도 박영식이가 아니에요?" 〈중략〉

선생님은, / "조용히들 해!"

하시더니 연통과 장독을 바라보며 말씀하셨습니다.

"영식이란 아이는 이 세상에 ㉤저기 서 있는 아이 하나밖에 없단 말이야. 너희들은 박영식이가 아니야. 너희들은 박영식의 박영식이란 말이야."

- **연통**(煙 연기 연, 筒 통 통) 양철 같은 쇠붙이 판을 말아서 만든, 아궁이나 난로의 연기를 뽑아 내는 장치.
- **장독** 장을 담아두는 독.
- **출석** 어떤 자리에 나아가 참석함.
- **망측한** 정상적인 상태에서 어그러져 어이가 없거나 차마 보기가 어려운.
- **틀림없이** 조금도 틀리거나 어긋나는 일이 없이.
- **기가 막혔습니다** 어떠한 일이 놀랍거나 언짢아서 어이가 없었습니다.
- **금방** 시간이 얼마 지나지 않아 곧바로.
- **버럭** 성이 나서 갑자기 기를 쓰거나 소리를 냅다 지르는 모양.
- **분필** 칠판에 글씨를 쓰는 필기구.

중심 소재

1 선생님이 박영식을 불렀을 때 대답한 것은 무엇인지 두 가지를 쓰세요.

□□, □□□

세부 내용

2 이 글의 내용을 바르게 이해한 것은 무엇인가요? (　　　)

① 아이들은 장독이 구르는 모습을 보고 웃음을 터트렸다.
② 연통과 장독들의 몸에 쓰여 있는 글씨는 '박영식'이었다.
③ 선생님은 영식이가 대답하지 않아서 출석을 여러 번 불렀다.
④ 연통과 장독들은 출석을 부르기 전부터 교실에 늘어서 있었다.
⑤ 선생님은 연통과 장독들을 교실로 데리고 온 영식이에게 소리를 질렀다.

표현

3 ㉠~㉤ 중 가리키는 것이 다른 하나는 무엇인가요? (　　　)

① ㉠　② ㉡　③ ㉢
④ ㉣　⑤ ㉤

적용

4 영식이네 반 친구들과 비슷한 기분을 느낀 친구를 찾아 ○표 하세요.

(1) 날씨가 무덥고 졸음이 너무 쏟아져서 선생님 말씀에 집중하지 못하는 수진 (　　)
(2) 어제 수업이 끝나고 청소를 하고 가지 않아서 아침에 선생님께 꾸중을 들은 지은 (　　)
(3) 수업 시간에 귀여운 고양이 한 마리가 들어와 교실을 이리저리 다니는 것이 신기하고 재밌는 영주 (　　)

지문 분석

정답과 해설 14쪽

1 인물 행동 이 글에서 누가 무엇을 하였는지 선으로 이으세요.

선생님 •	• "와아-." 하고 웃음을 터트림.
반 아이들 •	• 박영식을 부르는 소리에 대답함.
연통과 장독들 •	• '너희들은 박영식의 박영식이다.' 라고 말함.

2 제목 의미 다음 선생님의 말을 보고 「영식이의 영식이」라는 제목이 가리키는 것으로 알맞은 것을 찾아 ○표 하세요.

선생님의 말		제목이 가리키는 것
"너희들은 박영식이가 아니야. 너희들은 박영식의 박영식이란 말이야."	→	• 영식이와 똑같이 생긴 아이 (　　) • 영식이가 자신의 이름을 써 놓은 물건들 (　　)

배경지식 옛날 사람들이 자주 사용하던 도구에는 어떤 것들이 있을까요?

장독은 된장이나 고추장 같은 장을 담아 놓는 독이에요. 옛날 사람들은 장을 담아 햇빛이 잘 들고 바람이 잘 통하는 장독에 두어 오래 보관했어요.

또 옛날 사람들이 밥을 짓고 먹기 위해 사용하던 도구 중에는 뒤주라는 것이 있어요. 뒤주는 쌀이나 곡식을 담아 두던 통이에요. 요즘에는 쌀통이 뒤주를 대신하고 있어요.

맷돌은 둥글넓적한 돌 두 개를 포개고, 윗구멍으로 콩 같은 곡식을 넣으면 손잡이로 위쪽 돌을 돌려서 곡식을 곱게 가는 도구예요. 콩을 갈아 두부를 만들 때 많이 사용했어요. 요즘에는 믹서기와 같은 것을 대신 사용하지요.

오늘의 어휘

다음 낱말의 알맞은 뜻을 찾아 선으로 이으세요.

출석 •	• 어떤 자리에 나아가 참석함.
금방 •	• 시간이 얼마 지나지 않아 곧바로.
버럭 •	• 조금도 틀리거나 어긋나는 일이 없이.
망측한 •	• 성이 나서 갑자기 기를 쓰거나 소리를 냅다 지르는 모양.
틀림없이 •	• 정상적인 상태에서 어그러져 어이가 없거나 차마 보기가 어려운.

1 다음 빈칸에 들어갈 알맞은 낱말을 오늘의 어휘에서 찾아 쓰세요.

- 선생님께서 우리 반 아이들의 ☐☐을 부르셨다.
- 수근이는 화를 참지 못하고 ☐☐하며 소리를 질렀다.
- 민주는 광희와 눈이 마주치자 ☐☐ 얼굴이 빨개졌다.
- 그의 ☐☐☐ 옷차림을 본 사람들은 못마땅한 표정을 지었다.
- 연우는 이번에는 ☐☐☐☐ 자신의 말이 맞다고 굳게 믿었다.

2 다음 밑줄 친 낱말과 뜻이 반대인 말을 (   )에서 찾아 ○표 하세요.

개근상이란 학교에 하루도 결석하지 않은 사람에게 주는 상입니다. 개근상을 주는 까닭은 상을 받은 사람뿐만 아니라 주변 사람들도 학교에 빠짐없이 출석하여 공부를 열심히 배울 수 있게 하기 위해서입니다.

(출석, 휴가, 퇴근)

영식이의 영식이 ③ | 강소천

글의 구조

발단 – 전개 – 절정 – 결말

글자 수

609

0 200 400 600 800

"좋아! 알았으면 이제 모두 제자리에 가 자기가 맡은 일을 해라. 너희들은 움직이면 사고야. 언제나 한 자리에 자리잡고 앉아서 제가 맡은 일을 하는 게 너희들 **의무**야. 다신 이곳에 오면 안 돼! 알았지?"

부드럽게 **타이르시다가도** '알았지?'라는 말만은 역시 큰 소리로 말씀하셨습니다. 5

"뒤로 돌아 앞으로 가!"

하고 선생님이 **호령**을 하자 교실 뒷문이 열리고 장독이며 연통들은 일제히 뒤를 향했습니다. 그러자 ㉠그들이 팽이처럼 빙빙 돌기 시작했습니다. 분필로 쓴 이름도 빙빙 돌기 시작했습니다. 그들이 걷는다는 건 빙글빙글 도는 것이었습니다. 10

그들이 교실 문을 나가 버릴 때까지 아이들의 웃음소리는 그치지 않았습니다.

장독이며 연통들이 문밖으로 다 나갔을 때 웬 아이 하나가,

"박영식, 안녕!" / 하고 **작별** 인사를 했습니다. 이번엔 아까보다 한층 더 **요란한** 웃음소리가 터졌습니다. 15

그러나 영식이만은 한 번도 큰 소리로 웃지도 못하고 쪼그리고 앉아 있었습니다. 아이들이 '와아.' 하고 웃을 때마다 그게 모두 자기 때문이라고 생각하니, 자꾸만 가슴이 **죄어드는** 것만 같았습니다. 영식이는 화가 난 목소리로,

"조용히 해!" 20

하고 큰 소리를 질렀습니다. 그러나 그것은 자기의 잠을 깨우는 소리였습니다.

- **의무**(義 옳을 의, 務 힘쓸 무) 사람으로서 마땅히 하여야 할 일.
- **타이르시나가노** 잘못을 깨닫게 이치를 밝혀 말해 주시다가도.
- **호령**(號 부르짖을 호, 令 명령할 령) 여러 사람이 일정한 동작을 함께 취하도록 하기 위해 지휘자가 말로 내리는 간단한 명령.
- **작별** 인사를 나누고 헤어짐.
- **요란한** 시끄럽고 떠들썩한.
- **죄어드는** 안으로 바싹 죄어 오그라드는.

갈래

1 **이 글에 대해 바르게 말한 것은 무엇인가요? (　　　　)**

① 글쓴이를 알 수 없다.
② 연극을 하기 위한 대본이다.
③ 오래전부터 전해 내려오는 이야기이다.
④ 글쓴이가 상상하여 만들어 낸 이야기이다.
⑤ 실제로 있었던 인물에 대해 알려 주는 글이다.

표현

2 **㉠에서 교실 문을 나가는 장독과 연통의 모습을 무엇에 빗대어 표현했는지 찾아 쓰세요.**

세부 내용

3 **아이들이 크게 웃을 때 영식이의 마음으로 알맞은 것은 무엇인가요? (　　　　)**

① 즐겁다.　② 무섭다.　③ 부럽다.
④ 화난다.　⑤ 뿌듯하다.

감상

4 **이 글을 읽고 인물의 마음을 바르게 이해한 친구는 누구인지 쓰세요.**

혜림: 선생님은 영식이를 대신해서 '영식이의 영식이'가 출석한 것이 화가 나 큰 소리로 꾸짖으신 것 같아.
상준: 영식이 반 친구들은 장독과 연통이 나간 것을 확인하고, 이를 알려 주려고 영식이를 깨운 것 같아.
경준: 꿈에서 영식이는 자신 때문에 연통과 장독들이 수업을 방해하고 교실을 시끄럽게 했다고 생각해서 웃지도 못하고 있었던 것 같아.

(　　　　　　　　)

지문 분석

정답과 해설 15쪽

1 사건 전개 일이 일어난 시간 순서에 맞게 보기 에서 기호를 찾아 차례대로 쓰세요.

보기

㉮ 연통과 장독들은 빙글빙글 돌며 교실을 나감.
㉯ 선생님이 연통과 장독들을 타이르며 제자리에 돌아가라고 함.
㉰ 영식이는 화가 나서 조용히 하라고 소리치고, 그 소리에 잠에서 깸.
㉱ 한 아이가 연통과 장독들에게 작별 인사를 하자 아이들 모두 웃음이 터짐.

(　　　) → ㉮ → (　　　) → (　　　)

2 결말 의미 이 글의 마지막 내용이 뜻하는 것을 생각하며 (　　　) 안에 들어갈 알맞은 말을 찾아 ○표 하세요.

마지막 내용		결말의 의미
영식이는 화가 난 목소리로 "조용히 해!"라고 큰 소리를 질렀으나 그것은 자기의 잠을 깨우는 소리였음.	→	영식이가 겪은 신기한 일은 모두 영식이의 (꿈, 책, 상상) 속에서 일어난 일이었음.

배경지식 「영식이의 영식이」 전체 줄거리

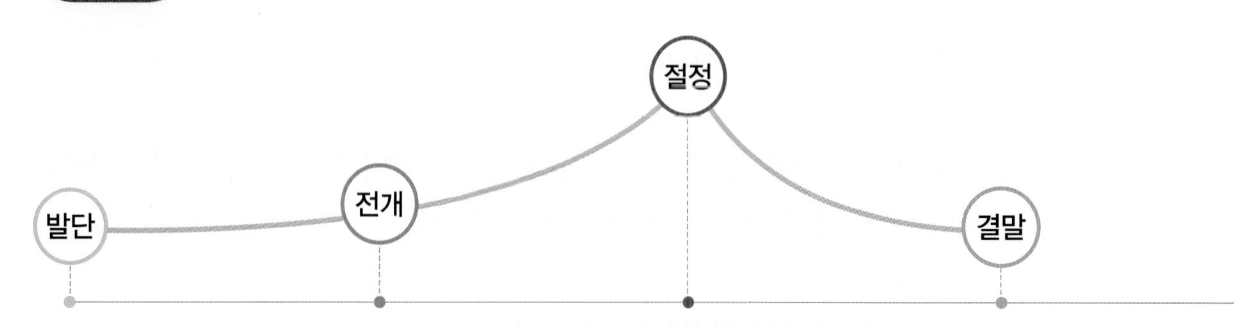

- **발단**: 영식이가 여기저기에 자신의 이름을 써 놓던 어느 날 선생님께서 영식이의 이름을 부르실 때 여럿이 '예'라고 대답함.
- **전개**: 선생님의 부름에 대답한 연통과 장독들은 '박영식'이란 이름이 쓰여 있기 때문에 자신들이 박영식이라고 말함.
- **절정**: 선생님은 연통과 장독들에게 너희들은 박영식의 박영식이다라고 이야기하며 모두 제자리로 돌아가라고 함.
- **결말**: 연통과 장독들에게 한 아이가 "박영식, 안녕!"이라고 하자 모두 웃는데, 영식이 혼자 화를 내며 소리를 지르다 잠에서 깸.

오늘의 어휘

다음 낱말의 알맞은 뜻을 찾아 선으로 이으세요.

낱말	뜻
호령 •	• 시끄럽고 떠들썩한.
작별 •	• 인사를 나누고 헤어짐.
의무 •	• 안으로 바싹 죄어 오그라드는.
요란한 •	• 사람으로서 마땅히 하여야 할 일.
죄어드는 •	• 여러 사람이 일정한 동작을 함께 취하도록 하기 위해 지휘자가 말로 내리는 간단한 명령.

1 다음 빈칸에 들어갈 알맞은 낱말을 오늘의 어휘에서 찾아 쓰세요.

- 아침부터 ☐☐☐ 초인종 소리에 잠에서 깼다.
- 삼촌은 군대에 가서 국방의 ☐☐를 다하고 있다.
- 친구와 ☐☐ 인사를 하려니 눈물이 계속 나왔다.
- 우리는 '차렷, 인사!' 하는 선생님의 ☐☐에 따라 인사하였다.
- 내가 한 잘못이 들킬까 봐 마음이 ☐☐☐☐ 것 같았다.

2 다음 밑줄 친 낱말과 뜻이 비슷한 말을 (   )에서 찾아 ○표 하세요.

유치원 친구들은 대부분 같은 동네에 살고 있지만, 다른 동네에 사는 친구들도 있습니다. 그래서 유치원을 졸업하고 초등학교에 들어갈 때에는 몇몇 친구들과는 아쉬운 <u>이별</u>을 하게 됩니다.

(인사, 만남, 작별)

들쥐와 손톱 ❶ | 전래 동화

글의 구조

발단 – 전개 – 절정 – 결말

글자 수

659 (0 200 400 600 800)

옛날 옛적에 한 선비가 있었어. 선비는 집을 떠나 깊은 산속의 절에서 글공부에만 힘을 쏟으며 지냈단다.

어느 날 선비는 손톱을 깎아서 **문지방** 너머 **툇마루**에 **무심코** 버렸어. 그랬더니 어디선가 들쥐 한 마리가 쪼르르 달려 나와서 그 손톱을 날름 먹어 치우는 거야.

'어, 들쥐가 손톱을 다 먹네!'

선비는 그 모습이 재미있어서 손톱을 깎을 때마다 툇마루에 내놓았어. 그러면 어김없이 들쥐가 쪼르르 달려와서 손톱을 먹어 치웠지.

어느덧 세월이 흘러 삼 년이 지났어. 선비는 여전히 손톱을 깎아서 툇마루에 내놓았지만 들쥐는 더 이상 나타나지 않았어.

드디어 글공부를 마친 선비는 스님에게 인사를 하고 절을 떠나 집으로 향했지.

집에 돌아온 선비는 기가 탁 막혔어.

글쎄, 저하고 똑같이 생긴 사람이 제 집에서 주인 노릇을 하고 있는 거야!

"아니, 도대체 너는 누구이기에 우리 집에서 내 **행세**를 하고 있느냐?"

"너야말로 무슨 심보로 남의 집에서 **행패**를 부리는 거냐?"

㉠ 가짜는 도리어 제가 진짜라고 우겨댔지.

진짜 선비와 가짜 선비가 서로 자기가 진짜라며 **옥신각신**하니 이를 어쩌나?

이 **소동**에 집안 식구들이 다 모여들었고, 온 동네 사람들까지 다 모여들었어.

그렇지만 아무도 선뜻 진짜를 가려내지 못했지. 그 많은 사람들이 암만 요모조모 뜯어봐도 둘의 모습이 너무나 똑같아 보였어.

- **문지방** 드나드는 문에서 방 바닥과 바깥 바닥을 갈라놓는, 문틀의 아래 부분.
- **툇마루** 큰 마루 바깥쪽에 좁게 만들어 놓은 마루.
- **무심코** 아무런 뜻이나 생각이 없이.
- **행세**(行 다닐 행, 世 인간 세) 자기가 아닌 다른 사람처럼 행동하는 것.
- **행패** 버릇이 없고, 도리에 벗어나는 사납고 못된 행동.
- **옥신각신** 서로 옳으니 그르니 하며 다툼.
- **소동** 사람들이 놀라거나 흥분하여 시끄럽게 법석거리고 떠들어 대는 일.

지문 독해

갈래

1 이 글에 대한 설명으로 알맞은 것을 찾아 ○표 하세요.

(1) 시간의 흐름이 나타나 있지 않다. (　　)

(2) 이 글에 나오는 인물은 선비 한 명이다. (　　)

(3) 일이 일어나는 장소가 산속의 절에서 선비의 집으로 바뀌었다. (　　)

어휘

2 ㉠의 상황과 어울리는 속담을 찾아 기호를 쓰세요.

㉮ 고양이 앞에 쥐
㉯ 방귀 뀐 놈이 성 낸다
㉰ 낫 놓고 기역자도 모른다

(　　　　　　)

세부 내용

3 집안 식구들과 동네 사람들이 누가 진짜 선비인지 가려내지 못한 까닭에 맞게 빈칸에 들어갈 알맞은 말을 쓰세요.

진짜 선비와 가짜 선비의 ☐☐이 너무나 똑같았기 때문에

추론

4 진짜 선비와 가짜 선비가 다투는 모습을 본 집안 식구들의 마음으로 알맞은 것은 무엇인가요? (　　)

① 슬프고 외롭다.
② 설레고 기쁘다.
③ 놀랍고 황당하다.
④ 화가 나고 억울하다.
⑤ 지루하고 재미가 없다.

지문 분석

정답과 해설 16쪽

1 사건 전개

일이 일어난 차례를 생각하며 (   ) 안에 들어갈 알맞은 말을 찾아 ○표 하세요.

선비가 무심코 버린 (손톱, 발톱)을 들쥐가 먹어 치움.

선비가 (절, 집)에 돌아오니 자신과 똑같이 생긴 사람이 주인 행세를 하고 있음.

사람들은 누가 (들쥐, 진짜 선비)인지 아무도 가려내지 못함.

2 마음 변화

다음 상황에서 선비의 마음으로 알맞은 것을 찾아 선으로 이으세요.

상황
자신이 버린 손톱을 들쥐가 먹어 치우는 것을 봄. •
집안 식구들과 동네 사람들이 진짜 선비와 가짜 선비를 구별하지 못함. •

선비의 마음
• 억울하고 황당함.
• 재미있고 신기함.

배경지식 왜 손톱을 밤에 깎으면 안 될까요?

옛날 사람들은 밤에 손톱을 깎지 못하게 했어요. 어두운 데서 손톱을 깎다가 다칠까 걱정하는 마음에서였다고 해요. 손톱깎이가 없던 시절에는 칼이나 가위로 손톱을 깎았기 때문이죠.

그뿐만 아니라 아주 오래전부터 사람들은 머리카락과 손톱, 발톱에 영혼이 들어 있다고 믿었어요. 그래서 머리카락과 손톱, 발톱을 아무 데나 함부로 버리지 않았습니다. 이런 옛날 사람들의 생각과 달리 「들쥐와 손톱」에 나오는 선비는 자신이 깎은 손톱을 잘 모아서 제대로 버리지 않고 아무 데나 버립니다. 그러다가 그 손톱을 먹은 들쥐가 자신과 똑같은 모습으로 변해 어려움을 겪는 이야기입니다.

오늘의 어휘

다음 낱말의 알맞은 뜻을 찾아 선으로 이으세요.

- 행세 •　　• 아무런 뜻이나 생각이 없이.
- 행패 •　　• 사물이나 일의 요런 면 조런 면.
- 소동 •　　• 자기가 아닌 다른 사람처럼 행동하는 것.
- 무심코 •　　• 버릇이 없고, 도리에 벗어나는 사납고 못된 행동.
- 요모조모 •　　• 사람들이 놀라거나 흥분하여 시끄럽게 법석거리고 떠드는 일.

1 다음 빈칸에 들어갈 알맞은 낱말을 오늘의 어휘에서 찾아 쓰세요.

- 내 동생은 형 ☐☐를 한다.
- 교실에 들어온 벌레 때문에 큰 ☐☐이 났다.
- 경찰 아저씨가 ☐☐를 부리는 사람을 잡았다.
- 엄마는 감자 하나를 사도 ☐☐☐☐ 따지신다.
- ☐☐☐ 던진 돌에 개구리가 맞아 죽을 수도 있다.

2 다음 밑줄 친 말과 뜻이 비슷한 말을 (　　　)에서 찾아 ○표 하세요.

「숨은 쥐를 잡아라」는 평범한 가족의 집에 어느 날 쥐가 나타나면서 벌어지는 소란을 그린 이야기입니다. 가족들은 쥐를 잡기 위해 집의 구조를 하나하나 살펴보고, 그 과정에서 집에 대해 몰랐던 것들을 새롭게 알게 됩니다.

(고난, 소동, 해결)

들쥐와 손톱 ❷ | 전래 동화

글의 구조

글자 수

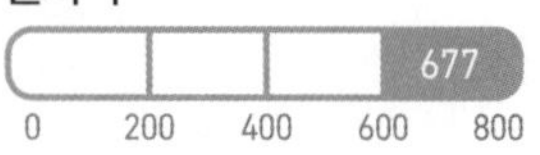

집안 식구들은 ㉠이 둘을 **관가**로 데리고 가서 원님에게 누가 진짜인지 가려 달라고 했어.

그런데 원님이 봐도 둘이 너무 똑같아서 도대체 누가 진짜인지 알 수가 있어야지.

원님은 생각 끝에 집 안에 있는 물건들의 수를 물어보았어. 5

"자, 집 안에 밥그릇이 모두 몇 개 있느냐? 또 수저는 모두 몇 벌이나 있느냐?"

진짜 선비는 **눈앞이 캄캄했어**. 집을 떠나 삼 년 동안이나 절에서 글공부만 했으니 집에 어떤 물건이 얼마나 있는지 **전혀** 알 수가 없었지.

가짜 선비는 집 안에 있는 물건들을 **훤히** 다 알고 있었어. 10

"예, 밥그릇은 스무 개이고, 수저는 모두 스물다섯 **벌**입니다."

가짜 선비는 머뭇거림 없이 척척 대답했어.

사람을 시켜 세어 봤더니 모두 꼭 맞는 거야.

이렇게 해서 가짜 선비는 진짜가 되고, 진짜 선비는 가짜로 몰려 집에서 쫓겨나게 되었지. 15

쫓겨난 선비는 이곳저곳을 떠돌아다니다가, 예전에 글공부했던 절을 다시 찾아갔어. 그러고는 스님에게 그동안 겪은 일들을 다 말했지.

"혹시 손톱을 깎아서 짐승에게 먹인 적이 있는가?"

"예, 글공부를 하다가 손톱을 깎아 놓으면 들쥐가 쪼르르 달려 나와서 집어 먹었지요." 20

"그 들쥐가 손톱을 먹고 자네 모습으로 **둔갑**을 한 거로군."

"그럼 이제 저는 어찌하면 좋습니까?"

"내가 고양이를 줄 테니 가서 그 가짜 앞에 풀어놓게. 그러면 모든 일이 잘 **해결**될 걸세."

- **관가**(官 벼슬 관, 家 집 가) 옛날에 벼슬을 하던 사람이 나랏일을 보던 집.
- **눈앞이 캄캄했어** 어찌할 바를 몰라 아득했어.
- **전혀** 도무지. 조금도.
- **훤히** 매우 분명하고 뚜렷하게.
- **벌** 옷이나 그릇 같은 것이 여러 개 모여서 갖추어진 덩어리를 세는 말.
- **둔갑** 요술을 부려서 자기 몸을 감추거나 다른 것으로 바꿈.
- **해결**(解 풀 해, 決 결정할 결) 사건이나 문제를 풀거나 처리하는 것.

정답과 해설 17쪽

중심 내용

1 무엇이 가짜 선비의 모습으로 둔갑한 것이었는지 쓰세요.

표현

2 ㉠이 가리키는 인물들로 알맞은 것은 무엇인가요? (　　　)

① 원님과 스님
② 원님과 가짜 선비
③ 원님과 진짜 선비
④ 스님과 진짜 선비
⑤ 가짜 선비와 진짜 선비

세부 내용

3 이 글의 내용으로 알맞지 않은 것은 무엇인가요? (　　　)

① 원님의 판결에 진짜 선비는 만족해했다.
② 진짜 선비는 집 안에 어떤 물건이 얼마나 있는지 알 수 없었다.
③ 원님은 진짜를 가려내기 위해 집 안에 있는 물건의 수를 물어보았다.
④ 가짜 선비는 집 안에 있는 물건의 수를 틀리지 않고 정확하게 말하였다.
⑤ 원님도 진짜 선비와 가짜 선비가 너무 똑같아서 누가 진짜인지 알 수 없었다.

감상

4 이 글에 나오는 인물들에 대한 생각으로 가장 알맞은 것을 찾아 기호를 쓰세요.

㉮ 진짜 선비는 스님이 자신의 문제를 해결해 줄 것이라고 굳게 믿고 절을 다시 찾아갔어.
㉯ 스님은 들쥐가 무서워하는 고양이를 풀면 가짜 선비의 정체가 밝혀지게 될 것이라고 생각한 것 같아.
㉰ 원님은 진짜 선비가 삼 년 동안 절에 있었다는 것을 알면서도 가짜 선비를 진짜 선비라고 판결하는 잘못을 저질렀어.

(　　　　　　　　　)

지문 분석

정답과 해설 17쪽

1 사건 전개

일이 일어난 장소를 생각하며 빈칸에 들어갈 알맞은 말을 보기에서 찾아 쓰세요.

보기

절　강　숲속　관가　대궐

일이 일어난 장소	일어난 일
❶□□	진짜 선비가 원님이 낸 문제를 맞히지 못해 가짜로 몰려 쫓겨나게 됨.
❷□	스님이 진짜 선비에게 가짜 선비의 정체를 밝히고, 일을 해결할 방법을 알려 줌.

❶(　　　　　) ❷(　　　　　)

2 인물 마음

다음 상황에서 진짜 선비의 마음을 짐작하여 (　　　) 안에 들어갈 알맞은 말을 찾아 ○표 하세요.

상황		진짜 선비의 마음
가짜로 몰려 집에서 쫓겨남.	→	(억울한, 후회하는) 마음
스님에게서 해결 방법을 들음.	→	(무서운, 희망적인) 마음

배경지식 「들쥐와 손톱」을 바탕으로 한 동화 「수일이와 수일이」를 읽어 볼까요?

몇 군데나 되는 학원을 다니는 데에 지친 수일이에게 강아지 덕실이는 손톱을 쥐에게 먹이면 자신과 똑같은 사람을 만들 수 있다고 알려 줍니다. 어느 날 수일이는 쥐가 많이 산다고 알려진 빈집을 찾아갑니다. 놀랍게도 수일이의 손톱을 먹은 쥐는 정말 수일이와 똑같은 모습을 한 아이로 변합니다. 수일이는 가짜 수일이에게 학원 가는 것을 맡기고 신나게 놀러 다닙니다. 그런데 가짜 수일이는 사람으로 사는 것이 좋다며 쥐로 돌아가지 않겠다고 합니다. 옛이야기대로 고양이를 데려와 봐도 소용이 없고, 어른들도 누구 하나 믿어 주지 않자 수일이는 곤란해집니다. 과연 수일이는 이 상황을 어떻게 헤쳐 나가게 될까요?

오늘의 어휘

다음 낱말의 알맞은 뜻을 찾아 선으로 이으세요.

벌 •	• 도무지. 조금도.
훤히 •	• 매우 분명하고 뚜렷하게.
전혀 •	• 사건이나 문제를 풀거나 처리하는 것.
해결 •	• 요술을 부려서 자기 몸을 감추거나 다른 것으로 바꿈.
둔갑 •	• 옷이나 그릇 같은 것이 여러 개 모여서 갖추어진 덩어리를 세는 말.

1 다음 빈칸에 들어갈 알맞은 낱말을 오늘의 어휘에서 찾아 쓰세요.

- 아영이는 숲으로 가는 길을 ☐☐ 알고 있었다.
- 어제 본 영화에서는 여우가 사람으로 ☐☐을 했다.
- 휴가철이 지나자 해수욕장에는 사람이 ☐☐ 없었다.
- 아빠는 내가 2학년이 된 기념으로 옷을 한 ☐ 사 주셨다.
- 우리 반은 운동장에 쓰레기가 많은 문제를 ☐☐하기 위해 고민했다.

2 다음 밑줄 친 말과 뜻이 비슷한 말을 (　　　)에서 찾아 ○표 하세요.

카멜레온은 큰 눈과 긴 혀를 가지고 있는 파충류입니다. 카멜레온의 가장 큰 특징은 몸 색깔을 잘 바꾼다는 것입니다. 주위 환경이나 기분 등에 따라 몸 색깔을 밝거나 어두운 색으로 바꾸어 <u>변신</u>합니다.

(둔갑, 노릇, 역할)

들쥐와 손톱 ③ | 전래 동화

글의 구조

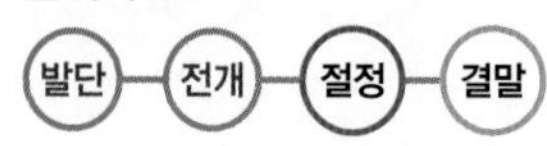

글자 수

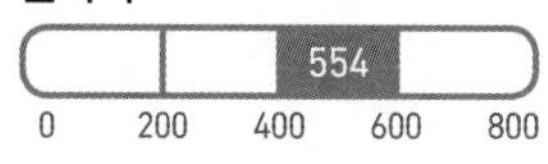

선비는 고양이를 데리고 집으로 갔어.

집에서는 **여전히** 가짜가 진짜 **노릇**을 하고 있었지.

뒷짐을 지고 **헛기침**을 하면서 집 안을 돌아다니고, 식구들과 하인들에게 호령을 하고 다녔어.

이때 진짜 선비가 대문을 열고 척 들어서자, 가짜 선비는 두 눈을 **부릅뜨고** 펄펄 뛰었지. 5

"아니, 저놈이 또 나타났구나! 여봐라, 저놈을 **흠씬** 두들겨 패서 쫓아내거라!"

이때 진짜 선비가 품속에서 고양이를 턱 꺼내 놓았어.

그러자 고양이를 본 가짜 선비는 꽁무니가 빠져라 도망가기 시작했지. 10

한참을 도망가던 가짜 선비는 돌에 걸려 땅에 폭 엎어졌어.

그런데 엎어지자마자 [㉠] 하는 소리와 함께 들쥐로 변해 버렸지.

조그만 들쥐는 멀리멀리 도망갔어.

이 모습을 지켜보던 식구들은 그제야 모든 것을 알게 되었어.

가짜를 진짜로 알고 집 안에 들여놓고, 진짜는 가짜로 몰아 내쫓았으니 얼마나 **어처구니없는** 일이야? 15

그때부터 선비는 손톱을 깎으면 아무 데나 버리지 않고 반드시 잘 모아서 깨끗이 불태워 버렸어.

선비뿐만 아니라 다른 식구들도 모두 그렇게 했지.

그 뒤로는 두 번 다시 그런 일이 일어나지 않았단다. 20

- **여전히** 전과 같이.
- **노릇** 어떤 자격이나 권리를 가진 사람으로서의 행동
- **뒷짐** 두 손을 등 뒤로 젖혀 마주 잡은 것.
- **헛기침** 사람이 있음을 알 수 있게 하거나 목청을 가다듬으려고 일부러 하는 기침.
- **부릅뜨고** 무섭고 사납게 눈을 크게 뜨고.
- **흠씬** 매 등을 심하게 맞는 모양.
- **어처구니없는** 일이 너무 뜻밖이어서 기가 막히는 듯한.

중심 내용

1 **이 글에서 누가 무엇을 하였는지 선으로 이으세요.**

(1) 가짜 선비 •　　　• ㉮ 품속에서 고양이를 꺼내 놓았다.

(2) 진짜 선비 •　　　• ㉯ 고양이를 보자 꽁무니가 빠져라 도망을 갔다.

세부 내용

2 **이 글의 내용으로 알맞은 것은 무엇인가요? (　　　)**

① 가짜 선비는 물에 빠져서 들쥐로 변하게 되었다.
② 진짜 선비가 집에 오자 가짜 선비는 환영해 주었다.
③ 다른 식구들은 여전히 손톱을 깎고 아무 데나 버렸다.
④ 진짜 선비는 식구들과 하인들에게 호령을 하고 다녔다.
⑤ 가짜 선비가 들쥐로 변하는 모습을 보고 식구들은 기가 막혔다.

어휘

3 **㉠에 들어갈 소리를 흉내 내는 말로 알맞은 것은 무엇인가요? (　　　)**

① 짹짹　　② 찍찍　　③ 풍덩
④ 졸졸　　⑤ 어슬렁어슬렁

적용

4 **이 글이 주는 깨달음에 맞게 행동한 친구를 찾아 ○표 하세요.**

(1) 과자를 먹고 봉지를 아무 데나 버린 유주 (　　　)
(2) 물건을 쓰고 정해진 자리에 놓지 않은 승태 (　　　)
(3) 머리를 말리고 머리카락을 주워 쓰레기통에 버린 하영 (　　　)

지문 분석

정답과 해설 18쪽

1 사건 전개

일이 일어난 시간 순서에 맞게 보기 에서 기호를 찾아 차례대로 쓰세요.

보기

㉮ 진짜 선비가 품 안에서 고양이를 꺼내 놓음.
㉯ 가짜 선비가 들쥐로 변한 뒤 멀리멀리 도망침.
㉰ 사람들이 들쥐가 선비로 둔갑한 것을 알게 됨.
㉱ 진짜 선비가 다시 집에 돌아오자 가짜 선비가 진짜 선비를 쫓아내라고 소리침.

(　　　) → ㉮ → (　　　) → (　　　)

2 주제

이 이야기의 중요한 내용을 보고 주제를 찾아 ○표 하세요.

중요한 내용		주제
선비가 자신의 손톱을 먹고 자신과 똑같은 모습으로 둔갑한 들쥐 때문에 어려움을 겪은 뒤에는 손톱을 깎으면 항상 깨끗이 불태워 버림.	→	• 어려운 상황이 일어나기 전에 미리미리 준비하자. (　　　) • 손톱을 버리는 작은 일 하나에도 게으름을 피우지 말고 몸가짐을 깨끗이 하자. (　　　)

배경지식 「들쥐와 손톱」 전체 줄거리

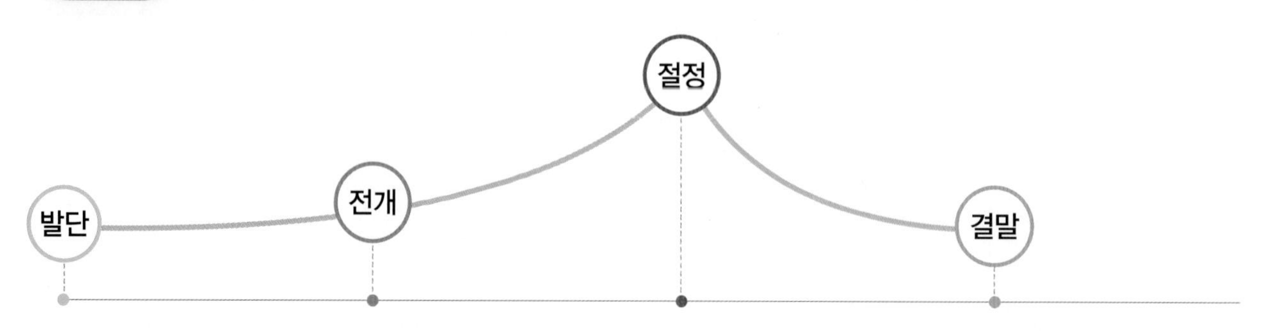

발단: 절에서 글공부를 하던 선비가 손톱을 깎아서 아무 데나 버리자 들쥐 한 마리가 와서 그것을 먹어 치움.

전개: 집에 돌아온 선비는 자신과 똑같이 생긴 가짜가 주인 노릇을 하고 있는 것을 보았고, 아무도 누가 진짜인지 가려내지 못함.

절정: 진짜 선비는 집에 있는 물건의 수를 말하지 못해 가짜로 몰려 쫓겨나게 되고, 스님을 만나 문제를 해결할 방법을 전해 들음.

결말: 가짜 선비는 고양이를 보자 도망가다가 들쥐로 변하고, 그 후로 선비는 손톱을 깎으면 아무 데나 버리지 않았음.

정답과 해설 18쪽

오늘의 어휘

다음 낱말의 알맞은 뜻을 찾아 선으로 이으세요.

노릇 •	• 매 등을 심하게 맞는 모양.
뒷짐 •	• 무섭고 사납게 눈을 크게 뜨고.
흠씬 •	• 두 손을 등 뒤로 젖혀 마주 잡은 것.
헛기침 •	• 어떤 자격이나 권리를 가진 사람으로서의 행동.
부릅뜨고 •	• 사람이 있음을 알 수 있게 하거나 목청을 가다듬으려고 일부러 하는 기침.

1 다음 빈칸에 들어갈 알맞은 낱말을 오늘의 어휘 에서 찾아 쓰세요.

- 집주인에게 도둑이 잡혀 ☐☐ 맞았다.
- 선생님은 말없이 ☐☐을 지고 서 계셨다.
- 그는 눈을 ☐☐☐☐ 적을 노려보았다.
- 호랑이가 없는 산속에서 여우가 왕 ☐☐을 했다.
- 아버지는 ☐☐☐을 한 번 하고 나서 방문을 열었다.

2 다음 밑줄 친 말과 뜻이 비슷한 말을 (   )에서 찾아 ○표 하세요.

친구들과 함께 놀 때 항상 혼자만 대장 <u>역할</u>을 하려고 하는 친구가 있습니다. 이 친구는 자신이 하고 싶은 놀이만 하려고 하고, 다른 친구들의 생각은 들으려고도 하지 않습니다. 그래서 이 친구와 함께 놀고 싶어 하는 친구가 별로 없습니다.

(노릇, 명령, 부하)

개와 고양이 ❶ | 전래 동화

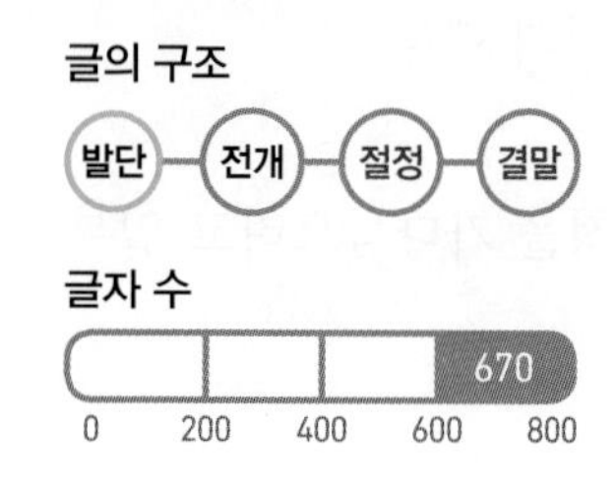

옛날에 가난한 할아버지와 할머니가 살았단다.

어느 날, 할아버지가 강에 나가 물고기를 잡는데 그날 따라 물고기가 한 마리도 잡히지 않았어.

그러다가 저녁때쯤 커다란 잉어를 한 마리 잡았지.

그런데 이게 웬일이야? 글쎄, 잉어가 눈물을 뚝뚝 흘리는 거야. 5

할아버지는 **가엾은** 마음에 잉어를 놓아주었지.

"할아버지, 고맙습니다."

잉어는 사람처럼 할아버지에게 **공손히** 인사를 하고 강물 속으로 멀리 사라졌단다.

이튿날, 할아버지가 강가로 나가자 한 젊은이가 서 있었어. 10

"살려 주셔서 감사합니다. 제가 바로 그 잉어입니다. 저는 용왕님의 아들인데, **은혜**에 **보답**하고자 용왕님께서 꼭 할아버님을 모셔 오라고 하십니다."

할아버지는 몇 번을 **사양**하다가 결국 용궁에 가게 되었어. 할아버지는 며칠 동안 **진귀한** 음식을 맛보고, 흥겨운 음악과 아름다운 춤도 마음껏 즐겼어. 15

며칠이 지나자 할아버지는 할머니가 많이 생각났어. 그래서 이제 바깥 세상으로 돌아가겠다고 말했지.

그러자 용왕님의 아들이 이렇게 말하는 거야.

"집으로 돌아가시기 전에 용왕님께서 **소원**을 물으시면, 파란 구슬이 갖고 싶다고 말씀하세요." 20

용왕님이 소원을 묻자 할아버지는 파란 구슬을 갖고 싶다고 말했지.

파란 구슬은 원하는 것은 무엇이든지 주는 마법의 구슬이었어.

할아버지와 할머니는 남부럽지 않은 큰 부자가 되었지.

- **가엾은** 마음이 아플 만큼 딱하고 불쌍한.
- **공손히** 말이나 행동이 겸손하고 예의 바르게.
- **은혜** 남에게 베푸는 고마운 일.
- **보답**(報 갚을 보, 答 대답할 답) 남에게 입은 은혜나 고마움을 갚는 것.
- **사양** 겸손한 태도로 받지 않거나 응하지 않는 것.
- **진귀한** 보배롭고 보기 드물게 귀한.
- **소원** 어떤 일이 이루어지기를 바람.

지문 독해

중심 내용

1 할아버지가 놓아준 잉어는 누구였는지 쓰세요.

용왕님의 ☐☐

세부 내용

2 용왕님이 할아버지를 용궁에 초대한 까닭은 무엇인가요? (　　　　)

① 할아버지가 대신 잉어를 잡아 주어서
② 할아버지가 자신의 목숨을 구해 주어서
③ 할아버지가 진귀한 음식을 대접해 주어서
④ 할아버지가 용궁을 구경하고 싶다고 말해서
⑤ 할아버지가 용왕님 아들의 목숨을 살려 주어 고마워서

세부 내용

3 할아버지가 용왕님에게 얻은 파란 구슬에 대한 설명으로 알맞은 것은 무엇인가요? (　　　　)

① 한 가지 소원만 들어 준다.
② 원하는 것은 무엇이든지 준다.
③ 나쁜 짓을 한 사람에게 벌을 내린다.
④ 가고 싶은 곳은 어디든지 데려다 준다.
⑤ 구슬을 갖고 있는 사람의 모든 것을 빼앗아 간다.

감상

4 이 글을 읽고 생각이나 느낌을 알맞게 말하지 못한 것은 무엇인가요? (　　　　)

① 나도 파란 구슬을 갖고 싶다는 생각을 했어.
② 할아버지는 착한 일을 해서 복을 받은 것 같아.
③ 할아버지에게 은혜를 갚은 잉어는 참 착한 것 같아.
④ 잉어가 사람처럼 인사하는 것을 보고 특별한 인물일 거라 생각했어.
⑤ 용왕님의 초대를 여러 번 거절한 할아버지는 고집이 센 편인 것 같아.

지문 분석

정답과 해설 19쪽

1 사건 전개 일이 일어난 차례를 생각하며 ( ) 안에 들어갈 알맞은 말을 찾아 ○표 하세요.

할아버지가 (강, 바다)에서 잉어를 잡고 다시 놓아줌.

할아버지는 잉어의 목숨을 살려 준 것에 대한 (소원, 보답)으로 용궁에 가게 됨.

할아버지와 할머니는 마법의 파란 구슬을 받아 (양반, 부자)이/가 됨.

2 인물 성격 다음 할아버지의 행동을 보고 할아버지의 성격을 짐작해 선으로 이으세요.

할아버지의 행동	성격
할아버지가 잡은 잉어가 눈물을 흘리자 가엾게 생각하며 잉어를 그냥 놓아줌. •	• 조심성이 많음.
	• 마음씨가 착함.

배경지식 용궁을 보려면 어디로 가야 하나요?

우리 옛이야기를 읽다 보면 이야기 속 인물들이 용궁에서 겪는 일을 살펴볼 수 있어요.

「심청전」에서 심청이 아버지를 대신해 물에 빠져 용궁에 가게 되었고, 「토끼전」에서는 토끼가 거북의 말에 속아 용궁에 가게 되었지요.

용궁을 보려면 어디에 가야 하냐고요? 용궁은 우리가 직접 눈으로 볼 수 없는 상상 속의 장소랍니다. 옛이야기에만 나오는 바닷속 궁전이거든요. 옛날 사람들은 이 용궁에 바다를 다스리는 신비한 능력을 가진 용왕이 산다고 믿었어요.

오늘의 어휘

다음 낱말의 알맞은 뜻을 찾아 선으로 이으세요.

은혜 •	• 남에게 베푸는 고마운 일.
사양 •	• 어떤 일이 이루어지기를 바람.
소원 •	• 마음이 아플 만큼 딱하고 불쌍한.
가엾은 •	• 말이나 행동이 겸손하고 예의 바르게.
공손히 •	• 겸손한 태도로 받지 않거나 응하지 않는 것.

1 다음 빈칸에 들어갈 알맞은 낱말을 오늘의 어휘 에서 찾아 쓰세요.

- 어른들께는 □□□ 인사해야 한다.
- □□□ 길고양이들을 괴롭히지 말자.
- 큰아버지께서 주신 용돈을 □□하지 않고 감사하게 받았다.
- 우리는 베풀어 주신 □□를 잊지 않겠다고 감사 인사를 했다.
- 나의 □□은 돌아가신 할아버지를 꿈에서 한 번 만나 보는 것이다.

2 다음 밑줄 친 말과 뜻이 비슷한 말을 (   )에서 찾아 ○표 하세요.

우리나라의 지구 반대편에는 아프리카가 있어요. 그곳에는 먹을 것이 없어서 밥을 굶는 <u>불쌍한</u> 친구들이 많아요. 여러분이 밥을 먹기 싫다고 떼를 쓰기 전에 그 친구들을 한번 생각해 보세요.

(멋있는, 가엾은, 배부른)

개와 고양이 ❷ | 전래 동화

글의 구조

발단 — 전개 — 절정 — 결말

글자 수

664 (0 200 400 600 800)

강 건너에 사는 욕심쟁이 할머니가 이 소문을 듣고 찾아와서 파란 구슬을 보여 달라고 말했어. 그러곤 자기가 가져온 가짜 구슬과 파란 구슬을 슬쩍 바꾸어 놓았지.

파란 구슬이 없어지자, 할아버지와 할머니는 가난해졌어. 예전처럼 물고기를 잡아서 먹고살아야 했지. 5

할아버지의 집에 있던 개와 고양이도 배불리 먹다가 다시 날마다 배고픈 **신세**가 되었어.

하루는 개와 고양이가 머리를 맞대고 **의논**을 했단다.

"우리가 파란 구슬을 찾아오자!"

"그래, 좋아. 욕심쟁이 할머니가 가져간 게 틀림없어." 10

개와 고양이는 강을 건너서 욕심쟁이 할머니의 집으로 달려갔어.

㉠욕심쟁이 할머니의 집은 **대궐**같이 으리으리했어.

개와 고양이는 깜깜해질 때까지 기다렸다가 **한밤중**에 몰래 집 안으로 들어갔지. 그런데 집 안 곳곳을 **샅샅이** 찾아다녔는데도 도저히 파란 구슬을 찾을 수가 없었어. 15

그러다가 고양이에게 좋은 생각이 떠올랐지.

개와 고양이는 얼른 쌀 창고로 갔어.

창고에서는 쥐들이 맛있는 음식을 차려 놓고 잔치를 벌이고 있었지.

고양이는 **우두머리** 쥐를 잡고 쥐들을 향해 무섭게 말했어.

"네 이놈들! 당장 가서 파란 구슬을 찾아오너라. 그렇지 않으면 너희들을 **몽땅** 잡아먹어 버릴 테다!" 20

얼마 지나지 않아 쥐 한 마리가 파란 구슬을 물고 왔지.

개와 고양이는 파란 구슬을 가지고 그 집을 살짝 빠져 나왔단다.

- **신세**(身 몸 신, 世 세대 세) 주로 불행한 일과 관련된 한 개인의 처지와 형편.
- **의논** 어떤 일에 대하여 서로 의견을 주고받음.
- **대궐**(大 큰 대, 闕 대궐 궐) 옛날에 임금이 살면서 나라의 일을 보던 큰 집.
- **한밤중** 깊은 밤.
- **샅샅이** 틈이 있는 곳마다 모조리.
- **우두머리** 어떤 일이나 단체에서 으뜸인 사람.
- **몽땅** 있는 대로 죄다.

갈래

1 이 글에서 파란 구슬을 찾는 데 중요한 역할을 하는 두 인물을 쓰세요.

☐ 와 ☐☐☐

세부 내용

2 개와 고양이가 욕심쟁이 할머니의 집에 간 까닭은 무엇인가요? (   )

① 할아버지와 할머니가 너무 싫어져서
② 욕심쟁이 할머니의 집에서 편하게 지내려고
③ 욕심쟁이 할머니에게 감사 인사를 드리려고
④ 욕심쟁이 할머니에게 가짜 구슬을 선물하려고
⑤ 욕심쟁이 할머니가 훔쳐 간 파란 구슬을 찾아오려고

표현

3 ㉠에서 욕심쟁이 할머니의 집을 무엇에 빗대어 표현했는지 찾아 쓰세요.

☐☐

추론

4 이 글에서 등장인물들의 속마음을 상상한 것으로 알맞지 않은 것은 무엇인가요? (   )

① 쥐: '고양이가 우리를 잡아먹을지도 모르니 구슬을 찾아와야겠어.'
② 개: '욕심쟁이 할머니가 부자가 되었으니 그 집에 가서 살아야겠어.'
③ 할아버지: '우리가 다시 가난해졌으니 예전처럼 물고기를 잡아야 하겠군.'
④ 고양이: '쥐들은 고양이인 나를 무서워하니 내가 명령을 하면 말을 잘 들을 거야.'
⑤ 욕심쟁이 할머니: '할아버지의 집에 가짜 구슬을 가져다 놓으면 내가 파란 구슬을 가져간 것을 모를 거야.'

지문 분석

정답과 해설 20쪽

1 인물 성격 다음 행동을 보고 개와 고양이의 성격으로 알맞은 것을 찾아 선으로 이으세요.

개와 고양이의 행동
할아버지와 할머니의 파란 구슬을 찾기 위해 욕심쟁이 할머니네 집으로 감. •

개와 고양이의 성격
• 충성심이 높고, 용감함.
• 남을 잘 속이고, 욕심이 많음.

2 마음 변화 다음 상황에서 개와 고양이의 마음을 짐작하여 (   ) 안에 들어갈 알맞은 말을 찾아 ○표 하세요.

상황		개와 고양이의 마음
욕심쟁이 할머니가 파란 구슬을 훔쳐 가서 다시 배고픈 신세가 되었을 때	➔	욕심쟁이 할머니를 (질투, 원망)하는 마음
욕심쟁이 할머니의 집에 가서 파란 구슬을 되찾았을 때	➔	파란 구슬을 되찾아 (뿌듯, 죄송)한 마음

배경지식 개와 고양이가 만나면 서로 으르렁대는 까닭은 무엇일까요?

개와 고양이의 사이가 나쁘다는 것은 오랫동안 전해져 오는 이야기입니다. 그런데 사실 알고 보면 개와 고양이는 사이가 나쁜 것이 아니라, 서로 다른 표현 방법을 쓰고 있어 제대로 이해하지 못하는 경우가 많다고 해요.

개와 고양이는 마음을 표현하는 방법이 서로 다릅니다. 예를 들면, 개는 좋아하는 마음을 나타낼 때 꼬리를 살랑살랑 흔들지만, 고양이는 기분이 나쁠 때 꼬리를 흔든다고 해요. 반대로 고양이는 꼬리를 세워 호기심이나 관심을 표현하지만, 강아지에게 꼬리를 세운다는 것은 싸움을 걸거나 기분이 좋지 않다는 표현 중 하나라고 합니다.

정답과 해설 20쪽

오늘의 어휘

다음 낱말의 알맞은 뜻을 찾아 선으로 이으세요.

신세 •	• 있는 대로 죄다.
의논 •	• 틈이 있는 곳마다 모조리.
몽땅 •	• 어떤 일이나 단체에서 으뜸인 사람.
샅샅이 •	• 어떤 일에 대하여 서로 의견을 주고받음.
우두머리 •	• 주로 불행한 일과 관련된 한 개인의 처지와 형편.

1 다음 빈칸에 들어갈 알맞은 낱말을 오늘의 어휘에서 찾아 쓰세요.

- 어제 가방에 든 것을 ☐☐ 잃어버렸다.
- 그 모임의 ☐☐☐☐는 저 사람이다.
- 문제를 해결하기 위해서는 ☐☐을 해야 한다.
- 나는 잃어버린 장난감을 찾기 위해 방 안을 ☐☐☐ 뒤졌다.
- 정호는 수희가 전학을 가는 바람에 짝꿍이 없는 ☐☐가 되었다.

2 다음 밑줄 친 말과 뜻이 반대인 말을 (   )에서 찾아 ○표 하세요.

이순신은 12척이라는 적은 수의 배와 적은 수의 부하들로 왜군과 전투를 벌였습니다. 그러나 이렇게 어려운 상황에서도 적의 배 31척을 부수는 등 큰 승리를 거두었습니다.

(적, 승리, 우두머리)

개와 고양이 ❸ | 전래 동화

글의 구조

글자 수

개와 고양이는 강가에 이르렀어. 고양이는 **헤엄**을 못 치니까 파란 구슬을 입에 물고, 개는 고양이를 등에 태우고 강을 건너기로 했지.

강을 반쯤 헤엄쳐 왔을 때였어. 개는 고양이가 파란 구슬을 잘 물고 있는지 궁금했어.

"고양이야, 파란 구슬은 잘 물고 있지?" 5

"……."

고양이가 **대답**을 하지 않자 개가 또 물었어.

"파란 구슬은 잘 물고 있냐고?"

"……."

가

"얘, 고양이야! 파란 구슬은 어떻게 된 거야?" 10

고양이는 그만 버럭 화를 냈어.

"아, 잘 물고 있다니까!"

그 바람에 파란 구슬이 퐁당 강물에 빠지고 말았지.

고양이는 개 때문에 파란 구슬을 잃어버렸다며 화를 냈어. 개는 파란 구슬을 잃어버린 것이 너무나 속상했지만 더 찾으려고 하지 않고 **슬금슬금** 집으로 돌아가 버렸단다. 15

고양이는 너무 **분해서** 아침이 오도록 **나루터**에 앉아 있었어. 그때 고깃배가 들어왔고 **마침** 배가 고팠던 고양이는 어부가 던져 준 물고기를 **덥석** 물었지.

그런데 이게 웬일이야! 20

물고기의 배 속에는 그렇게도 찾아다녔던 파란 구슬이 들어 있었던 거야. 고양이는 파란 구슬을 물고 얼른 집으로 달려왔어. 파란 구슬을 되찾은 할아버지와 할머니는 다시 큰 부자가 되었어.

구슬을 찾아온 고양이는 할아버지와 할머니의 귀여움을 받으며 방 안에서 살게 되었고, 먼저 집으로 돌아온 개는 밖에서 살게 되었지. 25

- **헤엄** 물에서 앞으로 나아가려고 팔다리를 놀려 움직이는 것.
- **대답**(對 대답할 대, 答 대답할 답) 부르는 말에 응하여 어떤 말을 함.
- **슬금슬금** 남이 알아차리지 못하도록 눈치를 살펴 가면서 슬며시 하는 행동.
- **분해서** 억울한 일을 당해서 화나고 기분이 나빠서.
- **나루터** 나룻배가 닿고 떠나는 일정한 곳.
- **마침** 어떤 경우나 기회에 알맞게.
- **덥석** 갑자기 달려들어 한번에 꽉 잡는 모양.

지문 독해

중심 내용

1 **이 글에서 누가 무엇을 하였는지 선으로 이으세요.**

(1) 개 • • ㉮ 헤엄쳐서 강을 건넜다.

(2) 고양이 • • ㉯ 입에 파란 구슬을 물었다.

세부 내용

2 **파란 구슬이 강물에 빠진 까닭은 무엇인가요? (   )**

① 개가 고양이를 물었기 때문에
② 고양이가 물에 빠졌기 때문에
③ 개가 고양이를 간지럽혔기 때문에
④ 파란 구슬을 서로 갖겠다고 개와 고양이가 다투었기 때문에
⑤ 고양이가 개의 질문에 답하다가 파란 구슬을 입에서 떨어뜨렸기 때문에

표현

3 **다음에서 설명하는 흉내 내는 말을 가에서 찾아 쓰세요.**

작고 단단한 물건이 물에 떨어지거나 빠질 때 가볍게 한 번 나는 소리.

☐☐

감상

4 **이 글을 읽고 생각이나 느낌을 알맞게 말한 친구는 누구인지 쓰세요.**

지은: 할아버지와 할머니는 고양이를 등에 태우고 온 개를 기특하게 여겼을 것 같아.
상훈: 집 밖에서 살게 된 개는 파란 구슬을 찾지 않고 그냥 돌아온 것이 너무 후회되었을 것 같아.
현규: 할아버지와 할머니에게 귀여움을 받게 된 개와 고양이는 서로 도우며 계속 사이좋게 지냈을 것 같아.

(   )

지문 분석

정답과 해설 21쪽

1 인물 성격 다음 행동을 보고 개와 고양이의 성격으로 알맞은 것을 찾아 선으로 이으세요.

	행동		성격
개	강물에 빠진 구슬을 다시 찾을 생각을 하지 않고 바로 집으로 돌아가 버림.	• •	끈기가 있다.
고양이	구슬을 잃어버린 것이 분해서 아침까지 나루터에 있다가 결국 파란 구슬을 찾아옴.	• •	쉽게 포기한다.

2 결말 의미 이 이야기의 마지막 내용이 뜻하는 것을 찾아 ○표 하세요.

마지막 내용		결말의 의미
고양이는 할머니와 할아버지의 사랑을 받으며 방 안에서 살게 되었고 개는 밖에서 살게 되었음.	➔	• 개와 고양이가 서로 닮은 까닭 (　　　) • 개와 고양이의 사이가 안 좋게 된 까닭 (　　　)

배경지식 「개와 고양이」 전체 줄거리

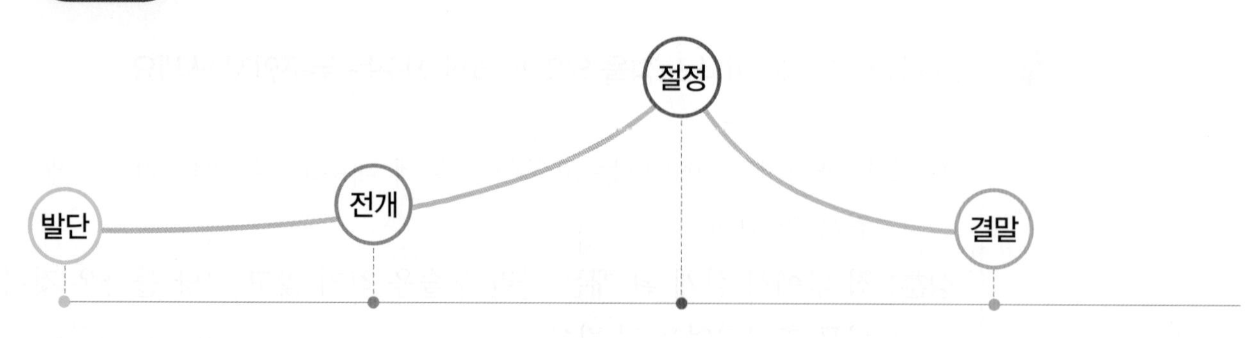

- 발단: 할아버지가 용왕님의 아들인 잉어를 살려 준 보답으로 용궁에 초대되어 파란 구슬을 얻고 큰 부자가 됨.
- 전개: 욕심쟁이 할머니가 파란 구슬을 훔쳐 가자 할아버지는 다시 가난해지고, 개와 고양이는 할아버지를 위해 구슬을 찾아 떠남.
- 절정: 파란 구슬을 찾고 강을 건너던 개와 고양이는 구슬을 빠뜨리고, 고양이는 끝까지 남아 구슬을 다시 찾게 됨.
- 결말: 다시 큰 부자가 된 할아버지는 고양이를 집 안에 키우고 개는 집 밖에서 지내게 해서 개와 고양이가 사이가 안 좋아짐.

오늘의 어휘

다음 낱말의 알맞은 뜻을 찾아 선으로 이으세요.

대답 •	• 어떤 경우나 기회에 알맞게.
마침 •	• 부르는 말에 응하여 어떤 말을 함.
덥석 •	• 갑자기 달려들어 한 번에 꽉 잡는 모양.
분해서 •	• 억울한 일을 당해서 화나고 기분이 나빠서.
슬금슬금 •	• 남이 알아차리지 못하도록 눈치를 살펴 가면서 슬며시 하는 행동.

1 다음 빈칸에 들어갈 알맞은 낱말을 오늘의 어휘 에서 찾아 쓰세요.

- 정말 더웠는데 ☐☐ 바람이 불기 시작했다.
- 짝꿍이 내 아이스크림을 한 입 ☐☐ 물어 버렸다.
- 거미줄에 파리가 걸리자 거미가 ☐☐☐☐ 다가왔다.
- 다른 생각을 하다가 선생님이 부르실 때 ☐☐을 하지 못했다.
- 길을 잃었는데 친구가 내 탓만 하니 ☐☐☐ 참을 수가 없었다.

2 다음 밑줄 친 말과 뜻이 비슷한 말을 (   )에서 찾아 ○표 하세요.

늑대는 2~8마리가 함께 무리를 지어 생활하는 것으로 알려져 있어요. 그래서인지 서로 의견이 잘 통한다고 합니다. 늑대들은 보고, 듣고, 냄새를 맡는 등 다양한 방법으로 서로의 부름에 응답합니다.

(질문, 행동, 대답)

달나라 옥토끼 ❶ | 전래 동화

글의 구조

발단 — 전개 — 절정 — 결말

글자 수

681 (0 200 400 600 800)

깊은 산속에 엄마토끼와 아기토끼 세 마리가 살았습니다. 엄마토끼가 골짜기로 풀을 뜯으러 갔다가 집으로 돌아오는 길에 발걸음을 옮기려는 순간, 갑자기 땅이 푹 꺼졌어요.

"아앗!" 엄마토끼는 깊은 **함정**에 빠지고 말았어요.

"아, **꼼짝없이** 사냥꾼한테 잡히게 되었구나. 내가 없으면, 우리 아기들은 굶어 죽을 텐데."

엄마토끼는 밖으로 나가려고 깡충깡충 뛰어 보았습니다. 그러나 아무 소용이 없었지요.

"아이고, 이 일을 어쩌나!"

엄마토끼는 털썩 주저앉아, 엉엉 울기 시작했어요.

그때 지나가던 노루가 울음소리를 들었습니다.

"그 밑에서 우는 게 엄마토끼 맞지요?"

"아, 노루님, 제발 저 좀 구해 주세요."

"난 앞발이 짧아서 잘못하다간 나까지 빠질지도 몰라."

노루는 겁을 먹고, ㉠경중경중 도망가 버렸어요. 엄마토끼의 눈에서 주르륵 눈물이 흘러내렸습니다.

이때 너구리가 나타났어요.

"너구리님, 저 좀 도와주세요."

"난 몸이 **둔해서** 잘못하다간 나까지 빠질 거야."

너구리는 ㉡슬금슬금 **꽁무니를 뺐어요**.

잠시 뒤, 이번에는 여우가 어슬렁어슬렁 나타났습니다.

"헤헤, 너 토끼로구나."

여우는 토끼가 함정에 빠진 것이 너무 고소했어요.

"넌 쫑알쫑알 말만 많더니 그것 참 잘됐구나."

㉢여우는 **살살** 약을 올리고는 그냥 지나갔습니다.

엄마토끼는 너무나 속상했습니다.

"도와주지는 못할망정 약을 올리다니……."

- **함정**(陷 빠질 함, 穽 함정 정) 짐승을 잡기 위해 파 놓은 구덩이.
- **꼼짝없이** 빠져나갈 수 없이. 어찌할 도리가 없이.
- **둔해서** 동작이 느리고 굼떠서.
- **꽁무니를 뺐어요** 슬그머니 피하여 물러났어요.
- **살살** 남을 살그머니 달래거나 꾀는 모양.

중심 내용

1 **이 글에서 일어난 가장 중요한 일에 맞게 빈칸에 들어갈 알맞은 말을 쓰세요.**

엄마토끼가 깊은 [ ][ ]에 빠졌다.

세부 내용

2 **노루와 너구리가 한 다음 말의 뜻으로 알맞은 것을 찾아 ○표 하세요.**

노루: "난 앞발이 짧아서 잘못하다간 나까지 빠질지도 몰라."
너구리: "난 몸이 둔해서 잘못하다간 나까지 빠질 거야."

(1) 엄마토끼를 도와줄 수 없다. ( )

(2) 엄마토끼가 함정에 빠질까 봐 무섭다. ( )

표현

3 **㉠, ㉡이 흉내 내는 모양을 찾아 선으로 이으세요.**

(1) ㉠ • • ㉮ 긴 다리를 모으고 계속 힘 있게 솟구쳐 뛰는 모양

(2) ㉡ • • ㉯ 남이 알아채지 못하도록 눈치를 살펴 슬며시 행동하는 모양

추론

4 **㉢과 같은 행동을 통해 짐작할 수 있는 여우의 성격으로 알맞은 것은 무엇인가요? ( )**

① 호기심이 많음.
② 배려심이 깊음.
③ 남에게 못되게 굶.
④ 남을 돕는 것을 좋아함.
⑤ 남에게 의지를 많이 함.

지문 분석

정답과 해설 22쪽

1 사건 전개

일이 일어난 차례를 생각하며 (　　　　) 안에 들어갈 알맞은 말을 찾아 ○표 하세요.

엄마토끼가 깊은 (동굴, 함정)에 빠짐.

엄마토끼가 (노루, 사슴)에게 도움을 부탁했지만 도움을 받지 못함.

엄마토끼가 (다람쥐, 너구리)에게 도움을 부탁했지만 도움을 받지 못함.

엄마토끼가 (늑대, 여우)에게 도움을 부탁했지만 오히려 놀림을 당함.

2 마음 변화

다음 엄마토끼의 말을 통해 알 수 있는 마음을 찾아 선으로 이으세요.

엄마토끼의 말		엄마토끼의 마음
"내가 없으면, 우리 아기들은 굶어 죽을 텐데." •		• 걱정되고 슬픔.
"도와주지는 못할망정 약을 올리다니……." •		• 서운하고 속상함.

배경지식 달나라 토끼와 관련된 노래를 알아볼까요?

우리나라의 첫 창작동요는 「반달」이라는 노래입니다. 약 100년 전에 일본이 우리나라를 침략했던 가슴 아픈 시절에 만들어졌어요. 하얀 쪽배(반달)를 타고 푸른 하늘 은하수를 건너가는 토끼를 상상하면서 아이와 어른 모두에게 희망이 되었던 노래입니다.

푸른 하늘 은하수 하얀 쪽배에
계수나무 한 나무 토끼 한 마리
돛대도 아니 달고 삿대도 없이
가기도 잘도 간다 서쪽 나라로

—「반달」

오늘의 어휘

다음 낱말의 알맞은 뜻을 찾아 선으로 이으세요.

함정 •	• 동작이 느리고 굼떠서.
살살 •	• 짐승을 잡기 위해 파 놓은 구덩이.
꽁무니 •	• 사람이나 짐승의 엉덩이의 끝부분.
둔해서 •	• 남을 살그머니 달래거나 꾀는 모양.
꼼짝없이 •	• 빠져나갈 수 없이. 어찌할 도리가 없이.

1 다음 빈칸에 들어갈 알맞은 낱말을 오늘의 어휘에서 찾아 쓰세요.

- 할머니가 우는 동생을 ☐☐ 달래셨다.
- 동물들은 못된 호랑이를 ☐☐에 빠뜨렸다.
- 내 동생은 매일 내 ☐☐☐만 따라다닌다.
- 나는 방학 동안 ☐☐☐☐ 집에 갇혀서 지냈다.
- 현서는 걸음걸이도 느리고 행동도 ☐☐☐ 운동을 못한다.

2 다음 밑줄 친 말과 뜻이 비슷한 말을 (　　　)에서 찾아 ○표 하세요.

'개미귀신'이라는 벌레는 모래밭에 깔때기 모양의 구덩이를 만듭니다. 이 구덩이를 '개미지옥'이라고 부르는데, 한 번 빠지면 절대로 빠져나갈 수 없기 때문입니다. 개미귀신은 개미지옥에 숨어서 개미가 빠지기를 기다립니다. 개미가 걸려들면 모래를 마구 뿌려 나가지 못하도록 붙잡아 버립니다.

(집, 함정, 무덤)

달나라 옥토끼 ❷ | 전래 동화

글의 구조

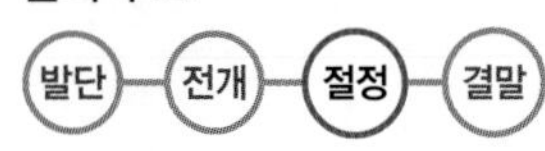

글자 수

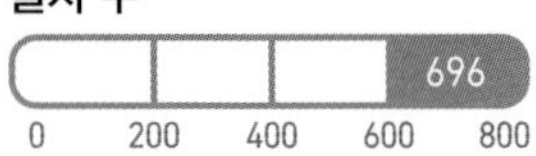

지나가던 다람쥐가 이 소리를 들었어요.

"아니, 토끼네 엄마 아니에요. 어쩌다 함정에 빠졌어요?"

"다람쥐야, 잘 왔어. 우리 집에 가서 애들 좀 데려다줄래?"

"조금만 기다려요."

다람쥐는 토끼네 집으로 쪼르르 달려갔어요.

"얘들아, 너희 엄마가 함정에 빠졌어! 빨리 가 보자!"

"뭐라고요? 엄마가 함정에 빠졌다고요?"

아기토끼들은 깜짝 놀랐습니다. 아기토끼들은 **단숨에** 함정까지 달려갔습니다.

"얘들아, 울지 말고 엄마가 시키는 대로 하렴. 거북이네 집에 가서 **호미**를 빌려 와."

첫째 토끼가 깡충깡충 달려가 호미를 가져왔습니다. 엄마토끼는 호미로 벽에 홈을 판 후 **홈**을 **딛고** 한 발씩 오르기 시작했어요. 그러다가 가운데쯤에서 그만 뒤로 **나동그라졌답니다**.

"아이코, 안 되겠다. 산에 가서 **칡덩굴**을 잘라 오렴."

둘째 토끼가 얼른 달려가 칡덩굴을 가져왔어요. 엄마토끼는 칡덩굴에 대롱대롱 매달렸어요. 그러나 이번에는 칡덩굴이 툭 끊어지고 말았어요.

"후유, 안 되겠다. 흙을 파서, 함정을 **메워** 주렴."

"네, 엄마. 조금만 기다리세요."

아기토끼들은 땀을 **뻘뻘** 흘리며, 열심히 흙을 팠습니다. 그러나 조그만 앞발로 큰 함정을 메울 수는 없었어요.

어느덧 해가 지고, 산속에는 어둠이 깔렸습니다.

"내일 아침이면, 사냥꾼이 우리 엄마를 잡아갈 거야."

"엄마가 없으면, 우리는 어떻게 살아."

아기토끼들은 또 엉엉 울기 시작했어요.

- **단숨에** 쉬지 않고 곧장.
- **호미** 날은 세모꼴이고 끄부라진 끝에 짧은 나무 자루를 끼워 한 손으로 잡고 앉아서 땅을 고르는 데에 쓰는 농기구.
- **홈** 물체에 오목하고 길게 팬 자리.
- **딛고** 발을 올려놓고 서거나 발로 내리누르고.
- **나동그라졌답니다** 뒤로 아무렇게나 넘어져 굴렀답니다.
- **칡덩굴** 칡의 줄기가 벋은 넝쿨.
- **메워** 뚫려 있거나 비어 있는 곳을 막거나 채워.
- **뻘뻘** 땀을 매우 많이 흘리는 모양.

갈래

1 엄마토끼에게 아기토끼들을 데려다준 인물은 누구인지 쓰세요.

세부 내용

2 엄마토끼가 함정을 빠져나오기 위해 사용한 도구를 두 가지 고르세요.

(,)

① 낫 ② 호미 ③ 밧줄
④ 칡덩굴 ⑤ 나뭇가지

세부 내용

3 아기토끼들이 흙을 파서 함정을 메울 수 없었던 까닭을 찾아 ○표 하세요.

(1) 너무 어두워서 함정이 잘 보이지 않아서 ( )
(2) 흙을 메우다가 아기토끼들도 함정에 빠져서 ( )
(3) 조그만 앞발로 판 흙으로 큰 함정을 메우기 어려워서 ( )

감상

4 이 글을 읽으면서 느낀 점을 바르게 말한 친구는 누구인지 쓰세요.

민준: 아기토끼들을 돕다가 중간에 포기하는 다람쥐를 보면서 안타까운 마음이 들었어.
지현: 엄마토끼를 구하기 위해 땀을 뻘뻘 흘리며 일하고 있는 아기토끼들이 안쓰럽게 느껴졌어.
혜성: 흙을 파는 것이 힘들다고 우는 토끼들을 달래어 다시 힘든 일을 시켜야 하는 엄마토끼는 마음이 많이 아팠을 것 같아.

( )

지문 분석

정답과 해설 23쪽

1 인물 성격 다음 행동을 통해 알 수 있는 엄마토끼의 성격으로 알맞은 것을 찾아 ○표 하세요.

엄마토끼가 한 행동		엄마토끼의 성격
• 호미로 홈을 판 뒤 홈을 딛고 오름. • 칡덩굴에 대롱대롱 매달림. • 아기토끼들에게 흙을 파서 함정을 메워 달라고 부탁함.	→	• 쉽게 포기하지 않고 용감하다. (　　) • 남을 배려하며 자신을 희생한다. (　　)

2 마음 변화 다음 상황에서 아기토끼들의 마음을 짐작하여 (　　　) 안에 들어갈 알맞은 말을 찾아 ○표 하세요.

상황		아기토끼들의 마음
엄마토끼가 함정에서 빠져나오려고 여러 가지 노력을 할 때	→	(우울한, 희망적인) 마음
엄마토끼가 함정을 빠져나오지 못하고 날이 어두워졌을 때	→	(절망하는, 억울해하는) 마음

배경지식 토끼가 정말 달에 살았을까요?

아주 먼 옛날, 과학이 발달하기 전에 살았던 사람들은 동그란 보름달에 토끼가 살고 있다고 생각했어요. 우주선을 타고 달에 가 보지도 않았는데 왜 그렇게 생각했을까요?

달 겉면의 어두운 무늬가 마치 방아를 찧고 있는 한 마리 토끼처럼 보여서 그렇게 생각한 것이랍니다. 하지만 실제로 달에는 공기와 물이 없어요. 그래서 달에는 우리가 살고 있는 지구처럼 토끼를 비롯한 다양한 동물들, 예쁜 꽃과 나무 같은 식물들은 물론 사람들까지 그 어떤 것도 살 수 없다고 합니다.

오늘의 어휘

다음 낱말의 알맞은 뜻을 찾아 선으로 이으세요.

홈	쉬지 않고 곧장.
호미	땅을 고르는 데에 쓰는 농기구.
메워	물체에 오목하고 길게 팬 자리.
딛고	발을 올려놓고 서거나 발로 내리누르고.
단숨에	뚫려 있거나 비어 있는 곳을 막거나 채워.

1 다음 빈칸에 들어갈 알맞은 낱말을 오늘의 어휘에서 찾아 쓰세요.

- 바다에 나 있는 ☐으로 물이 고였다.
- 형은 ☐☐☐ 8층까지 뛰어 올라갔다.
- 평생 농사일을 하시는 할머니의 보물은 ☐☐이다.
- 의자를 ☐☐ 올라서서 선반 맨 위에 있는 책을 꺼냈다.
- 선생님께서는 각자 나눠 준 종이의 빈칸을 ☐☐ 오라고 하셨다.

2 다음 밑줄 친 말과 뜻이 비슷한 말을 (   )에서 찾아 ○표 하세요.

지난 5월 ○○초등학교에서 체육 대회가 열렸습니다. 다양한 경기를 하였지만 이어달리기가 가장 큰 인기를 얻었습니다. 처음에 꼴찌로 뒤처졌던 팀이 <u>단번에</u> 앞서 뛰던 선수를 모두 따라잡고 1등으로 들어왔기 때문입니다.

(갑자기, 단숨에, 여러 번)

달나라 옥토끼 ③ | 전래 동화

글의 구조

발단 — 전개 — 절정 — 결말

글자 수

683 (0 200 400 600 800)

동쪽 하늘에 달님이 두둥실 떠올랐습니다.

"형, 엄마를 구해 달라고 달님한테 **기도**하자."

막내 토끼가 울음을 그치며 말했어요.

"그래. 달님은 우리 기도를 꼭 들어주실 거야."

세 아기토끼는 달님을 향해 무릎을 꿇었어요. 그러고는 두 손을 모아 **간절히** 기도했지요.

"달님, 불쌍한 우리 엄마를 구해 주세요."

어느새 달님이 소나무 가지 위에 걸려 있었어요. 바로 그때였어요. 하늘에서 하얀 **동아줄**이 내려오는 게 아니겠어요? 동아줄은 함정 아래까지 스르르 내려갔습니다.

"㉠<u>와, 달님이 우리 소원을 들어주셨어!</u>"

"엄마, 달님이 내려 준 동아줄이에요. 빨리 잡으세요."

엄마토끼는 동아줄을 꽉 잡았습니다. 그러자 동아줄이 위로 올라가기 시작했어요.

함정을 빠져나온 엄마토끼는 아기들을 꼭 껴안았습니다. 아기토끼들은 기뻐서 깡충깡충 뛰었어요. 엄마와 아기토끼들은 동아줄을 타고 하늘 높이 올라갔어요. 달님에게 고맙다는 인사를 하려고요.

이때 달님은 어떤 표정이었을까요?

달님은 그저 방긋이 웃기만 했답니다.

그 뒤, 산속의 토끼들은 매달 **보름**만 되면 달님이 내려 준 동아줄을 잡고 달님한테 올라갔어요.

달님에게 가서 무엇을 했을까요?

방아방아 떡방아 / 달님 드실 떡방아 / 쿵덕쿵덕 찧어라.

방아방아 떡방아 / 토끼 먹을 떡방아 / 쿵덕쿵덕 찧어라.

토끼들은 달 위에서 즐겁게 노래 부르며 신나게 떡방아를 찧는답니다.

- **기도** 소원이 이루어지도록 신에게 비는 것.
- **간절히** 더없이 정성스럽고 지극한 마음으로.
- **어느새** 어느 틈에 벌써.
- **동아줄** 굵고 튼튼하게 꼰 줄.
- **보름** 음력으로 그달의 열닷새째 되는 날.

중심 내용

1 **엄마토끼가 함정을 빠져나올 수 있었던 까닭에 맞게 빈칸에 들어갈 알맞은 말을 쓰세요.**

> 아기토끼들이 ☐☐에게 소원을 빌었더니 달님이 ☐☐☐을 내려 주었다.

세부 내용

2 **이 글의 내용으로 알맞은 것은 무엇인가요? (   )**

① 아기토끼들의 소원은 하늘로 올라가는 것이었다.
② 달님은 엄마토끼와 아기토끼들을 반갑게 안아 주었다.
③ 보름이 되면 토끼들은 달 위에서 즐겁게 떡방아를 찧었다.
④ 엄마토끼와 아기토끼들은 달님을 구경하려고 하늘로 올라갔다.
⑤ 산속의 토끼들은 매달 첫 날이 되면 동아줄을 타고 하늘로 올라갔다.

어휘

3 **㉠의 내용과 관련 있는 속담을 찾아 기호를 쓰세요.**

> ㉮ 계란으로 바위 치기
> ㉯ 사공이 많으면 배가 산으로 간다
> ㉰ 하늘이 무너져도 솟아날 구멍이 있다

(   )

감상

4 **이 글을 읽고 생각이나 느낌을 알맞게 말하지 <u>못한</u> 것은 무엇인가요? (   )**

① 나도 동아줄을 타고 달님에게 가 보고 싶어.
② 아기토끼들의 소원을 들어준 달님이 너무 고마워.
③ 다시 만나게 된 엄마토끼와 아기토끼들은 무척 기뻤을 거야.
④ 달님은 엄마토끼와 아기토끼들이 행복해하는 모습을 보고 흐뭇해서 웃은 것 같아.
⑤ 아기토끼들이 처음부터 달님에게 기도했다면 날이 어두워지기 전에 엄마토끼를 함정에서 구해 냈을 거야.

지문 분석

정답과 해설 24쪽

1 사건 전개 일이 일어난 시간 순서에 맞게 보기 에서 기호를 찾아 차례대로 쓰세요.

보기
- ㉮ 하늘에서 하얀 동아줄이 내려옴.
- ㉯ 엄마토끼가 동아줄을 잡고 함정을 빠져나옴.
- ㉰ 아기토끼들이 엄마토끼를 구해 달라고 달님에게 기도함.
- ㉱ 엄마토끼와 아기토끼들은 동아줄을 타고 하늘 높이 올라감.

(　　　) → (　　　) → ㉯ → (　　　)

2 주제 이 글의 주제를 생각하며 빈칸에 들어갈 알맞은 말을 보기 에서 찾아 쓰세요.

보기
위기　　경험　　행복　　최선　　배려

글의 주제
❶ □□에 처하더라도 착하게 살고 ❷ □□을 다 하면 이겨 낼 수 있다.

❶(　　　　　　) ❷(　　　　　　)

배경지식 「달나라 옥토끼」 전체 줄거리

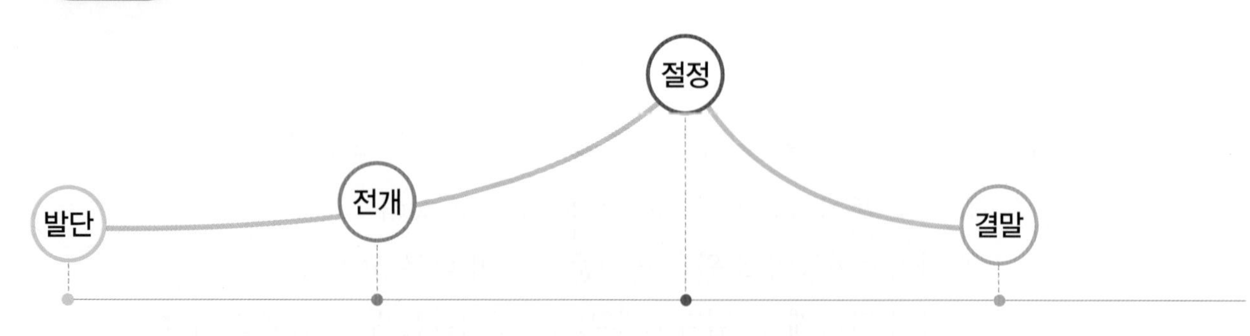

발단	전개	절정	결말
깊은 함정에 빠진 엄마토끼는 노루, 너구리, 여우에게 도움을 청했지만, 모두에게서 도움을 받지 못함.	엄마토끼와 아기토끼들이 여러 가지 방법으로 열심히 노력했지만 엄마토끼가 함정에서 빠져나올 수는 없었음.	아기토끼들이 달님에게 기도하자 하늘에서 하얀 동아줄이 내려와 엄마토끼가 함정을 빠져나오고 아기토끼들과 다시 만남.	엄마토끼와 아기토끼들은 달님에게 고맙다는 인사를 하고 그 뒤 매달 보름에 달님에게 올라가 떡방아를 찧음.

오늘의 어휘

다음 낱말의 알맞은 뜻을 찾아 선으로 이으세요.

보름 •	• 어느 틈에 벌써.
기도 •	• 굵고 튼튼하게 꼰 줄.
어느새 •	• 음력으로 그달의 열닷새째 되는 날.
간절히 •	• 더없이 정성스럽게 지극한 마음으로.
동아줄 •	• 소원이 이루어지도록 신에게 비는 것.

1 다음 빈칸에 들어갈 알맞은 낱말을 오늘의 어휘에서 찾아 쓰세요.

- 동생이 ☐☐☐ 나와 비슷할 정도로 컸다.
- 나쁜 호랑이에게는 썩은 ☐☐☐이 내려왔다.
- 민지는 강아지가 얼른 낫게 해 달라고 ☐☐했다.
- 우리는 이모와 다음 달 ☐☐에 다시 만나기로 했다.
- 할아버지는 고향 땅에 돌아가시기를 ☐☐☐ 바라신다.

2 다음 밑줄 친 말과 뜻이 비슷한 말을 (　　　)에서 찾아 ○표 하세요.

저는 세상 사람들이 싸우지 않고 평화롭게 살기를 <u>절실히</u> 바랍니다. 지금도 전쟁으로 많은 사람이 죽고, 사랑하는 사람과 이별하고 있습니다. 서로를 조금 더 이해하고 사랑하면 좋겠습니다.

(간절히 , 명확히 , 깨끗이)

아낌없이 주는 나무 ❶ | 셸 실버스타인

글의 구조

발단 – 전개 – 절정 – 결말

글자 수

695

0 200 400 600 800

옛날에 나무 한 그루가 있었습니다.

그 나무는 한 **소년**을 사랑하였습니다.

날마다 소년은 나무에게로 와서 떨어지는 나뭇잎을 한 잎, 두 잎 주워 모았습니다. 그러고는 나뭇잎으로 왕관을 만들어 쓰고 숲속의 왕 노릇을 하였습니다. 5

소년은 나무줄기를 타고 올라가서는 나뭇가지에 매달려 그네도 뛰고, 사과도 따 먹고는 하였습니다.

나무와 소년은 **때로는** 숨바꼭질도 하였습니다. 그러다가 피곤해지면 소년은 나무 그늘에서 **단잠**을 자기도 하였습니다.

㉠ 소년은 나무를 무척 사랑하였고……, 나무는 행복하였습니다. 10

시간이 흘러갔습니다. / 그리고 소년도 점점 나이가 들어갔습니다. 나무는 **홀로** 있을 때가 많아졌습니다.

그러던 어느 날, 소년이 나무를 찾아갔을 때 나무가 말하였습니다.

"얘야, 내 줄기를 타고 올라오렴. 가지에 매달려 그네도 뛰고, 사과도 따 먹고, 그늘에서 놀면서 즐겁게 지내자." 15

"난 이제 나무에 올라가 놀기에는 너무 커 버렸는걸. 난 물건을 사고 싶고, 신나게 놀고 싶단 말이야. 그래서 돈이 필요해. 내게 돈을 좀 줄 수 없겠어?"

소년이 말하였습니다.

"미안하지만 내겐 돈이 없는데……." 20

나무가 말하였습니다.

"내겐 나뭇잎과 사과밖에 없어. 얘야, 내 사과를 따다가 **도회지**에서 팔지 그러니? 그러면 돈이 생기고 행복해질 거야."

그러자 소년은 나무 위로 올라가 사과를 따서 가지고 갔습니다. 그래서 나무는 행복하였습니다. 25

- **소년** 아직 완전히 성숙하지 않은 어린 사내아이.
- **때로는** 경우에 따라서는.
- **단잠** 아주 달게 곤히 자는 잠.
- **홀로** 자기 혼자서만.
- **도회지**(都 도읍 도, 會 모일 회, 地 땅 지) 사람이 많이 살고 있는 번화한 곳.

지문 독해

갈래

1 이 글에 등장하는 인물은 누구누구인지 쓰세요.

□□, □□

세부 내용

2 어린 소년이 날마다 나무를 찾아와 한 일을 두 가지 고르세요. (　　,　　)

① 나무와 숨바꼭질을 했다.
② 나무 그늘에서 단잠을 잤다.
③ 나무의 사과를 모두 따서 모았다.
④ 나뭇가지를 모아서 그네를 만들었다.
⑤ 나뭇가지를 잘라서 의자를 만들고 왕 노릇을 하였다.

세부 내용

3 ㉠에서 느낄 수 있는 마음을 두 가지 고르세요. (　　,　　)

① 슬픔.　② 미움.　③ 기쁨.
④ 행복함.　⑤ 서운함.

감상

4 이 글에 나오는 인물들에 대한 생각을 알맞게 말한 것은 무엇인가요? (　　　)

① 시간이 흘러도 소년의 나무를 향한 마음은 변하지 않았어.
② 소년이 나이가 들면서 잘 찾아오지 않아 나무는 무척 외로웠을 거야.
③ 나무는 소년과 함께 있으려고 돈을 달라는 소년의 부탁을 거절한 거야.
④ 시간이 흘러도 소년은 나무와 놀고 싶었지만 시간이 부족했던 것 같아.
⑤ 소년은 나무가 줄 것이 없어서 미안해하는 마음을 생각해서 사과만 가져간 것 같아.

지문 분석

정답과 해설 25쪽

1 인물 태도 나무에 대한 소년의 태도를 생각하며 빈칸에 들어갈 알맞은 말을 보기 에서 찾아 쓰세요.

보기

사랑 행복 시간 가지 사과

소년이 어렸을 때	소년이 나이 들었을 때
• 나무를 무척 ❶ ☐☐ 했음. • 날마다 나무와 함께 ❷ ☐☐ 을 보냄.	• 나무와 노는 것 말고 돈이 필요해짐. • 나무의 ❸ ☐☐ 를 따서 도회지로 나감.

❶(　　　　　) ❷(　　　　　) ❸(　　　　　)

2 인물 마음 다음 나무의 말에 담겨 있는 마음으로 알맞은 것을 찾아 ○표 하세요.

나무의 말	나무의 마음
"내 사과를 따다가 도회지에서 팔지 그러니? 그러면 돈이 생기고 행복해질 거야."	• 항상 소년의 행복을 바라고 있음. (　　) • 변해 버린 소년이 섭섭하게 여겨져 슬픔. (　　)

배경지식 「아낌없이 주는 나무」의 책 제목은 무엇을 뜻하는 것일까요?

아주 오래도록 사람들에게 널리 읽혀지는 좋은 책들을 '고전'이라고 말해요. 1964년에 쓰인 「아낌없이 주는 나무」는 어린이, 어른 모두에게 변함없는 사랑을 받고 있는 고전입니다.

사실 이 책의 원래 제목은 '주는 나무(The Giving Tree)'였으나 우리말로 번역할 때 '아낌없이'라는 말을 덧붙여서 나무의 사랑이 매우 컸음을 강조하고 있습니다.

한 소년을 사랑해서 자신이 가진 모든 것을 아낌없이 내어 주는 나무의 모습을 통해 헌신적이고 순수한 사랑의 아름다움에 대해 이야기하는 글입니다.

오늘의 어휘

다음 낱말의 알맞은 뜻을 찾아 선으로 이으세요.

소년 •		• 자기 혼자서만.
단잠 •		• 경우에 따라서는.
홀로 •		• 아주 달게 곤히 자는 잠.
때로는 •		• 사람이 많이 살고 있는 번화한 곳.
도회지 •		• 아직 완전히 성숙하지 않은 어린 사내아이.

1 다음 빈칸에 들어갈 알맞은 낱말을 오늘의 어휘에서 찾아 쓰세요.

- [ ][ ]을 자고 있었는데 초인종 소리에 깼다.
- 열 살 정도 되어 보이는 [ ][ ]이 나에게 걸어왔다.
- 아이들이 모두 돌아간 교실에 나 [ ][ ] 남아 있었다.
- 언니와 나는 [ ][ ][ ] 사이좋은 친구처럼 행동한다.
- 그는 어렸을 적에 항상 [ ][ ][ ]로 나가 사는 꿈을 꾸었다고 한다.

2 다음 밑줄 친 낱말과 뜻이 비슷한 말을 (   )에서 찾아 ○표 하세요.

어느 날 알에서 웬 사내아이 하나가 태어났습니다. 이 아이는 겨우 일곱 살일 때 스스로 활을 만들었고, 활을 쏘면 백발백중일 정도로 활 솜씨가 아주 뛰어났습니다. 그래서 이름도 '주몽'이라고 지었습니다. 주몽은 점점 더 지혜롭고 용감하게 자라 고구려를 세웠습니다.

(아기, 소년, 남자)

아낌없이 주는 나무 ❷ | 셸 실버스타인

글의 구조

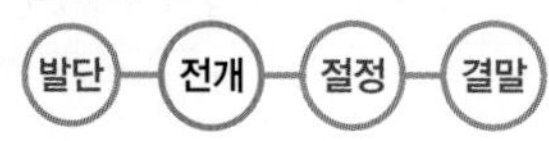

글자 수

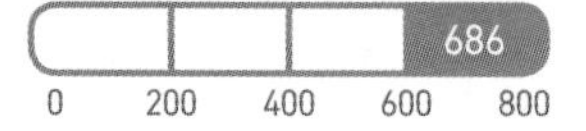

어느 날 소년이 돌아왔습니다.

나무는 몹시 기뻐서 몸을 흔들며 말하였습니다.

"얘야, 내 줄기를 타고 올라오렴. 가지에 매달려 그네도 뛰고 즐겁게 지내자." 〈중략〉

소년이 말하였습니다. 5

"내겐 따뜻하게 지낼 집이 필요해. 아내도 있어야 하고, 자식도 있어야겠고. 그래서 집이 필요하단 말이야. 나에게 집 한 **채 마련**해 줄 수 없겠어?"

"나에게는 집이 없단다." / 나무가 대답하였습니다.

"이 숲이 나의 집이지. 하지만 내 가지들을 베어다가 집을 짓지 그래. 10 그러면 행복해질 수 있을 거야."

그러자 소년은 나뭇가지를 베어서는 집을 지으려고 가지고 갔습니다. 그래서 나무는 행복하였습니다.

그러나 떠나간 소년은 오랜 **세월**이 지나도록 돌아오지 않았습니다.

그러다가 소년이 돌아오자, 나무는 매우 기뻐서 **거의** 말을 할 수가 없었습니다. 15

"이리 온, 얘야." / 나무는 **속삭였습니다**.

"와서 나랑 놀자." / "난 너무 나이가 들어서 놀 수가 없어."

소년이 말하였습니다.

"배가 한 **척** 있었으면 좋겠어. 멀리 떠나고 싶거든. 내게 배 한 척 마련해 줄 수 없겠어?" 20

"내 줄기를 베어다가 배를 만들렴." / 나무가 말하였습니다.

"그러면 너는 멀리 떠나갈 수 있고 행복해질 수 있을 거야."

그러자 소년은 나무의 줄기를 베어 내서 배를 만들어 타고 멀리 떠나 버렸습니다. 소년을 도울 수 있었던 ㉠<u>나무는 행복하였지만 정말 그런 것은 아니었습니다.</u> 25

- **채** 집의 수를 세는 말.
- **마련** 어떤 물건이나 상황을 준비하여 갖춤.
- **세월**(歲 해 세, 月 달 월) 흘러가는 시간.
- **거의** 어떤 기준에 아주 가깝게.
- **속삭였습니다** 남이 알아듣지 못하도록 가만가만 이야기하였습니다.
- **척** 배의 수를 세는 말.

지문 독해

중심 내용

1 나무와 소년의 관계에 맞게 빈칸에 들어갈 알맞은 말을 쓰세요.

소년은 나무에게 바라기만 하고, 나무는 소년에게 자신의 [|] 와 [|]를 아낌없이 내어 줌.

세부 내용

2 이 글의 내용으로 알맞은 것은 무엇인가요? (　　　)

① 나무는 돌아온 소년에게 함께 놀자고 말했다.
② 소년은 집을 짓기 위해 나무의 줄기를 베어 갔다.
③ 소년은 배를 만들기 위해 나무의 가지를 베어 갔다.
④ 소년은 다시 돌아와서 나무와 즐거운 시간을 보냈다.
⑤ 소년은 나무에게 아내와 자식을 만들어 달라고 했다.

세부 내용

3 다음 상황에서 나무의 마음으로 알맞은 것을 찾아 선으로 이으세요.

(1) 소년이 다시 돌아왔을 때 •　　　　• ㉮ 슬프고 외롭다.

(2) 소년이 오랜 세월이 지나도록 돌아오지 않았을 때 •　　　　• ㉯ 행복하고 기쁘다.

추론

4 ㉠이 뜻하는 것으로 알맞은 내용을 찾아 ○표 하세요.

(1) 나무는 자신의 것을 자꾸 빼앗아 가는 소년이 밉고 싫었다. (　　　)

(2) 나무는 소년을 더 돕고 싶은데 그러지 못해서 미안하고 아쉬웠다. (　　　)

(3) 나무는 소년을 도울 수 있는 것은 행복했지만 소년과 함께할 수 없었기 때문에 행복하지만은 않았다. (　　　)

지문 분석

1 사건 전개 **일이 일어난 시간 순서에 맞게 보기에서 기호를 찾아 차례대로 쓰세요.**

보기
㉮ 소년이 돌아와 나무에게 집 한 채를 마련해 달라고 함.
㉯ 나무는 자신의 가지를 내어 주고, 소년은 나무의 가지를 베어서 가지고 감.
㉰ 오랜 세월이 지나 소년이 다시 돌아와 나무에게 배 한 척을 마련해 달라고 함.
㉱ 나무는 자신의 줄기를 내어 주고, 소년은 나무의 줄기로 배를 만들어 타고 멀리 떠나 버림.

( ) → ( ) → ㉰ → ( )

2 인물 마음 **나무가 소년에게 바라는 것을 생각하며 빈칸에 들어갈 알맞은 말을 보기에서 찾아 쓰세요.**

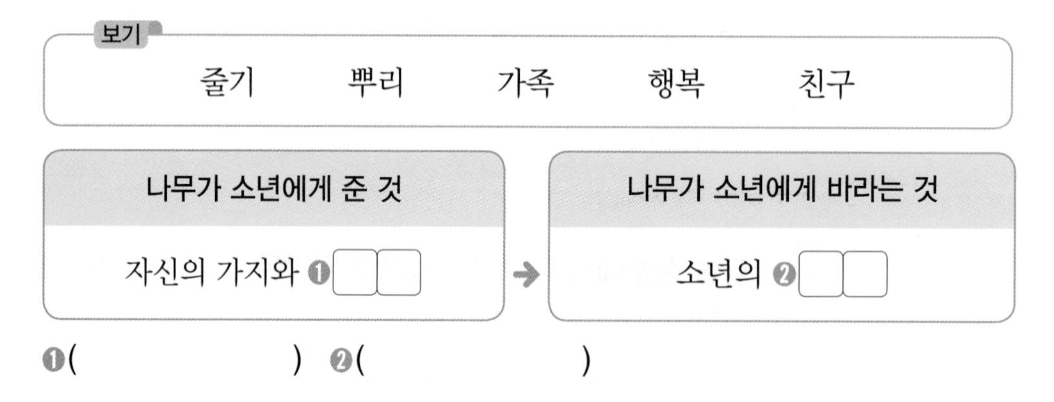
보기
줄기 뿌리 가족 행복 친구

나무가 소년에게 준 것		나무가 소년에게 바라는 것
자신의 가지와 ❶ □□	→	소년의 ❷ □□

❶( ) ❷( )

배경지식 나무가 우리에게 아낌없이 주는 것에는 무엇이 있을까요?

나무는 우리를 위해 정말 많은 일을 해요. 나무는 우리가 살아가는 데 꼭 필요한 산소를 만들어 줍니다. 또, 나무의 뿌리로 물을 저장해서 홍수와 가뭄을 막아 주기도 해요. 나무에서 나오는 피톤치드는 나쁜 미생물을 죽여서 우리가 살기 좋은 환경을 만들어 주지요. 이처럼 나무는 우리 인간에게 많은 도움을 줄 뿐만 아니라, 다른 동식물에게도 없어서는 안 될 존재예요. 나무로 가득한 숲은 다양한 생물들이 넉넉하게 살아갈 수 있는 최고의 보금자리랍니다.

어때요? 「아낌없이 주는 나무」에서처럼 정말 나무는 우리에게 많은 것을 베푸는 것 같죠? 그러니 우리도 이런 나무를 보호하고 아껴야겠어요.

오늘의 어휘

다음 낱말의 알맞은 뜻을 찾아 선으로 이으세요.

척 •	• 흘러가는 시간.
채 •	• 배의 수를 세는 말.
마련 •	• 집의 수를 세는 말.
거의 •	• 어떤 기준에 아주 가깝게.
세월 •	• 어떤 물건이나 상황을 준비하여 갖춤.

1 다음 빈칸에 들어갈 알맞은 낱말을 오늘의 어휘 에서 찾아 쓰세요.

- 우리 학교 앞에 아파트 한 ☐ 가 생겼다.
- 이순신 장군은 열두 ☐ 의 배로 일본군을 크게 이겼다.
- 나는 그때 너무 기뻐서 ☐☐ 말을 못 할 지경이었다.
- 아저씨는 긴 ☐☐ 동안 가족들과 연락을 하지 못하셨다.
- 새로운 학기가 시작되기 전에 미리 준비물을 ☐☐ 해 두자.

2 다음 밑줄 친 낱말과 뜻이 비슷한 말을 ( )에서 찾아 ○표 하세요.

독도는 바닷속 깊은 곳에서 화산이 폭발해서 만들어진 섬이에요. 원래는 하나의 섬이었지만 오랜 <u>시간</u> 동안 파도와 바람에 바위가 깎이면서 오늘과 같이 2개의 큰 섬과 89개의 작은 바위섬으로 나누어졌다고 해요.

(세월, 세계, 기다림)

글의 구조

글자 수

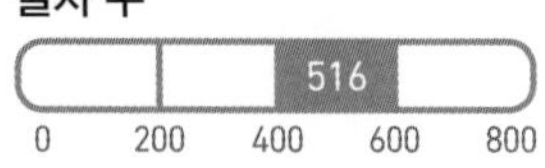

아낌없이 주는 나무 ❸ | 셸 실버스타인

오랜 세월이 지난 뒤에 소년이 다시 돌아왔습니다.

"얘야, 미안하다. 이제는 너에게 줄 것이 아무것도 없구나. 사과도 없고."

"난 이가 나빠서 사과를 먹을 수가 없어."

소년이 말하였습니다.

"내게는 이제 가지도 없으니 네가 그네를 뛸 수도 없고."

"나뭇가지에 매달려 그네를 뛰기에는 난 이제 너무 늙었어."

소년이 말하였습니다.

"내게는 줄기마저 없으니 네가 타고 오를 수도 없고."

"타고 오를 **기운**도 없어."

소년이 말하였습니다.

"미안해."

나무는 **한숨**을 지었습니다.

"무언가 너에게 주고 싶은데……, 내겐 남은 것이 아무것도 없단다. 나는 그저 늙어 버린 나무 **밑동**일 뿐이야. 미안해."

"이젠 나도 필요한 게 **별로** 없어. 그저 편안히 앉아서 쉴 곳이나 있었으면 좋겠어. 몹시 피곤하거든."

소년이 말하였습니다.

"아, 그래?"

나무는 **안간힘**을 다하여 **몸뚱이**를 펴면서 말하였습니다.

"자, 앉아서 쉬기에는 늙은 나무 밑동이 그만이야. 얘야, 이리 와서 앉으렴. 앉아서 쉬도록 해."

소년은 그렇게 하였습니다.

그래서 나무는 행복하였습니다.

- **기운** 생물이 살아 움직이는 힘.
- **한숨** 근심이나 설움이 있을 때, 또는 긴장하였다가 안도할 때 길게 몰아서 내쉬는 숨.
- **밑동** 나무줄기에서 뿌리에 가까운 부분.
- **별로** 이렇다 하게 따로. 또는 그다지 다르게.
- **안간힘** 어떤 일을 이루기 위해 몹시 애쓰는 힘.
- **몸뚱이** 사람이나 짐승의 팔, 다리, 머리를 제외한 몸의 덩치.

지문 독해

중심 내용

1 이 글에서 일어난 일 중 가장 중요한 일을 찾아 ○표 하세요.

(1) 나무가 자신에게 남은 것이 아무것도 없다고 말한 일 (　　)

(2) 소년이 나무 밑동에 앉아서 쉬자 나무가 행복해한 일 (　　)

(3) 소년이 너무 늙어서 그네를 탈 수도 없고, 나무줄기를 타고 오를 수도 없게 된 일 (　　)

세부 내용

2 나무가 소년에게 미안해한 까닭은 무엇인가요? (　　　)

① 다른 친구들에게 사과와 가지를 모두 주어서

② 늙어 버린 소년 대신에 다른 소년과 놀고 있어서

③ 소년에게 모든 것을 받기만 하고 준 것이 없어서

④ 나무와 놀아 주느라 소년이 다른 친구를 사귈 수 없어서

⑤ 소년에게 무언가를 주고 싶은데 자신에게 남은 것이 아무것도 없어서

세부 내용

3 나무가 마지막으로 소년을 위해 내어 준 것은 무엇인지 찾아 쓰세요.

나무의 ☐☐

적용

4 나무와 같은 태도를 보이는 친구는 누구인지 찾아 기호를 쓰세요.

㉮ 몸이 피곤해서 아무것도 하고 싶지 않고 그냥 쉬고 싶은 지효

㉯ 자꾸 자신의 물건을 몰래 쓰는 동생의 버릇을 고쳐 주려는 영우

㉰ 자신이 키우는 강아지가 너무 예쁘고 귀여워서 모든 것을 다 해 주고 싶은 정민

(　　　　　　)

지문 분석

정답과 해설 27쪽

1 마음 변화

다음 나무의 행동을 통해 알 수 있는 나무의 마음을 찾아 ○표 하세요.

나무의 행동		나무의 마음
소년에게 무언가 주고 싶은데 남은 것이 없어 미안하다고 말함.	→	• 사랑하는 소년에게 더 해 줄 것이 없어 미안함. (　　) • 소년이 나무를 더 이상 찾아오지 않으면 좋겠음. (　　)
안간힘을 다하여 몸뚱이를 펴서 소년의 쉴 자리를 마련해 줌.	→	• 소년이 나무를 위해 무언가 해 주기를 바람. (　　) • 마지막 남은 것까지 모두 소년에게 주고 싶음. (　　)

2 주제

이 글의 내용을 통해 우리가 배울 수 있는 것을 생각하며 빈칸에 들어갈 알맞은 말을 보기에서 찾아 쓰세요.

보기

희생　　질투　　효도　　사랑　　용기

아낌없이 주는 나무에게서 ❶□□과 ❷□□의 마음을 배울 수 있습니다.

❶(　　　　　　) ❷(　　　　　　)

배경지식 「아낌없이 주는 나무」 전체 줄거리

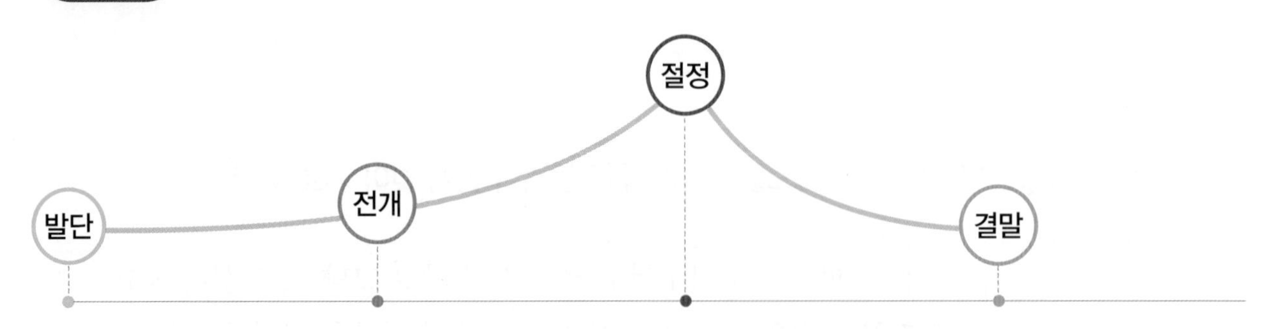

발단: 소년은 나무를 무척 사랑하였고 나무는 행복하였지만, 소년이 점점 나이가 들어갈수록 나무는 홀로 있을 때가 많아짐.

전개: 나무는 자신과 함께 노는 것 말고 다른 것이 필요하다는 소년에게 사과, 가지, 줄기를 내어 주며 소년이 행복하기를 바람.

절정: 오랜 세월이 지난 뒤에 소년이 다시 돌아왔을 때 나무는 소년에게 줄 것이 없어 미안하다고 말함.

결말: 소년은 편안히 앉아서 쉴 곳이 필요하다고 말하고, 나무는 자신의 밑동을 내어 주고 그곳에서 쉬는 소년을 보며 행복해함.

오늘의 어휘

다음 낱말의 알맞은 뜻을 찾아 선으로 이으세요.

기운 •	• 생물이 살아 움직이는 힘.
한숨 •	• 나무줄기에서 뿌리에 가까운 부분.
밑동 •	• 이렇다 하게 따로. 또는 그다지 다르게.
별로 •	• 어떤 일을 이루기 위해서 몹시 애쓰는 힘.
안간힘 •	• 근심이나 설움이 있을 때 길게 몰아서 내쉬는 숨.

1 다음 빈칸에 들어갈 알맞은 낱말을 오늘의 어휘에서 찾아 쓰세요.

- 점심을 굶었더니 [ ][ ]이 하나도 없다.
- 이번 추석은 [ ][ ] 기대가 되지 않는다.
- 나무 [ ][ ]에 앉으니 의자처럼 편안했다.
- 엄마한테 야단맞을 생각을 하니 [ ][ ]부터 나온다.
- 아무리 [ ][ ][ ]을 써도 누나를 이길 수는 없었다.

2 다음 밑줄 친 낱말과 뜻이 비슷한 말을 (   )에서 찾아 ○표 하세요.

사자와 호랑이가 <u>기</u>를 쓰고 싸우면 누가 이길까요? 사실 초원에 사는 사자와 산속에 사는 호랑이는 만날 일이 없습니다. 또 호랑이는 혼자 다니고, 사자는 무리를 지어 다니니 정정당당한 싸움도 될 수가 없습니다.

(마음, 다툼, 안간힘)

플랜더스의 개 ① | 위다

마을에서 가장 큰 집은 방앗간입니다. 방앗간의 오른편에는 까만 뾰족 지붕의 성당이 자리 잡고 있으며, 성당에서는 하루에 세 번 종을 울렸습니다. 그 종소리는 마을의 끝에 있는 집에서도 잘 들렸습니다. 그곳은 바로 네로가 살고 있는 곳입니다.

네로는 할아버지하고 단둘이서만 사는 어린 소년입니다. 아빠는 네로가 태어나기도 전에 돌아가셨고, 엄마마저도 두 살 된 네로를 남겨 두고 눈을 감고 말았습니다. 그때부터 할아버지가 네로를 맡아 키웠습니다.

할아버지는 나이가 여든이나 되는 노인인 데다가 절뚝절뚝 다리까지 절었습니다. 그래서 할아버지는 돈을 제대로 벌 수가 없었고, 두 식구는 늘 가난하게 지내야만 했습니다.

가 할아버지의 일은 우유를 배달하는 것입니다. 어떤 때는 할아버지께서 몸이 편찮으셔서 여러 날 동안 우유 배달을 하지 못하곤 했습니다. 네로는 빨리 할아버지의 병이 낫기를 바랐습니다.

"우리도 개가 한 마리 있으면 좋을 텐데."

네로는 중얼거렸습니다. 개만 있다면 할아버지가 편히 일을 할 수 있기 때문입니다. 플랜더스는 예로부터 개로 **유명**했습니다. 플랜더스의 개들은 **덩치**가 크고 힘이 세서, 짐을 가득 실은 **수레**도 **너끈히** 끌 수 있기 때문입니다.

하지만 네로의 **바람**은 쉽게 이루어질 수 없는 것이었습니다.

생활하기에도 힘든 **형편**이어서, **도저히** 플랜더스의 개를 살 수가 없었기 때문입니다.

글의 구조
발단 — 전개 — 절정 — 결말

글자 수
666
0 200 400 600 800

- **유명**(有 있을 유, 名 이름 명) 이름이 널리 알려져 있음.
- **덩치** 몸집의 크기.
- **수레** 바퀴를 달아서 굴러가게 만든 기구.
- **너끈히** 무엇을 하는 데에 모자람이 없이 넉넉하게.
- **바람** 어떤 일이 이루어지기를 기다리는 간절한 마음.
- **형편**(形 모양 형, 便 편할 편) 살림살이의 정도.
- **도저히** 아무리 해도.

갈래

1 **이 글의 중심인물은 누구인지 두 가지 고르세요. (　　,　　)**

① 네로　　② 네로의 엄마　　③ 네로의 아빠
④ 성당의 신부님　　⑤ 네로의 할아버지

세부 내용

2 **이 글의 내용으로 알맞은 것은 무엇인가요? (　　　)**

① 성당에서는 하루 종일 종을 울린다.
② 네로는 할아버지를 위해 대신 일을 한다.
③ 네로와 할아버지는 방앗간에서 살고 있다.
④ 할아버지는 매일 우유 배달을 할 정도로 건강하다.
⑤ 할아버지는 네로가 두 살 때부터 네로를 맡아 키웠다.

표현

3 **가에서 다음 말의 높임말을 찾아 쓰세요.**

아파서

□□□□□

감상

4 **이 글을 읽고 생각이나 느낌을 알맞게 말한 것을 찾아 ○표 하세요.**

(1) 네로는 할아버지가 우유 배달 일을 하시는 것이 너무 창피한 것 같아. (　　)

(2) 개가 한 마리 있으면 좋겠다는 네로의 바람은 쉽게 이루어질 수 있을 것 같아. (　　)

(3) 할아버지의 병이 빨리 낫기를 바라고, 할아버지가 편히 일하실 수 있기를 바라는 네로는 참 착한 아이 같아. (　　)

지문 분석

정답과 해설 28쪽

1 인물 특징 네로 할아버지의 특징을 생각하며 빈칸에 들어갈 알맞은 말을 보기에서 찾아 쓰세요.

보기

다리　　노인　　우유　　신문　　허리

네로의 할아버지	• 나이가 여든이나 되는 ❶☐☐이다. • ❷☐☐ 배달을 하신다. • 네로와 둘이 살고 있다. • ❸☐☐를 절고 몸이 편찮으시다.

❶(　　　　　) ❷(　　　　　) ❸(　　　　　)

2 인물 마음 다음 네로의 말에서 알 수 있는 마음으로 알맞은 것을 찾아 ○표 하세요.

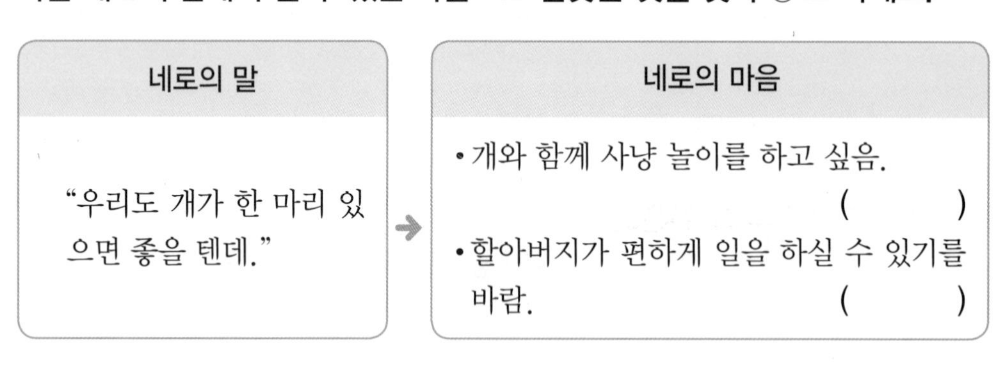

네로의 말		네로의 마음
"우리도 개가 한 마리 있으면 좋을 텐데."	→	• 개와 함께 사냥 놀이를 하고 싶음. (　　) • 할아버지가 편하게 일을 하실 수 있기를 바람. (　　)

배경지식 '플랜더스'는 어느 나라에 있는 지역일까요?

「플랜더스의 개」는 벨기에 플랑드르 지방인 안트베르텐 근처의 지역을 이야기의 배경으로 삼고 있어요.

안트베르펜 대성당은 「플랜더스의 개」의 배경이 되는 성당이에요. 뒷부분의 내용 중 네로가 무척 보고 싶어 했던 그림이 있었는데, 그 그림이 걸려 있던 곳이에요.

풍차 하면 네덜란드를 많이 떠올리지만 벨기에도 풍차가 있어요. 풍차는 곡식을 빻기 위해 만들어진 곳으로, 이 글에서는 풍차 방앗간으로 나오고 있어요.

정답과 해설 28쪽

오늘의 어휘

다음 낱말의 알맞은 뜻을 찾아 선으로 이으세요.

유명 •	• 아무리 해도.
바람 •	• 살림살이의 정도.
형편 •	• 이름이 널리 알려져 있음.
너끈히 •	• 무엇을 하는 데에 모자람이 없이 넉넉하게.
도저히 •	• 어떤 일이 이루어지기를 기다리는 간절한 마음.

1 다음 빈칸에 들어갈 알맞은 낱말을 오늘의 어휘에서 찾아 쓰세요.

- 음식점에 갔다가 ☐☐한 야구 선수를 보았다.
- 그 짐은 나 혼자서도 ☐☐☐ 들 수 있다.
- 어려운 ☐☐에도 항상 밝은 지연이가 참 대견스럽다.
- 내가 힘껏 달려도 형을 ☐☐☐ 따라잡을 수 없었다.
- 윤후와 짝이 되고 싶은 내 ☐☐이 꼭 이루어졌으면 좋겠다.

2 다음 밑줄 친 낱말과 뜻이 비슷한 말을 (　　　)에서 찾아 ○표 하세요.

쥐불놀이는 정월 대보름 전날에 논둑이나 밭둑에 불을 붙이고 돌아다니며 노는 놀이를 말합니다. 쥐불놀이는 논두렁 태우기라고도 하는데, 나쁜 벌레를 태워 없애고, 타고 남은 재가 거름이 되어 다음해에 농사가 잘 되기를 바라는 <u>소망</u>이 담겨 있습니다.

(바람, 원망, 강요)

플랜더스의 개 ❷ | 위다

글의 구조

발단 — 전개 — 절정 — 결말

글자 수

692

0 200 400 600 800

네로는 아침을 먹고 할아버지와 함께 숲으로 향했습니다. 숲으로 가는 길에 개 한 마리가 쓰러져 있었습니다.

"어디 보자. 이런, 상처가 심하구나. **다행히** 아직 죽지는 않았어."

"할아버지, 잘 보살펴 주면 살아나겠죠? 이 개를 데려가요."

오두막집으로 돌아온 할아버지는 개를 시원한 그늘에 내려놓았습니다. 그리고 우유를 가져와 개의 입에 조금씩 흘려 넣어 주었습니다.

"이것 좀 먹고 어서 기운을 차려라."

그동안 네로는 개의 다리를 주물러 주었습니다. 이윽고 개가 슬며시 눈을 떴습니다.

할아버지는 죽을 끓여 주었고, 네로는 죽 그릇을 개에게 당겨 주었습니다. 개는 조심스럽게 ㉠할짝할짝 죽을 먹기 시작했습니다.

이 개의 주인은 **철물** 장수였습니다. 큰 수레 가득 쇠로 만든 무거운 물건을 **싣고** 돌아다니면서 물건을 파는 사람이었습니다. 철물 장수는 **인정**이라곤 없는 사람이었습니다. 개 혼자 수레를 끌고 언덕길을 끙끙대며 올라가도, 뒤에서 밀어 준 적이 한 번도 없었습니다. 결국 개는 정신을 잃고 쓰러졌습니다. 철물 장수는 개가 일어나지 않자 숲속에 버렸습니다.

"주인이 버린 개라면 우리가 키워요."

"그래. 우리가 길러 주면 녀석도 좋아할 거야."

네로는 개를 끌어안고 볼을 비볐습니다.

"개 이름을 뭐라고 하지요?"

"글쎄다. 파트라세 어떠니?"

"파트라세!"

개는 꼬리를 ㉡살랑살랑 흔들었습니다. 이렇게 파트라세는 네로네 집의 **식구**가 되었습니다.

- **다행히** 뜻밖에 일이 잘되어 운이 좋게.
- **철물** 쇠로 만든 여러 가지 물건.
- **싣고** 물체나 사람을 옮기기 위해 탈것이나 수레 등의 위에 올리고.
- **인정**(人 사람 인, 情 뜻 정) 남을 생각하고 도와주는 따뜻한 마음씨.
- **식구**(食 밥 식, 口 입 구) 한 집에서 함께 살면서 끼니를 같이하는 사람.

갈래

1 **이 글에서 일이 일어난 곳을 차례대로 쓸 때 (   ) 안에 들어갈 알맞은 장소를 쓰세요.**

숲속 → (   )

세부 내용

2 **숲속에 개가 쓰러져 있었던 까닭은 무엇인가요? (   )**

① 사냥꾼에게 총을 맞아서
② 너무 더운 곳에서 계속 서 있어서
③ 숲속의 다른 짐승에게 공격을 당해서
④ 철물 장수를 피해 숨어 있다가 잠이 들어서
⑤ 수레를 끌다가 정신을 잃은 개를 철물 장수가 버리고 떠나서

표현

3 **㉠, ㉡이 흉내 내는 모양을 찾아 선으로 이으세요.**

(1) ㉠ •　　　　• ㉮ 꼬리를 가볍게 자꾸 흔드는 모양

(2) ㉡ •　　　　• ㉯ 혀끝으로 조금씩 무엇을 핥는 모양

추론

4 **이 글에 나오는 인물들의 속마음을 상상한 것으로 알맞은 것을 찾아 ○표 하세요.**

(1) 할아버지: '불쌍한 개를 잘 보살펴 주어야겠어.' (   )
(2) 네로: '개를 데려가서 할아버지의 일을 대신 시키면 되겠어.' (   )
(3) 파트라세: '나를 보살펴 주고, 상처도 낫게 해 준 철물 장수에게 은혜를 갚아야겠어.' (   )
(4) 철물 장수: '개가 짐을 옮기느라 너무 힘들어 하니 조금 쉴 수 있도록 배려해 주어야겠어.' (   )

지문 분석

정답과 해설 29쪽

1 사건 전개 일이 일어난 시간 순서에 맞게 보기에서 기호를 찾아 차례대로 쓰세요.

보기

㉮ 네로와 할아버지가 쓰러진 개 한 마리를 발견함.
㉯ 철물 장수가 정신을 잃고 쓰러진 개를 숲속에 버리고 감.
㉰ 네로와 할아버지는 개를 집으로 데리고 와서 정성스럽게 보살핌.
㉱ 할아버지가 개에게 '파트라세'라는 이름을 지어 주고, 파트라세는 네로네 집의 식구가 됨.

(   ) → ㉮ → (   ) → (   )

2 인물 성격 다음 행동을 보고 할아버지와 네로의 성격으로 알맞은 것을 찾아 ○표 하세요.

할아버지와 네로의 행동	→	할아버지와 네로의 성격
• 쓰러진 개를 데려와 정성껏 보살핌. • 어려운 형편이지만 주인 없는 개를 키우기로 함.	→	• 동정심이 많고, 남을 배려함. ( ) • 가난에서 벗어나기 위해 여러 가지 노력을 함. ( )

배경지식 파트라세는 어떤 종류의 개일까요?

▲ 부비에 데 플랑드르

「플랜더스의 개」에 나오는 파트라세의 실제 모델은 '부비에 데 플랑드르'로, 이 종에 해당하는 개는 보통 키가 60센티미터 이상, 몸무게는 30~40킬로그램이 넘습니다.

부비에 데 플랑드르는 벨기에와 프랑스 지역에서 길러졌습니다. 강하게 보이는 외모에 비해 영리하고 활발하면서도 조용하고 용감하여 주인을 잘 따릅니다. 양떼나 소를 몰기도 하고, 사람을 지켜 주기도 하고 경찰을 도와주기도 합니다.

털빛은 검은색, 회색, 황갈색 등으로 다양합니다.

오늘의 어휘

다음 낱말의 알맞은 뜻을 찾아 선으로 이으세요.

낱말	뜻
실고 •	• 쇠로 만든 여러 가지 물건.
철물 •	• 뜻밖에 일이 잘되어 운이 좋게.
인정 •	• 남을 생각하고 도와주는 따뜻한 마음씨.
식구 •	• 한 집에서 함께 살면서 끼니를 같이하는 사람.
다행히 •	• 물체나 사람을 옮기기 위해 탈것이나 수레 등의 위에 올리고.

1 다음 빈칸에 들어갈 알맞은 낱말을 오늘의 어휘에서 찾아 쓰세요.

- 우리 ☐☐는 모두 다섯 명이다.
- 배가 모든 짐을 ☐☐ 항구를 떠났다.
- 지윤이는 ☐☐ 없이 과자를 혼자 다 먹어 버렸다.
- 엄마께서는 ☐☐ 가게에 들러 못을 여러 개 사셨다.
- 열심히 뛴 덕분에 ☐☐☐ 기차 시간에 늦지 않았다.

2 다음 밑줄 친 낱말과 뜻이 비슷한 말을 (　　　)에서 찾아 ○표 하세요.

옛날에는 밥을 먹으면서 말을 하지 않는 것이 식사 예절이었어요. 많은 가족이 함께 살지만 그릇이 부족해서 빨리 밥을 먹고 다음 사람이 밥을 먹을 수 있도록 배려하기 위한 것이었다고 해요. 하지만 요즘은 밥을 먹으면서 <u>가족</u>들과 정겨운 이야기를 나누는 것이 오히려 좋은 식사 예절이랍니다.

(친구, 친척, 식구)

플랜더스의 개 ③ | 위다

글의 구조

발단 — 전개 — 절정 — 결말

글자 수

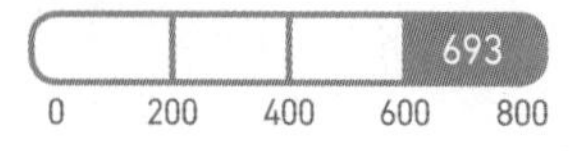

아침마다 ㉠할아버지는 무거운 우유 통을 수레에 실었습니다. 우유 통들이 다 모아지면 마을까지 수레를 끌고 갔습니다. 그곳에서 우유를 사는 사람에게 우유를 팔고, **빈** 통을 수레에 싣고 다시 마을로 돌아왔습니다.

파트라세는 할아버지와 네로가 ㉡자기를 **보살펴** 준 고운 마음을 되새겼습니다. 그래서 수레를 혼자 끄는 할아버지를 그대로 두고 볼 수는 없다고 생각했습니다.

이튿날, 파트라세는 할아버지보다 먼저 수레 손잡이 안으로 들어가 섰습니다. 그리고 수레를 끌고 앞으로 나갔습니다.

"파트라세, 생각은 **기특하다만** 개한테 이런 일을 시키는 것은 싫단다."

"멍멍멍! 저는 할아버지를 도울 수 있어요. 전에는 더 무거운 수레도 끌었어요."

파트라세의 눈에서 눈물이 주르르 흘러내렸습니다. ㉢착한 새 주인을 위해 일하고 싶은데 그 마음을 몰라주어서 **속상했던** 것입니다.

"그래, 네 마음을 받아들이마. 하지만 수레를 너 혼자만 끌게 하지는 않겠다. ㉣나와 같이 끌자. 누가 뭐래도 너는 우리 식구야."

파트라세가 기쁜 듯이 '컹컹' 소리를 내어 짖었습니다.

파트라세가 끄는 수레가 마을에 나타나자, 사람들이 모두 기뻐했습니다.

"어유! 잘됐어요, ㉤영감님. 이제 **고생** 좀 덜 하시겠어요."

마을 사람들은 절룩거리며 무거운 우유 통이 담긴 수레를 혼자서 끄는 할아버지를 보며 **안타까워했던** 것입니다. 〈중략〉

서로 힘을 합쳐 밀고 당기는 수레. 파트라세는 하나도 힘든 줄 몰랐습니다.

- **빈** 속에 아무것도 없는.
- **보살펴** 정성을 기울여 보호하며 도와.
- **기특하다만** 놀라우면서도 귀엽지만.
- **속상했던** 화가 나거나 걱정이 되어 마음이 불편하고 우울했던.
- **고생**(苦 괴로울 고, 生 날 생) 어렵고 힘든 일을 겪음.
- **안타까워했던** 뜻대로 되지 않거나 보기에 딱하여 가슴 아프고 답답해했던.
- **서로** 짝을 이루거나 관계를 맺고 있는 상대.

지문 독해

중심 내용

1 이 글에서 파트라셰가 할아버지에게 가졌던 마음이 아닌 것을 찾아 기호를 쓰세요.

㉮ 기쁨. ㉯ 고마움. ㉰ 속상함. ㉱ 외로움.

( )

표현

2 ㉠~㉤ 중 가리키는 인물이 다른 하나는 무엇인가요? ( )

① ㉠ ② ㉡ ③ ㉢
④ ㉣ ⑤ ㉤

세부 내용

3 이 글의 내용으로 알맞은 것을 두 가지 고르세요. (,)

① 파트라셰는 전 주인이 그리워서 눈물을 흘렸다.
② 파트라셰는 수레를 혼자 끌 수 있게 되어서 기뻐했다.
③ 파트라셰는 할아버지와 함께 우유 배달을 하게 되었다.
④ 마을 사람들은 수레를 혼자서 끄는 할아버지를 안타까워했었다.
⑤ 할아버지와 네로는 파트라셰와 함께 우유 배달을 하면서 큰 부자가 되었다.

적용

4 이 글의 파트라셰와 같은 마음에서 비롯된 행동을 한 친구는 누구인가요?

( )

① 친구들이 있는 곳에 동생도 데리고 가서 함께 노는 윤서
② 매일 자기 방은 청소하지만, 다른 곳은 신경 쓰지 않는 유진
③ 학교에 지각하지 않으려고 아침밥도 안 먹고 집을 나온 경주
④ 친척 집을 찾지 못해 헤매고 있는 할머니에게 친절하게 길을 알려 준 형준
⑤ 자신이 아팠을 때 간호해 주셨던 부모님께 감사하는 마음으로 설거지를 돕는 승찬

지문 분석

정답과 해설 30쪽

1 인물 마음

다음 할아버지의 말에서 알 수 있는 마음으로 알맞은 것을 찾아 ○표 하세요.

할아버지의 말		할아버지의 마음
"파트라세, 생각은 기특하다만 개한테 이런 일을 시키는 것은 싫단다."	→	• 파트라세가 기특하지만, 힘든 일을 시키고 싶지 않음. (　　　) • 파트라세가 기특하지만, 개가 우유 배달을 잘 할 수 있을지 걱정이 됨. (　　　)

2 주제

이 글의 마지막 내용을 보고 글쓴이가 하고 싶은 말을 찾아 ○표 하세요.

마지막 내용		글쓴이가 하고 싶은 말
할아버지와 네로, 파트라세는 서로 힘을 합쳐 수레를 밀고 당기며 하나도 힘든 줄을 몰랐음.	→	• 쉽고 편한 일을 하려면 경쟁하기보다는 협동하려는 마음을 가져야 한다. (　　　) • 어려운 형편 속에서도 서로를 위하고 도우는 따뜻한 마음을 가져야 한다. (　　　)

배경지식 「플랜더스의 개」 전체 줄거리

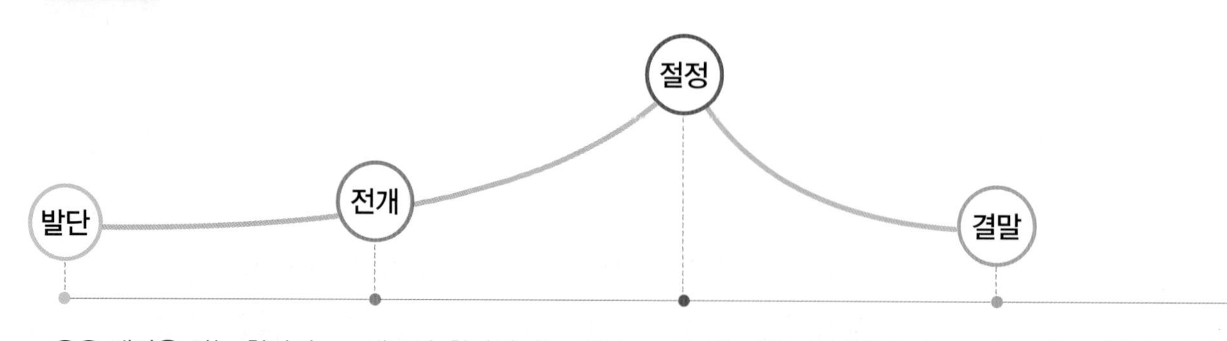

발단: 우유 배달을 하는 할아버지와 단둘이 살고 있는 네로는 몸이 편찮으신 할아버지를 위해 개가 한 마리 있었으면 하고 바람.

전개: 네로와 할아버지는 길에 쓰러져 있던 개를 데리고 와서 돌본 뒤, 파트라세로 이름 짓고 네로네 집의 식구로 받아들임.

절정: 네로는 어느 날 루벤스라는 위대한 화가와 그의 그림을 알게 되면서 화가가 되고 싶다는 꿈을 꾸고, 미술 대회에 참가함.

결말: 네로의 그림은 뽑히지 않고, 네로는 성당에 가서 루벤스의 그림을 바라보다가 파트라세와 함께 몸이 점점 얼어가게 됨.

오늘의 어휘

다음 낱말의 알맞은 뜻을 찾아 선으로 이으세요.

낱말	뜻
빈 •	• 속에 아무것도 없는.
서로 •	• 어렵고 힘든 일을 겪음.
고생 •	• 정성을 기울여 보호하며 도와.
보살펴 •	• 짝을 이루거나 관계를 맺고 있는 상대.
속상했던 •	• 화가 나거나 걱정이 되어 마음이 불편하고 우울했던.

1 다음 빈칸에 들어갈 알맞은 낱말을 오늘의 어휘 에서 찾아 쓰세요.

- 엄마는 아픈 동생을 정성껏 ☐☐☐ 주신다.
- 우리들은 더러워진 교실을 치우느라 ☐☐했다.
- ☐ 병을 버리지 않고 예쁘게 꾸며서 꽃병을 만들었다.
- 성적 때문에 ☐☐☐☐ 내 마음을 예나가 위로해 주었다.
- 우리 ☐☐가 힘을 합치면 어떠한 어려운 일도 이겨 낼 수 있다.

2 다음 밑줄 친 낱말과 뜻이 반대인 말을 ( )에서 찾아 ○표 하세요.

우리는 소리로 가득 <u>찬</u> 세상에서 살고 있습니다. 그런데 이런 소리는 어떻게 생기는 것일까요? 소리는 물체가 떨리면서 생기는 것입니다. 물체가 떨리면 그 주위에 있던 공기에도 떨림이 전달되고, 이런 떨림이 우리 귀에 들어오면 우리가 소리를 들을 수 있는 것입니다.

(빈, 쌓인, 물든)

시

시의 짜임

4연	10행

글자 수

51 (0 200 400 600 800)

김장하는 날 | 박일

손가락 맛이
더 좋은가 ㉠<u>봅니다.</u>

김치 한 **가닥**
찢어
입에 넣고

할머니도
쪽–
엄마도
쪽–

손가락을 **빨거든요.**

- **김장** 겨우내 먹기 위하여 김치를 한꺼번에 많이 담그는 일.
- **가닥** 한군데서 갈려 나온 낱낱의 줄.
- **찢어** 물체를 잡아당기어 갈라.
- **쪽** 입으로 힘차게 빠는 소리나 모양.
- **빨거든요** 입을 대고 입 속으로 당겨 들어오게 하거든요.

지문 독해

중심 소재

1 **이 시에서 노래하고 있는 것은 무엇인가요? (   )**

① 김장을 하는 까닭
② 김치를 담그는 방법
③ 김장하는 날의 모습
④ 여러 가지 종류의 김치
⑤ 김치와 함께 먹는 음식

표현

2 **㉠에 쓰인 '봅니다'의 뜻으로 알맞은 것을 찾아 ○표 하세요.**

(1) 어렴풋이 짐작하다. (   )
(2) 무엇을 읽거나 감상하다. (   )
(3) 대상의 내용이나 상태를 알기 위하여 살피다. (   )

세부 내용

3 **다음은 이 시의 내용을 정리한 것입니다. ㉮~㉲에 들어갈 말로 알맞지 않은 것은 무엇인가요? (   )**

> 이 시의 말하는 이는 (㉮)보다 (㉯)이 더 좋은가 보다고 말하고 있습니다. 그 까닭은 김장을 하는 엄마와 할머니가 (㉰)을 먹으며 (㉱)을 빠는 것은 (㉲)이 좋아서일 것이라고 생각했기 때문입니다.

① ㉮: 김치
② ㉯: 손가락 맛
③ ㉰: 김치 한 가닥
④ ㉱: 손가락
⑤ ㉲: 김치 맛

감상

4 **'쪽-'을 실감 나게 읽는 방법은 무엇인가요? (   )**

① 무엇을 씹는 것처럼 읽는다.
② 무엇을 빠는 것처럼 읽는다.
③ 무엇을 치는 것처럼 읽는다.
④ 무엇을 마시는 것처럼 읽는다.
⑤ 무엇을 만지는 것처럼 읽는다.

지문 분석

정답과 해설 31쪽

1 시의 내용 시의 각 부분에 나타난 내용을 바르게 설명한 것을 찾아 선으로 이으세요.

1연 (1~2줄) •	• 말하는 이가 본 것
2, 3연 (3~9줄) •	• 말하는 이가 생각한 것
4연 (10줄) •	• 말하는 이가 그렇게 생각한 까닭

2 말하는 이 이 시에 나타난 말하는 이의 생각을 짐작하여 (　　　) 안에 들어갈 알맞은 말을 찾아 ○표 하세요.

할머니	엄마
손가락을 쪽- 빨고 있음.	손가락을 쪽- 빨고 있음.

↓　↓

말하는 이의 생각	(김치 맛이, 손가락 맛이) 더 좋은가 봅니다.

배경지식 왜 김장을 하게 되었을까요?

김장은 김치를 한꺼번에 많이 담그는 일이에요. 지금은 한겨울에도 김치를 담글 재료들을 쉽게 구할 수 있지만, 옛날에는 겨울에 채소를 구하기가 매우 어려웠어요. 그래서 겨울 내내 먹을 김치를 한꺼번에 만들어 놓았던 것이죠. 김장은 주로 늦가을에 했어요.

온 가족이 모여 김장을 하면 어른들은 매우 힘들지만, 아이들은 즐거운 일이 많았어요. 방금 막 버무린 매콤하면서도 달콤한 김치의 양념 맛이 무척 맛있기 때문이죠. 그리고 김장 김치를 먹을 때에는 삶은 돼지고기와 함께 먹기도 해요. 김치 한 가닥과 돼지고기 한 점은 정말 기가 막힌 짝꿍이랍니다.

오늘의 어휘

다음 낱말의 알맞은 뜻을 찾아 선으로 이으세요.

낱말	뜻
쪽 •	• 물체를 잡아당기어 갈라.
김장 •	• 한군데서 갈려 나온 낱낱의 줄.
가닥 •	• 입으로 힘차게 빠는 소리나 모양.
찢어 •	• 입을 대고 입 속으로 당겨 들어오게 하거든요.
빨거든요 •	• 겨우내 먹기 위하여 김치를 한꺼번에 담그는 일.

1 다음 빈칸에 들어갈 알맞은 말을 오늘의 어휘에서 찾아 쓰세요.

- 커다란 미역 [ ][ ]은 꼭꼭 씹어서 먹어야 한다.
- 어제는 온 가족이 모여서 겨울에 먹을 [ ][ ]을 했다.
- 아기는 분유가 얼마 남지 않은 젖병을 끝까지 [ ] 빨았다.
- 그 손님은 영수증의 내용을 확인한 후 그것을 [ ][ ] 버렸다.
- 걱정이에요. 우리 아이가 아직도 잘 때 손가락을 [ ][ ][ ][ ].

2 다음 밑줄 친 낱말과 뜻이 비슷한 말을 (　　　)에서 찾아 ○표 하세요.

오늘 미술 시간에 준비물인 색연필을 안 가지고 갔다. 그런데 옆 자리의 민아가 "건우야, 색연필 안 가지고 왔어? 내 색연필 같이 쓸래?"라고 말하는 것이 아닌가? 그 순간 하늘에서 한 <u>줄기</u> 빛이 비치는 것 같았다.

(가닥, 바닥, 송이)

귤 한 개 | 박경용

귤
한 개가
방을 가득 채운다.

㉠ 짜릿하고 향긋한
냄새로
물들이고,

양지짝의 화안한
빛으로
물들이고,

사르르 군침 도는
맛으로
물들이고,

귤
한 개가
방보다 크다.

시의 짜임

글자 수

75

0 200 400 600 800

- **채운다** 일정한 공간에 사람, 사물, 냄새 등을 가득하게 한다.
- **짜릿하고** 조금 흥분되고 떨리는 듯하고.
- **물들이고** 빛깔이 스미게 하거나 옮아서 묻게 하고.
- **양지짝** 볕이 잘 드는 쪽.
- **화안한** 빛이 비치어 맑고 밝은. '환한'을 강조하기 위해 말을 늘인 표현.
- **사르르** 눈이나 얼음 등이 저절로 살살 녹는 모양.
- **군침** 주로 무엇이 먹고 싶을 때 입 안에 고이는 침.

지문 독해

갈래

1 이 시에 대해 바르게 말한 것은 무엇인가요? (   )

① 같은 말을 반복하고 있다.
② 한 문장을 한 줄로 쓰고 있다.
③ 물어보는 말을 사용하고 있다.
④ 소리를 흉내 내는 말을 쓰고 있다.
⑤ 말하는 이의 마음을 반대로 이야기하고 있다.

세부 내용

2 ㉠은 어떤 모습을 나타낸 것인지 찾아 ○표 하세요.

(1) 귤의 상큼한 맛이 입 안으로 퍼지는 모습 (   )
(2) 귤 한 개의 냄새가 방 안으로 퍼지는 모습 (   )
(3) 귤의 주황빛 색깔이 방 안을 물들이는 모습 (   )

표현

3 이 시에서 '귤 한 개'를 표현하기 위해 사용한 느낌을 모두 고르세요.

(,   ,   )

① 눈으로 본 느낌
② 귀로 들은 느낌
③ 입으로 맛본 느낌
④ 손으로 만져 본 느낌
⑤ 코로 냄새 맡은 느낌

적용

4 이 시의 말하는 이와 비슷한 경험을 했던 친구는 누구인지 쓰세요.

영우: 새끼 강아지를 본 적이 있는데 너무 작고 귀여웠어.
정수: 엄마, 아빠와 직접 농장에 가서 딸기를 딴 적이 있는데 직접 딴 딸기를 먹으니까 더욱 맛있었던 것 같아.
수연: 정전이 되었을 때 촛불을 켠 적이 있는데, 작은 촛불 하나가 방 안을 환하게 밝히는 것이 너무 신기했어.

(   )

지문 분석

정답과 해설 32쪽

1 시의 내용

시의 내용을 생각하며 빈칸에 들어갈 알맞은 말을 보기 에서 찾아 쓰세요.

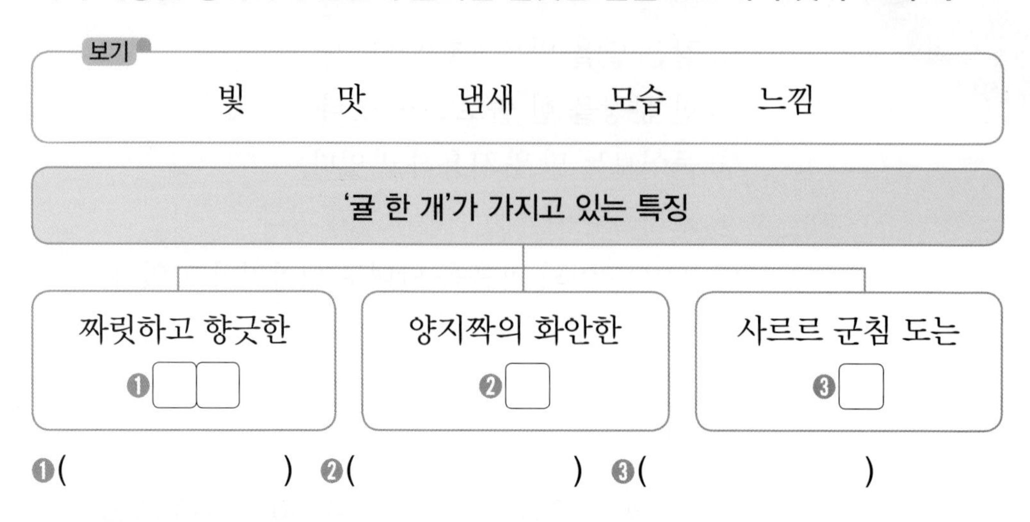

보기

빛　　맛　　냄새　　모습　　느낌

'귤 한 개'가 가지고 있는 특징

짜릿하고 향긋한	양지짝의 화안한	사르르 군침 도는
❶□□	❷□	❸□

❶(　　　　　　) ❷(　　　　　　) ❸(　　　　　　)

2 주제

이 시의 중요한 내용을 보고 주제를 찾아 ○표 하세요.

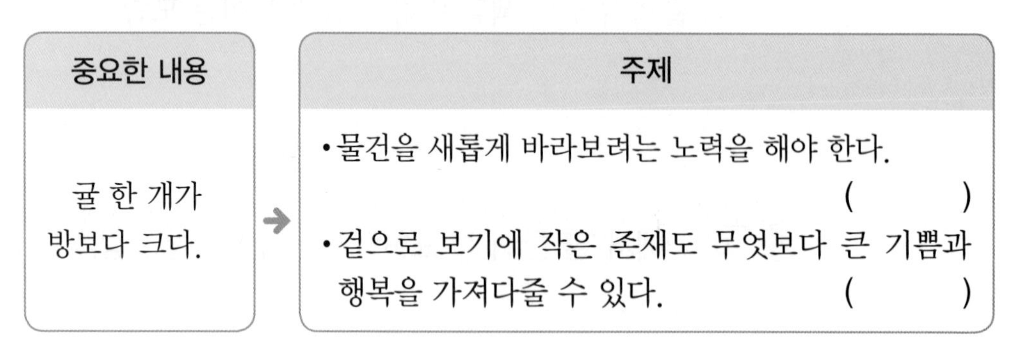

중요한 내용		주제
귤 한 개가 방보다 크다.	→	• 물건을 새롭게 바라보려는 노력을 해야 한다. (　　　) • 겉으로 보기에 작은 존재도 무엇보다 큰 기쁨과 행복을 가져다줄 수 있다. (　　　)

배경지식 작지만 큰 것이 있을까요?

'작은 거인'이라고 들어 봤나요? 거인이 어떻게 작을 수가 있냐고요? '작은 거인'이라는 말은 체격은 작지만 그 누구보다도 큰 업적을 남긴 사람을 가리키는 말이에요. 언뜻 보면 말이 안 되는 것 같은데, 사실 그 안에 깊은 의미가 있는 거죠.

「귤 한 개」에서의 귤도 마찬가지랍니다. 정말 내 손보다도 작은 '귤 한 개'가 방 안을 행복으로 물들이고 있잖아요? 시에서는 이렇게 실제 우리가 보는 모습과 다르게 사물을 표현할 수도 있답니다.

정답과 해설 32쪽

오늘의 어휘

다음 낱말의 알맞은 뜻을 찾아 선으로 이으세요.

낱말	뜻
군침 •	• 조금 흥분되고 떨리는 듯하고.
사르르 •	• 빛깔이 스미게 하거나 옮아서 묻게 하고.
채운다 •	• 눈이나 얼음 등이 저절로 살살 녹는 모양.
짜릿하고 •	• 주로 무엇이 먹고 싶을 때 입 안에 고이는 침.
물들이고 •	• 일정한 공간에 사람, 사물, 냄새 등을 가득하게 한다.

1 다음 빈칸에 들어갈 알맞은 말을 오늘의 어휘 에서 찾아 쓰세요.

- 구슬 아이스크림이 입 안에서 ☐☐☐ 녹는다.
- 고기 굽는 냄새를 맡자 입 안에서 ☐☐이 돌았다.
- 저녁노을이 하늘을 황금빛으로 ☐☐☐☐ 있다.
- 우리는 놀이공원에서 ☐☐☐☐ 행복한 시간을 보냈다.
- 현경이는 시원한 물을 먹으려고 컵에 얼음을 가득 ☐☐☐.

2 다음 밑줄 친 낱말과 뜻이 반대인 말을 (　　　)에서 찾아 ○표 하세요.

엄마: 서윤아, 오빠 어디 갔니? 같이 음식 가지러 간 거 아니었어?
서윤: 오빠 화장실 갔어요. 아까부터 부지런히 열 접시나 먹더니 이제는 뱃속을 비운다고 그러던데요.
엄마: 맙소사, 그럼 또 열 접시를 먹겠구나.

(남긴다, 채운다, 정리한다)

기린과 하마 | 문삼석

하마가 기린을 보고
걱정을 했어요.

– **저렇게** 키만 크다가
하늘이 **뚫리면** 어떻게 하지?

기린도 하마를 보고
걱정을 했어요.

– 저렇게 살만 **찌다가**
땅이 **꺼지면** 어떻게 하지?

시의 짜임

4연 – 8행

글자 수

93

0 200 400 600 800

- **걱정** 안심이 되지 않아 속을 태움.
- **저렇게** 성질, 모양, 상태 등이 저와 같게.
- **뚫리면** 구멍이 나면.
- **찌다가** 살이 올라서 뚱뚱해지다가.
- **꺼지면** 물체의 바닥 등이 내려앉아 빠지면.

중심 내용

1 이 시에서 기린과 하마가 하고 있는 것은 무엇인가요? (   )

① 자랑 ② 걱정 ③ 위로
④ 칭찬 ⑤ 변명

세부 내용

2 기린과 하마의 모습을 알맞게 설명한 것을 찾아 기호를 쓰세요.

㉮ 키가 매우 크다.	㉯ 살이 많이 쪘다.
㉰ 코가 매우 길다.	㉱ 다리가 매우 길다.

(1) 기린: (   ) (2) 하마: (   )

어휘

3 이 시에 나온 다음 말과 뜻이 반대인 말을 찾아 선으로 이으세요.

(1) 뚫리면 • • ㉮ 솟으면

(2) 꺼지면 • • ㉯ 막히면

감상

4 이 시를 읽고 생각이나 느낌을 알맞게 말한 것을 찾아 ○표 하세요.

(1) 기린과 하마가 서로의 단점을 걱정해 주는 모습이 정답고 따뜻하게 느껴졌어. (   )

(2) 기린과 하마가 서로의 모습을 보면서 엉뚱한 걱정을 하는 것이 재미있게 느껴졌어. (   )

(3) 기린은 키가 조금 더 크고 싶고, 하마는 살이 조금 더 쪘으면 좋겠다고 생각하는 것 같아. (   )

지문 분석

정답과 해설 33쪽

1 시의 내용

시의 내용을 생각하며 빈칸에 들어갈 알맞은 말을 보기 에서 찾아 쓰세요.

보기

산　　땅　　하늘　　바다　　언덕

하마	기린 때문에 ❶ ☐☐ 이 뚫릴까 봐 걱정함.
기린	하마 때문에 ❷ ☐ 이 꺼질까 봐 걱정함.

❶(　　　　　　) ❷(　　　　　　)

2 인물 태도

하마와 기린의 걱정을 보고 두 동물의 태도를 생각하며 (　　　　) 안에 들어갈 알맞은 말을 찾아 ○표 하세요.

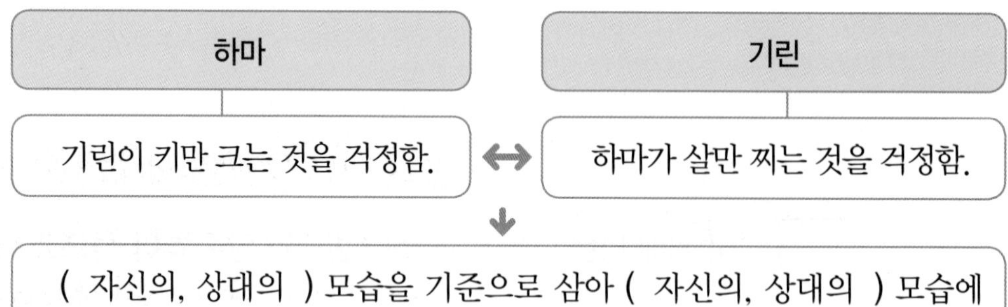

(자신의, 상대의) 모습을 기준으로 삼아 (자신의, 상대의) 모습에 대해 걱정함.

배경지식 육지 동물 중에서 가장 키가 큰 동물은 무엇일까요?

현재 육지에 사는 동물 중에서 가장 키가 큰 동물은 기린이에요. 기린은 다리와 목이 다른 부분보다 긴데, 특히 목이 다른 동물보다도 훨씬 길어 키가 크답니다. 기린의 목뼈의 수는 다른 동물처럼 일곱 개이지만, 뼈 하나하나가 길어서 목이 긴 것이에요.

기린은 시력이 매우 좋고, 또 큰 키 덕분에 멀리까지 볼 수 있어 위험을 금방 알아차리고 달아날 수 있어요. 그래서 다른 초식 동물들도 기린과 함께 있는 것을 좋아한답니다.

오늘의 어휘

정답과 해설 33쪽

다음 낱말의 알맞은 뜻을 찾아 선으로 이으세요.

걱정 •	• 구멍이 나면.
저렇게 •	• 살이 올라서 뚱뚱해지다가.
뚫리면 •	• 안심이 되지 않아 속을 태움.
찌다가 •	• 성질, 모양, 상태 등이 저와 같게.
꺼지면 •	• 물체의 바닥 등이 내려앉아 빠지면.

1 다음 빈칸에 들어갈 알맞은 말을 오늘의 어휘 에서 찾아 쓰세요.

- ☐☐☐ 아름다운 저녁노을은 처음 본다.
- 양말에 구멍이 ☐☐☐ 발가락이 시원할 것 같다.
- 이렇게 살이 계속 ☐☐☐는 맞는 옷이 없을 것 같다.
- 나는 더 이상 부모님께 ☐☐을 끼치지 말자고 다짐했다.
- 영주는 한숨을 쉬는 수지를 보고 땅이 ☐☐☐ 어떡하나 걱정했다.

2 다음 밑줄 친 낱말과 뜻이 반대인 말을 (   )에서 찾아 ○표 하세요.

주몽은 좋은 말에게는 먹이를 주지 않고, 오히려 약한 말에게 먹이를 잘 주었답니다. 어느 날 마구간을 돌아보던 금와왕은 살이 토실토실 오른 약한 말을 타고 갔고, 진짜 좋은 말은 비쩍 <u>마르다가</u> 결국 주몽의 말이 되었습니다.

(찌다가, 작아지다가, 홀쭉해지다가)

바람과 빈 병 | 문삼석

바람이
숲속에 **버려진** 빈 병을 보았습니다.

'**쓸쓸할** 거야.'

바람은 **함께** 놀아 주려고
빈 병 속으로 들어갔습니다.

병은
기분이 좋았습니다.

"보오 보오."

맑은 소리로
휘파람을 불었습니다.

시의 짜임

6연 – 10행

글자 수

96 (0 200 400 600 800)

- **버려진** 필요가 없어진 물건이 쓰이지 않거나 내던져진.
- **쓸쓸할** 마음이 외롭고 허전할.
- **함께** 한꺼번에 같이. 또는 서로 더불어.
- **맑은** 소리 등이 밝고 분명한.
- **휘파람** 입술을 동그랗게 오므리고 그 사이로 입김을 불어서 내는 소리.

중심 소재

1 이 시는 어디에서 누구에게 일어난 일을 노래하고 있는지 쓰세요.

☐☐에 버려져 있던 ☐ ☐에게 일어난 일을 노래하고 있다.

세부 내용

2 바람이 병 속으로 들어간 까닭은 무엇인가요? (　　　　)

① 숲속이 점점 추워져서
② 빈 병과 놀아 주고 싶어서
③ 빈 병이 들어오라고 불러서
④ 병 안이 어떻게 생겼는지 궁금해서
⑤ 병이 부는 휘파람 소리가 반가워서

세부 내용

3 병이 휘파람을 불 때의 마음으로 알맞은 것은 무엇인가요? (　　　　)

① 슬프다.　② 외롭다.　③ 답답하다.
④ 억울하다.　⑤ 행복하다.

적용

4 바람과 비슷한 행동을 한 친구는 누구인가요? (　　　　)

① 친구에게 숙제를 도와달라고 말한 나래
② 용돈을 받기 위해서 아빠 구두를 닦은 서준
③ 친구들에게 떡볶이를 같이 먹자고 조른 민수
④ 엄마 심부름으로 가게에서 우유를 사 온 형우
⑤ 놀이터에서 혼자 있던 친구와 같이 놀아 준 혜나

지문 분석

정답과 해설 34쪽

1 표현 효과

이 시에서 반복되는 표현이 주는 느낌을 생각하며 (   ) 안에 들어갈 알맞은 말을 찾아 ○표 하세요.

2줄	보았습니다
5줄	들어갔습니다
7줄	좋았습니다
10줄	불었습니다

→

반복되는 표현이 주는 느낌
(반말, 높임말)을 사용하여 (친절, 딱딱)하게 설명해 주는 느낌을 줌.

2 인물 성격

바람의 행동을 통해 알 수 있는 성격으로 알맞은 것을 찾아 ○표 하세요.

바람의 행동		바람의 성격
숲속에 버려진 빈 병이 쓸쓸해 보인다고 생각하여 함께 놀아 주려고 병 속으로 들어감.	→	• 남을 배려하고 도와주는 따뜻한 성격임. ( ) • 작은 것에도 감사할 줄 알고 겸손한 성격임. ( )

배경지식 빈 병으로 무엇을 할 수 있을까요?

지금보다 병이 더 귀했던 옛날에는 빈 병으로 엿도 바꿔 먹었고, 빈 병을 가게에 가져다주고 돈을 받기도 했어요.

그런데 지금도 빈 병을 가져다주면 돈을 받을 수 있답니다. 바로 '빈 용기 보증금 제도'라는 것이 있기 때문이지요. 집에 있는 빈 병들을 잘 살펴보세요. 그림과 같은 표시가 있으면 모두 돈으로 돌려받을 수 있어요.

이제부터는 빈 병을 모아서 아이스크림도 사 먹고, 환경 보호에도 앞장서는 어린이가 되어 보세요.

정답과 해설 34쪽

오늘의 어휘

다음 낱말의 알맞은 뜻을 찾아 선으로 이으세요.

함께 •	• 마음이 외롭고 허전할.
맑은 •	• 소리 등이 밝고 분명한.
휘파람 •	• 한꺼번에 같이. 또는 서로 더불어.
버려진 •	• 필요가 없어진 물건이 쓰이지 않거나 내던져진.
쓸쓸할 •	• 입술을 동그랗게 오므리고 그 사이로 입김을 불어서 내는 소리.

1 다음 빈칸에 들어갈 알맞은 말을 오늘의 어휘에서 찾아 쓰세요.

- 온 가족이 ☐☐ 여행을 떠났다.
- 시냇물이 ☐☐ 소리를 내며 졸졸졸 흐른다.
- 희민이는 기분이 좋아져서 ☐☐☐을 불었다.
- ☐☐☐ 플라스틱 병들이 계곡물에 떠내려왔다.
- 우리가 학교 간 뒤 혼자 남겨진 강아지는 ☐☐☐ 것 같다.

2 다음 밑줄 친 낱말과 뜻이 비슷한 말을 (　　　)에서 찾아 ○표 하세요.

'같이'와 '가치'는 발음이 똑같습니다. 누군가와 같이 하는 삶이 정말 가치 있는 삶이라는 것을 우리에게 알려 주는 것이 아닐까요? 내가 지금 누구와 같이 있는지 주변을 돌아보세요.

(함께, 모두, 따로)

입 안이 근질근질 | 이성자

선영이를 좋아하는 마음
자랑하고 싶어서
입 안이 **근질근질**

참지 못하는 입 안의 말들 때문에
가슴은 **두근두근**

비밀로 하고 싶은데
정말 비밀로 하고 싶은데

참지 못하는 입 안의 말들 때문에
이를 어째
정말 어째

㉠ 내 마음도 모르고
입 밖으로 **튀어나와** 버린 말
– 난, 널 좋아해!

시의 짜임

5연 — 13행

글자 수

138 (0 / 200 / 400 / 600 / 800)

- **자랑** 자기 또는 자기와 관계 있는 사람이나 물건 등이 훌륭한 것임을 드러내어 말함.
- **근질근질** 참기 어려울 정도로 자꾸 몹시 어떤 일을 하고 싶어 하는 상태.
- **두근두근** 몹시 놀라거나 불안하여 가슴이 뛰는 소리. 또는 그 모양.
- **정말** 거짓이 없이 진짜로.
- **비밀** 숨기고 있어 남이 모르는 일.
- **튀어나와** 말이 갑자기 나와.

중심 내용

1 **이 시의 제목이 뜻하는 것으로 알맞은 것을 찾아 기호를 쓰세요.**

㉮ 자꾸만 무엇인가를 먹고 싶은 마음 ㉯ 입 안이 간지러워서 긁고 싶은 마음 ㉰ 친구를 좋아하는 마음을 자랑하고 싶은 마음

(　　　　　　　　　　)

세부 내용

2 **이 시에서 말하는 이가 입 밖으로 한 말은 무엇인가요? (　　　　)**

① 이를 어째
② 정말 어째
③ 난, 널 좋아해
④ 가슴은 두근두근
⑤ 비밀로 하고 싶은데

표현

3 **'두근두근'이 흉내 내는 소리나 모양으로 알맞은 것은 무엇인가요? (　　　　)**

① 말하는 이가 가슴을 치는 소리
② 말하는 이의 가슴이 뛰는 소리
③ 입 안의 말들이 튀어나오는 소리
④ 입 안의 말들이 서로 부딪히는 모양
⑤ 말하는 이가 입 안의 말을 참는 모양

추론

4 **㉠이 뜻하는 말하는 이의 마음으로 알맞은 것은 무엇인가요? (　　　　)**

① '선영이도 나를 좋아할까?'
② '나는 선영이를 정말 좋아하는 걸까?'
③ '왜 내 마음을 비밀로 해야 하는 거야?'
④ '고백을 못 하는 것은 정말 참을 수가 없어.'
⑤ '선영이를 좋아하는 것을 말하지 않을 거야.'

지문 분석

정답과 해설 35쪽

1 시의 내용 시의 내용을 생각하며 빈칸에 들어갈 알맞은 말을 보기에서 찾아 쓰세요.

보기

자랑 가슴 비밀 자랑 입 안

1, 2연 (1~5줄)	말하는 이는 선영이를 좋아하는 마음 때문에 입 안이 근질근질, ❶ □□은 두근두근함.
3연 (6, 7줄)	말하는 이는 선영이를 좋아하는 것을 정말 ❷ □□로 하고 싶음.
4, 5연 (8~13줄)	말하는 이는 참지 못하는 ❸ □□의 말들 때문에 좋아하는 마음을 드러내게 됨.

❶(　　　　　) ❷(　　　　　) ❸(　　　　　)

2 말하는 이 말하는 이의 마음을 생각하며 (　　　) 안에 들어갈 알맞은 말을 찾아 ○표 하세요.

선영이를 좋아하는 것을 자랑하고 싶은 마음  선영이를 좋아하는 것을 비밀로 하고 싶은 마음

↓

선영이를 좋아하는 마음을 참지 못하고 (고백, 사과)해 버림.

배경지식 시의 글감은 어떻게 정하는 것일까요?

「입 안이 근질근질」은 친구를 좋아하는 마음을 글감으로 하여 쓴 시에요. 친구를 좋아하는 것을 자랑하고 싶은 마음과 숨기고 싶은 마음 사이에서 갈등하다가 결국 좋아한다고 고백해 버리고 말지요.

여러분도 누군가를 좋아해 본 경험이 있지요? 이처럼 우리의 모든 일상이 시의 글감이 될 수 있답니다. 그렇기 때문에 시를 읽으면서 시의 상황과 비슷한 자신의 경험을 떠올려 보면 더욱 재미있게 시를 읽을 수 있습니다.

오늘의 어휘

다음 낱말의 알맞은 뜻을 찾아 선으로 이으세요.

자랑 •	• 거짓이 없이 진짜로.
정말 •	• 숨기고 있어 남이 모르는 일.
비밀 •	• 자꾸 몹시 어떤 일을 하고 싶어 하는 상태.
근질근질 •	• 몹시 놀라거나 불안하여 자꾸 가슴이 뛰는 소리. 또는 그 모양.
두근두근 •	• 자기 또는 자기와 관계 있는 사람이나 물건 등이 훌륭한 것임을 드러내어 말함.

1 다음 빈칸에 들어갈 알맞은 말을 오늘의 어휘에서 찾아 쓰세요.

- 장기자랑을 [ ][ ] 잘 할 수 있을지 걱정이 된다.
- 우리 둘만 떡볶이를 먹은 것을 [ ][ ]로 하기로 했다.
- 오늘 학교에서 인기상 받은 것을 아빠에게 [ ][ ]했다.
- 나는 기다리는 동안 가슴이 [ ][ ][ ][ ]거려서 힘들었다.
- 동생은 또 게임이 하고 싶어서 손가락이 [ ][ ][ ][ ]했다.

2 다음 밑줄 친 낱말과 뜻이 비슷한 말을 (   )에서 찾아 ○표 하세요.

서윤: 난 이 음악만 들으면 가슴이 콩닥콩닥 뛰어.
언니: 숙제는 안 하고 음악만 듣다가 혼나게 될까 봐 <u>조마조마</u>한 건 아니고?
서윤: 아니, 그런 느낌이 아니라니까. 마음이 왠지 마구 설레는 느낌이란 말이야.

(반질반질, 두근두근, 소곤소곤)

꽃밭에서 | 어효선

[1절]

㉠아빠하고 나-하고 만든 꽃밭에
채송화도 봉숭아도 한창입니다
아빠가 **매어** 놓은 **새끼줄**- 따라
나팔꽃도 **어울리게** 피었습-니다

[2절]

애들하고 재-밌게 **뛰어놀다가**
아빠 **생각**나--서 꽃을 봅니다
아빠-는 꽃- 보며 살자 그-랬죠
날- 보고 꽃-같이 살자 그-랬죠

시의 짜임

2절 - 8행

글자 수

131 (0 / 200 / 400 / 600 / 800)

- **매어** 떨어지지 않도록 끈이나 줄로 묶어 걸어.
- **새끼줄** 짚으로 꼬아 만든 줄.
- **어울리게** 여럿이 서로 잘 조화되어 자연스럽게 보이게.
- **뛰어놀다가** 이리저리 뛰어다니며 놀다가.
- **생각** 무엇에 대한 기억.

지문 독해

중심 소재

1 말하는 이는 어디에서 노래하고 있는지 쓰세요.

표현

2 ㉠을 다른 말로 바꾸어 쓸 때 가장 알맞은 것은 무엇인가요? (　　　)

① 아빠가 날 위해 만든
② 아빠와 내가 상상했던
③ 아빠가 나에게 물려준
④ 아빠와 내가 함께 만든
⑤ 아빠와 내가 만들고 싶어 했던

세부 내용

3 말하는 이가 한 행동이나 생각이 아닌 것은 무엇인가요? (　　　)

① 애들과 뛰어놀았다.
② 새끼줄을 따라 갔다.
③ 아빠를 생각하고 있다.
④ 꽃밭의 꽃을 보고 있다.
⑤ 아빠가 한 말을 떠올리고 있다.

추론

4 이 동요에서 말하는 이에게 꽃밭이 하는 역할로 알맞은 것은 무엇인가요? (　　　)

① 꽃을 보며 살 수 있게 도와준다.
② 꽃같이 살 수 있게 만들어 준다.
③ 애들에게 꽃들을 자랑하게 한다.
④ 아빠와 함께했던 때를 생각나게 한다.
⑤ 애들과 아무 생각 없이 놀 수 있게 한다.

지문 분석

정답과 해설 36쪽

1 시의 내용

이 동요의 내용을 생각하며 빈칸에 들어갈 알맞은 말을 보기 에서 찾아 쓰세요.

보기

정원 꽃밭 엄마 아빠

1절	아빠와 만든 ❶□□에 꽃들이 한창임.
2절	애들과 놀다가 ❷□□의 말을 떠올림.

❶( ) ❷( )

2 말하는 이

말하는 이의 마음을 짐작하여 ( ) 안에 들어갈 알맞은 말을 찾아 ○표 하세요.

말하는 이의 행동		말하는 이의 마음
애들과 재밌게 놀다가 아빠를 생각하며 꽃을 봄.	→	아빠가 (곁에 있는, 곁에 없는) 상황에서 아빠를 (자랑하고, 그리워하고) 있음.

배경지식 봉숭아꽃으로 무엇을 할 수 있을까요?

해마다 여름이면 어른도 어린이도 빠지지 않고 했던 일이 있어요. 바로 봉숭아로 손톱과 발톱에 예쁜 물을 들이는 일이에요.

봉숭아물을 들이기 위해서는 마당에서 기른 봉숭아의 꽃잎과 잎사귀들을 약국에서 파는 백반(명반)과 함께 절구에 콩콩 찧은 다음, 손톱이나 발톱에 얹고 꽁꽁 묶어 주면 됩니다. 그리고 하룻밤 자고 나면 봉숭아가 예쁘게 물든 손톱과 발톱이 되는 것이에요.

정답과 해설 36쪽

오늘의 어휘

다음 낱말의 알맞은 뜻을 찾아 선으로 이으세요.

한창 •	• 짚으로 꼬아 만든 줄.
매어 •	• 이리저리 뛰어다니며 놀다가.
새끼줄 •	• 어떤 일이 가장 활기 있게 일어나는 때.
어울리게 •	• 떨어지지 않도록 끈이나 줄로 묶어 걸어.
뛰어놀다가 •	• 여럿이 서로 잘 조화되어 자연스럽게 보이게.

1 다음 빈칸에 들어갈 알맞은 말을 오늘의 어휘에서 찾아 쓰세요.

- 우리 집 앞산에는 철쭉이 [ ][ ]이다.
- 민속촌에서 짚으로 [ ][ ][ ] 꼬는 것을 보았다.
- 운동화 끈이 풀리지 않게 엄마가 꽉 [ ][ ] 주셨다.
- 놀이터에서 [ ][ ][ ][ ][ ] 넘어지고 말았다.
- 선생님은 오늘 티셔츠와 청바지를 아주 잘 [ ][ ][ ][ ] 입으셨다.

2 다음 밑줄 친 낱말과 뜻이 비슷한 말을 (　　　)에서 찾아 ○표 하세요.

'메뚜기도 유월이 <u>한철</u>이다.'라는 속담이 있습니다. 누구에게나 좋은 때는 있지만, 또 그것이 금방 끝나게 된다는 뜻입니다. 맨날 놀기만 하던 베짱이가 겨울에 먹을 것이 없어 고생하는 것처럼 말입니다. 그래서 나는 베짱이가 아닌 개미처럼 앞날을 준비하는 사람이 되고 싶습니다.

(한창, 한판, 한패)

수필·극

장난감 가게

| 피천득

나는 어렸을 때, 장난감 가게 주인을 부러워하였습니다.

지금도 장사를 시작한다면 장난감 가게밖에 할 게 없을 것 같습니다.

물론 그 가게에서는 아이들의 **살갗**을 **델** 수 있는 **딱총** 같은 것은 팔지 않을 것입니다.

장난감 가게에서는 파는 물건이 재미있습니다. 손님이 안 오더라도 나 혼자 가지고 놀 수 있습니다. 5

장난감 가게에 오는 손님은 언제나 얼굴에 웃음을 ㉠ **띠고** 있습니다. 행복한 표정을 한 아이가 아빠와 할아버지와 함께 옵니다. 어린아이와 엄마가 손을 잡고 옵니다.

크리스마스가 되면 나는 금방 부자가 될 것입니다. 손님이 많아서 장난감이 많이 팔릴 것이기 때문입니다. 10

장난감 가게를 하게 되면 그 옆에다 **고장** 난 장난감을 고쳐 주는 장난감 병원도 내겠습니다.

아이가 바퀴 빠진 자동차를 가져오면 새 바퀴를 끼워 주겠습니다. 아이가 다리 떨어진 인형을 가져오면 다리를 잘 붙여 주겠습니다. 그래도 나는 고쳐 준 **대가**로 돈을 조금만 받겠습니다. 15

나는 어렸을 때 무서움을 잘 탔습니다. 그래서 늘 머리맡에다 용감한 장난감 **병정**들을 늘어놓아야 잠이 들었습니다. 안데르센 동화에 나오는 병정들이었습니다.

아침에 눈을 떠 보면 용감한 병정들은 다 제자리에서 꼼짝도 하지 않고 서 있었습니다. 마치 밤새도록 나를 지켜 준 것 같았습니다. 20

글의 구조

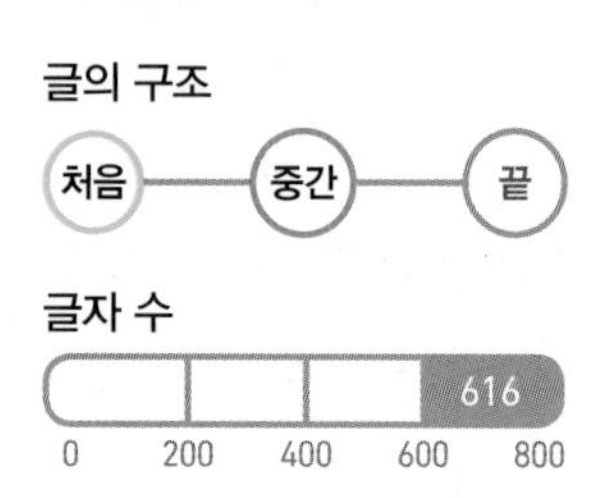

- **물론** 말할 것도 없이.
- **살갗** 살가죽의 겉면.
- **델** 불이나 뜨거운 기운 때문에 살이 상할.
- **딱총** 화약을 종이에 싸서 세게 누르거나 어딘가에 부딪치면 터지도록 만든 장난감 총.
- **띠고** 얼굴에 감정이나 기운 등을 나타내고.
- **고장** 기구나 기계가 제대로 움직이지 못하게 되는 것.
- **대가**(代 대신할 대, 價 값 가) 일을 하고 그에 대한 값으로 받는 돈.
- **병정** 군인으로 있는 사람.

중심 내용

1 **이 글의 다른 제목을 지을 때 (   ) 안에 들어갈 알맞은 말을 찾아 ○표 하세요.**

내가 (꿈꾸는 , 무서워하는 , 싫어하는) 가게

어휘

2 **㉠에 쓰인 '띠고'를 알맞게 사용한 것을 찾아 ○표 하세요.**

(1) 글을 시작할 때는 한 칸을 띠고 써야 한다. (   )

(2) 엄마께서 얼굴에 미소를 띠고 말씀하셨다. (   )

세부 내용

3 **이 글의 내용과 다른 것은 무엇인가요? (   )**

나는 ① 어렸을 때 무서움을 많이 탔어. ② 장난감 병정이 있어야 잠이 들었지. 그렇게 하면 밤새 ③ 용감한 병정들이 나를 지켜 준 것 같아서 안심이 되었어. 그래서 장난감 가게 주인이 부러웠나 봐. ④ 지금은 장난감 가게 주인이 되었지만, ⑤ 장난감을 고쳐 주는 병원도 내고 싶은 생각이 들어.

감상

4 **이 글을 읽고 생각한 점을 알맞게 말한 친구는 누구인지 쓰세요.**

민결: 글쓴이는 자신이 가장 아끼는 장난감이 자신과 같다고 생각했어.
영지: 글쓴이가 장난감 가게를 해서 돈을 많이 벌고 싶다고 한 것으로 보아 부자가 되고 싶은 바람이 큰 것 같아.
정주: 글쓴이는 장난감에 관한 어렸을 때의 좋았던 기억 때문에 장난감 가게 주인이 되고 싶다고 생각했는지도 몰라.

(   )

지문 분석

정답과 해설 37쪽

1 소재 의미

글쓴이가 장난감 가게에 대해 말한 내용을 생각하며 빈칸에 들어갈 알맞은 말을 보기에서 찾아 쓰세요.

보기

물건 사람 지루한 행복한 무서운

장난감 가게 → 파는 ❶□□이 재미있다. / 손님들의 ❷□□□ 표정을 볼 수 있다.

❶( ) ❷( )

2 주제

글쓴이가 말한 내용에 담겨 있는 생각으로 알맞은 것을 찾아 ○표 하세요.

글쓴이가 말한 내용	글쓴이의 생각
• 장난감 가게를 열면 딱총 같은 것은 팔지 않을 것입니다. • 장난감 병원을 열면 장난감을 고쳐 준 대가로 돈을 조금만 받겠습니다.	• 장난감 가게를 열어 아이들이 나를 좋아하게 만들고 싶다. ( ) • 장난감 가게를 열어 아이들을 지켜 주고 행복하게 해 주고 싶다. ( )

배경지식 안데르센의 동화 「용감한 장난감 병정」을 읽어 볼까요?

「용감한 장난감 병정」에는 모두 25명의 장난감 병정이 나와요. 하나같이 멋진 군복에 총을 메고 있지요. 그런데 한 병정만은 다리가 하나밖에 없었어요. 마지막에 만든 병정으로, 재료가 부족했거든요.

「용감한 장난감 병정」은 바로 그 병정의 이야기예요. 장난감 병정은 한쪽 다리를 들고 춤추는 아가씨를 보고, 자신처럼 다리가 하나밖에 없는 것으로 생각했어요. 그래서 그 아가씨와 좋은 친구가 되고 싶었지만, 많은 고생을 하다가 결국 불에 타게 되어요. 결국 사랑을 이루지 못한 채, 예쁜 하트 모양의 쇳덩어리로 변하는 슬픈 이야기랍니다.

오늘의 어휘

다음 낱말의 알맞은 뜻을 찾아 선으로 이으세요.

물론 •	• 살가죽의 겉면.
살갗 •	• 말할 것도 없이.
고장 •	• 용기가 있으며 씩씩하고 기운찬.
대가 •	• 일을 하고 그에 대한 값으로 받는 돈.
용감한 •	• 기구나 기계가 제대로 움직이지 못하게 되는 것.

1 다음 빈칸에 들어갈 알맞은 낱말을 오늘의 어휘에서 찾아 쓰세요.

- 뜨거운 햇살에 [ ][ ]이 붉게 탔다.
- 열심히 노력한 [ ][ ]는 반드시 찾아온다.
- 우리들의 우정은 [ ][ ] 변함이 없을 것이다.
- 나는 짝꿍에게 [ ][ ][ ] 모습을 보여 주고 싶었다.
- 어디가 [ ][ ]이 난 것인지 장난감 드론이 움직이지 않는다.

2 다음 밑줄 친 말과 뜻이 비슷한 말을 (   )에서 찾아 ○표 하세요.

학생이라면 <u>마땅히</u> 공부를 열심히 해야 합니다. 다만 그 공부는 교과서에 있는 내용만을 가리키지는 않습니다. 선생님과 부모님의 말씀에서도, 친구의 이야기에서도 배울 것은 정말 많기 때문입니다.

(물론, 마치, 아주)

약손 | 박문하

여섯 살 난 막내딸이 밖에서 소꿉장난을 하다가 눈에 **티**가 들어갔다고 울면서 들어왔다.

어린 것들에게는 제 아버지라도 의사라면 무서운 모양인지 아프지 않게 치료를 해 주마 아무리 달래어도 혹시 주사라도 놓을까 보아서 그런지 한층 더 큰 소리를 내어 울면서 할머니에게로 달아나 버린다.

할머니는 손녀를 **품** 안에 안으시고는 아픈 눈을 가만히 어루만져 주면서 자장가처럼 혼잣말로 중얼거리는 것이었다.

"까치야 까치야, 네 새끼 물에 빠지면 내가 건져 줄 터이니, 우리 민옥이 눈에 든 티 좀 꺼내어 다오."

어린 것은 어느새 울음을 그치고 할머니의 품 안에서 쌔근쌔근 잠이 들어 버린다.

나는 어머니의 손을 **물끄러미** 바라보았다.

가 이제 나이 80을 넘어 **고목** 껍질처럼 마르고 거칠어진 어머니의 손이지만은 그 속에는 우리 의사들이 갖지 못한 ㉠ **신비한** 어떤 큰 힘이 하나 숨어 있는 것만 같았다.

옛날에 우리 집은 무척 가난하였기 때문에 우리 형제들은 병이 나도 약 한 **첩**을 써 보지 못하고 자라났다.

우리 형제들이 혹시 병으로 눕게 되면 어머님은 약 대신에 언제나 그 머리맡에 앉아서는 저렇게 "까치야 까치야……"를 외우시면서 우리들의 아픈 배나 머리를 따뜻한 손길로 쓰다듬어 주셨던 것이다.

그러면 이상하게도 그 아픈 배나 머리가 씻은 듯이 나았던 것이다.

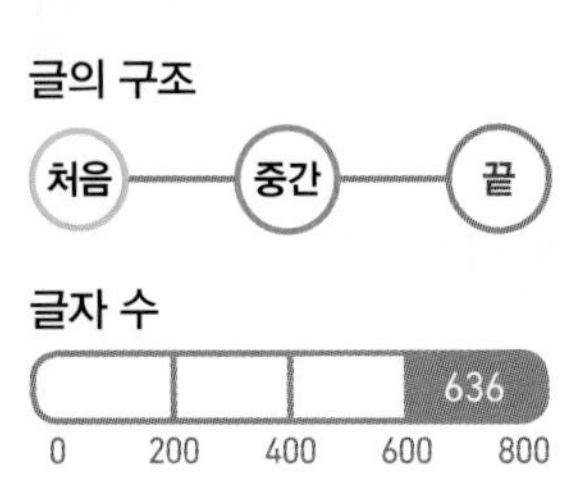

- **약(藥 약 약)손** 아픈 곳을 만지면 낫는다고 하여 어루만져 주는 손을 이르는 말.
- **티** 먼지처럼 아주 잔 부스러기.
- **품** 두 팔을 벌려서 안을 때의 가슴.
- **물끄러미** 우두커니 한곳만 바라보는 모양.
- **고목** 오래 된 큰 나무.
- **신비한** 보통의 생각으로는 이해할 수 없을 만큼 놀랍고 신기한.
- **첩** 약봉지에 싼 약의 뭉치를 세는 단위.

갈래

1 이 글을 읽는 방법을 바르게 말한 친구는 누구인지 쓰세요.

주영: 글쓴이의 생각이 옳은 것인지 판단해 가며 글을 읽었어.
서현: 글쓴이가 꾸며 낸 이야기의 재미있는 장면들을 상상하며 읽었어.
민준: 중심 소재가 가지고 있는 의미와 글쓴이의 생각, 마음을 살펴보며 읽었어.

( )

세부 내용

2 이 글의 내용으로 알맞은 것은 무엇인가요? ( )

① 글쓴이는 나이가 벌써 80이 넘었다.
② 글쓴이의 막내딸은 주사를 무서워한다.
③ 글쓴이의 집은 어렸을 때 무척 부자였다.
④ 글쓴이의 형제들은 약을 먹기 싫어했었다.
⑤ 글쓴이는 어머니 같은 의사가 되고 싶어 했다.

표현

3 가에서 글쓴이는 어머니의 거칠어진 손을 무엇에 빗대어 표현했는지 찾아 쓰세요.

□□ □□

추론

4 ㉠이 뜻하는 내용으로 알맞은 것은 무엇인가요? ( )

① 금방 잠에 빠져들게 하는 재주
② 몸에 좋은 약을 만들어 내는 솜씨
③ 까치를 불러올 수 있는 신기한 힘
④ 병의 원인을 정확히 찾아내는 능력
⑤ 아픈 것을 잊게 만드는 따뜻한 사랑

지문 분석

정답과 해설 38쪽

1 소재 의미

이 글의 약손에 대한 설명으로 맞는 것에 ○표, 맞지 않는 것에 ×표 하세요.

약손 →
- 의사들이 갖지 못한 손이다. ( )
- 아픈 곳을 어루만져 주는 손이다. ( )
- 고목처럼 변해서 쓸모없게 된 손이다. ( )

2 주제

이 글의 주제를 생각하며 빈칸에 들어갈 알맞은 말을 보기에서 찾아 쓰세요.

보기

배 눈 코 손 발

지금	옛날
글쓴이의 어머니는 민옥이의 아픈 ❶□을/를 어루만지며 "까치야 까치야"를 중얼거림.	옛날에 글쓴이의 어머니는 형제들의 아픈 ❷□나 머리를 쓰다듬으며 "까치야 까치야"를 외움.

↓ ↓

주제	어머니의 ❸□이 지닌 힘과 따뜻한 사랑

❶( ) ❷( ) ❸( )

배경지식 '까치'가 등장하는 전래 동요에는 어떤 것이 있을까요?

멋진 날개를 자랑하는 까치는 옛날부터 특별한 새였어요. 아침에 마당에서 까치가 울면 반가운 손님이 온다고 생각했으니까요.

그리고 누구나 들어 보았을 전래 동요에도 나와요. "까치야 까치야 헌 이 줄게. 새 이 다오."

까치는 우리에게 이를 가져다주는 요정 같은 새랍니다.

그리고 또 이런 동요도 있었답니다. "까치야 까치야 물에 빠진 네 새끼 건져 줄게. / 내 눈 낫게 해 주렴." 바로 「약손」에 나왔던 것처럼 눈이 아플 때 부르는 노래예요.

정답과 해설 38쪽

오늘의 어휘

다음 낱말의 알맞은 뜻을 찾아 선으로 이으세요.

티 •	• 오래 된 큰 나무.
품 •	• 먼지처럼 아주 잔 부스러기.
고목 •	• 두 팔을 벌려서 안을 때의 가슴.
약손 •	• 우두커니 한곳만 바라보는 모양.
물끄러미 •	• 아픈 곳을 만지면 낫는다고 하여 어루만져 주는 손을 이르는 말.

1 다음 빈칸에 들어갈 알맞은 낱말을 오늘의 어휘에서 찾아 쓰세요.

- 파란 하늘에 [ ] 한 점 보이지 않았다.
- 그 산에는 천 년이 된 [ ][ ]이 있다고 한다.
- 할머니께서 [ ][ ]으로 배를 만져 주시면 금방 나았다.
- 나는 "엄마, 사랑해요."라고 말하며, 엄마의 [ ]에 안겼다.
- 선생님은 아무 말없이 [ ][ ][ ][ ] 창밖만 바라보셨다.

2 다음 밑줄 친 말과 뜻이 비슷한 말을 (   )에서 찾아 ○표 하세요.

초미세먼지는 미세먼지보다도 훨씬 작은 <u>먼지</u>를 말합니다. 초미세먼지는 그 크기가 매우 작기 때문에 사람이 숨을 쉴 때 폐까지 깊숙하게 들어가게 됩니다. 그렇기 때문에 초미세먼지가 심한 날은 특별히 주의해야 합니다.

(티, 눈, 깃털)

글의 구조

발단 — 전개 — 절정 — 결말

글자 수

687

0 200 400 600 800

양반을 가르친 하인

[앞부분 이야기] 양반이 돌쇠에게 배가 고파서 못 걷겠다며 꿩을 구워 먹자고 한다. 양반은 자리에 앉고, 돌쇠는 꿩을 굽기 위해 나뭇가지를 더 주우러 자리를 뜬다.

• 나오는 인물: (㉠)

양반: (꿩을 보고 **입맛**을 **다시며**) 거참, 맛있겠군. 그런데 둘이 먹기에는 부족해 보이는데……. (잠시 생각하다 ㉡무릎을 탁 치며) 옳지! 그 방법을 써야겠어! 5

돌쇠가 나뭇가지를 안고 돌아와 다시 꿩을 굽는다.

양반: 노릇노릇 익었으니, 먹어도 되겠군. (주위를 둘러보며) 하지만 이렇게 경치가 좋은데 꿩고기를 그냥 먹으면 재미가 없지. (**히죽** 웃으며) 얘, 돌쇠야! 우리 '까' 자가 세 번 들어가는 시를 먼저 짓는 사람이 고기를 다 먹기로 하자꾸나. 10

돌쇠: (㉢) 예? 제가 어떻게 시를 짓습니까?

양반: (웃음을 띠고) 어렵지 않으니, 한번 지어 보려무나.

돌쇠: (잠시 생각하는가 싶더니, 꿩을 들고) 다 익었을까? 맛이 있을까? 한번 먹어 볼까? 15

돌쇠가 말을 마치자마자 꿩고기를 먹는 **시늉**을 한다.

양반: (크게 화를 내며) 이놈! 시도 안 짓고, 먹는단 말이냐? 20

돌쇠: (**느긋한** 말투로) 무슨 말씀입니까? 방금 '까' 자를 세 번 넣어 시를 지었는걸요. 이렇게요. (목청을 높여 '까'를 강조하며) 다 익었을까? 맛이 있을까? 한번 먹어 볼까? (꿩고기를 들어 보이며) 그럼 잘 먹겠습니다.

양반: (안타까운 표정으로) 아……. 25

- **입맛** 음식을 먹을 때 입에서 느끼는 맛에 대한 감각.
- **다시며** 음식을 먹을 때처럼 침을 삼키며 입을 놀리며.
- **히죽** 만족스러운 듯이 슬쩍 한 번 웃는 모양.
- **시늉** 어떤 모양이나 움직임을 흉내 내어 꾸미는 짓.
- **느긋한** 마음에 흡족하여 여유가 있고 넉넉한.

지문 독해

갈래

1 ㉠에 들어갈 인물을 모두 쓰세요.

□□, □□

세부 내용

2 이 글에 나오는 장면으로 알맞은 것은 무엇인가요? (　　　　)

① 양반이 몰래 꿩고기를 먹는 장면
② 양반이 꿩고기를 굽고 있는 장면
③ 돌쇠가 꿩고기를 먹는 척하는 장면
④ 돌쇠가 양반의 말에 반대하는 장면
⑤ 돌쇠가 히죽 웃으면서 시를 짓는 장면

세부 내용

3 ㉡의 행동에 들어 있는 양반의 마음으로 알맞은 것은 무엇인가요? (　　　　)

① '역시 돌쇠로군.'
② '정말 그게 될까?'
③ '좋은 생각이 났다.'
④ '이걸 어쩌면 좋지?'
⑤ '왠지 무릎이 가렵네.'

추론

4 ㉢에 들어갈 말로 어울리는 것은 무엇인가요? (　　　　)

① 비웃으며
② 기뻐하며
③ 눈을 감으며
④ 깜짝 놀라며
⑤ 미소를 지으며

지문 분석

정답과 해설 39쪽

1 인물 성격

양반의 행동을 보고 양반의 성격으로 알맞은 것을 찾아 ○표 하세요.

양반의 행동		양반의 성격
꿩을 혼자 다 먹고 싶어서 시를 먼저 짓는 사람이 꿩고기를 다 먹자는 의견을 냄.	→	• 재치가 있고 지혜롭다. (　　) • 남을 잘 무시하고 욕심이 많다. (　　)

2 주제

이 글의 주제를 생각하여 빈칸에 들어갈 알맞은 말을 보기에서 찾아 쓰세요.

보기

손해　　핵심　　욕심　　의심　　이득

주제
지나친 ❶□□을 부리다 보면 오히려 ❷□□를 볼 수 있다.

❶(　　　　　　) ❷(　　　　　　)

배경지식 '꿩 구워 먹은 자리'라는 말을 들어 봤나요?

꿩은 예부터 고기가 맛나기로 손꼽혔던 새입니다. 요즘은 보기 힘들지만, 옛날에는 꿩고기로 만든 음식이 많았어요. 구이, 찜 등은 물론이고, 만두나 냉면, 또는 김치를 담글 때도 넣었다고 합니다.

그런데 '꿩 구워 먹은 자리'라는 말은 무슨 뜻일까요? 바로 흔적이 전혀 남지 않는다는 뜻이에요. 그것은 꿩이 고기도 맛있지만, 깃털이 아름다워서 그런 것이랍니다. 꿩의 깃털은 모자나 화살을 만들 때 필요하기 때문에, 꿩을 잡으면 꿩고기만 먹는 것이 아니라 깃털도 모두 쓰였답니다. 그러니까 아무 흔적도 남지 않은 것이죠.

오늘의 어휘

다음 낱말의 알맞은 뜻을 찾아 선으로 이으세요.

입맛 •	• 군데군데 노르스름한 모양.
히죽 •	• 입에서 느끼는 맛에 대한 감각.
시늉 •	• 마음에 흡족하여 여유가 있고 넉넉한.
느긋한 •	• 만족스러운 듯이 슬쩍 한 번 웃는 모양.
노릇노릇 •	• 어떤 모양이나 움직임을 흉내 내어 꾸미는 짓.

1 다음 빈칸에 들어갈 알맞은 낱말을 오늘의 어휘에서 찾아 쓰세요.

- 나는 왜 ☐☐이 항상 좋은지 모르겠다.
- 새우튀김이 ☐☐☐☐ 잘 익은 것 같다.
- 예린이는 성적표를 받아 보고는 ☐☐ 웃었다.
- 숙제를 일찍 끝내면 ☐☐☐ 마음으로 놀 수 있다.
- 동생은 갑자기 슬픈 얼굴로 꺼이꺼이 우는 ☐☐을 했다.

2 다음 밑줄 친 말과 뜻이 반대인 말을 (   )에서 찾아 ○표 하세요.

'급하면 바늘허리에 실 매어 쓸까'라는 말이 있습니다. 아무리 마음이 급해도 꼭 갖추어야 할 것은 갖추어야 일을 할 수 있다는 뜻입니다. <u>조급한</u> 마음만으로는 일이 잘 풀리지 않습니다. 급할수록 침착하게 행동하는 자세가 필요합니다.

(다급한, 성급한, 느긋한)

의좋은 형제 | 박혜경 각색

글의 구조
발단 — 전개 — 절정 — 결말

글자 수
666
0 200 400 600 800

[앞부분 이야기] 어느 날, 사이좋은 형제가 함께 **추수**를 한다. 그날 밤, 형은 아우가 필요한 것이 많다고 생각해 아우네 집에 몰래 볏단을 옮겨 놓는다. 또, 아우는 형이 좀 더 따뜻한 겨울을 보내도록 형네 집으로 몰래 볏단을 옮겨 놓는다.

아우: 내가 분명히 가져다드렸는데. 옳지? 저 어린이 여러분! 어젯밤에 아저씨가 분명히 우리 형님께 **볏단**을 나누어 드렸죠? 어허. 근데 왜 그대로 있을까? 이상하다. 음? 옳지! 오늘 밤에는 좀 더 커~다란 볏단을 나누어 드려서, 무거워서 아무도 못 갖다 놓게 해야지. 아, 그래 어제는 도깨비가 갖다 놨나? 어허, 옳지. 이 정도면……. 5

형: 어허 오늘도 벌써 날이 **저물었네**? 자, 그럼 오늘도 옮겨 볼까? 으이차차차.

아우: 으!

형: 으? 누구요? (형과 아우, 논 ㉠가운데에서 부딪친다.)

아우: 아. 짐이 무거운데 좀 비켜 주시오. 10

형: 이봐요, 나도 무거운 걸 들었소. ㉡**댁**이 비켜요.

아우: 아. 좀 비켜 주시오. / 형: 어허! 먼저 비켜요.

아우: 아니 거 대체……. (㉢볏단을 내려놓는다.)

형: 누군데……. (볏단을 내려놓는다.)

(서로 마주 보고 놀란다.) 15

아우: 형님! / 형: 아니, 너!

아우: 그럼 어젯밤에도 형님께서 볏단을 옮겨 놓으셨습니까?

형: 아니, 그럼 이게 전부 네가 옮긴 볏단들이었어?

아우: 형님! (서로 **포옹한다**.)

형: ㉣아우야. 20

아우: ㉤고맙습니다.

형: 고맙기는, 내가 더 고맙구나. 너도 필요한 게 많을 텐데…….

해설자: 여러분, 잘 보셨나요? 이렇게 서로를 잘 아껴 준 형님과 아우는 오래오래 **의좋게** 잘 살았답니다.

- **추수**(秋 가을 추, 收 거둘 수) 가을에 익은 곡식을 거두어들이는 것.
- **볏단** 벼를 베어 묶은 단.
- **저물었네** 해가 져서 어두워졌네.
- **댁** 듣는 사람이 비슷한 관계에 있는 사람이나 아랫사람일 때, 그 사람을 가리키는 말.
- **포옹한다** 사람을 품에 안거나 사람끼리 껴안는다.
- **의좋게** 친구나 가족 사이의 정이 두텁게.

지문 독해

갈래

1 **이 글의 특징을 생각하며 빈칸에 들어갈 알맞은 말을 쓰세요.**

어린이가 보는 인형극을 하기 위해 쓴 글로, [ ]과 [ ][ ]가 나온다.

어휘

2 **㉠~㉤과 바꾸어 쓸 수 있는 말을 나타낸 것으로 알맞지 않은 것은 무엇인가요? (　　　)**

① ㉠ 가운데 → 중간
② ㉡ 댁 → 집
③ ㉢ 볏단 → 벼 묶음
④ ㉣ 아우 → 동생
⑤ ㉤ 고맙습니다 → 감사합니다

세부 내용

3 **다음 일의 결과로 알맞은 것은 무엇인가요? (　　　)**

형과 아우가 서로 볏단을 주고받았다는 사실을 알게 됨.

① 형과 아우는 깜짝 놀라 서로 어색해했다.
② 형과 아우는 더욱 사이좋게 지내게 되었다.
③ 아우는 형에게 커다란 볏단을 주고 싶어 했다.
④ 형은 아우에게 필요한 것이 있는지 궁금해했다.
⑤ 형과 아우는 몰래 서로의 집에 볏단을 옮겨 놓았다.

적용

4 **이 글의 형제와 가장 비슷한 성격을 지닌 이야기 속 인물을 찾아 ○표 하세요.**

(1) 계속 거짓말을 하다가 코가 길어진 피노키오 (　　　)
(2) 나무꾼 몰래 날개옷을 찾아 입고 하늘로 올라간 선녀 (　　　)
(3) 욕심을 부리다가 벌을 받은 놀부에게 먹을 것을 나눠주고 같이 살자고 한 흥부 (　　　)

지문 분석

정답과 해설 40쪽

1 사건 전개

일이 일어난 시간 순서에 맞게 보기 에서 기호를 찾아 차례대로 쓰세요.

보기

㉮ 형과 아우가 논 가운데에서 만남.
㉯ 어젯밤에 형과 아우가 서로의 집에 볏단을 옮겨 놓음.
㉰ 형과 아우는 더욱 사이가 좋아져서 의좋게 잘 살게 됨.
㉱ 형과 아우가 집에 볏단이 그대로 있었던 까닭을 알게 됨.

(　　　) → (　　　) → ㉱ → (　　　)

2 표현

다음 대사에 어울리는 목소리를 찾아 선으로 이으세요.

대사		목소리
아우: 어제는 도깨비가 갖다 놨나?	• •	깜짝 놀란 목소리로
형: 어허! 먼저 비켜요.	• •	짜증이 섞인 목소리로
형: 아니, 너!	• •	궁금하다는 듯한 목소리로

배경지식 또다른 사이좋은 형제 이야기, 「금덩이를 풍덩! 풍덩!」

옛날 한 형제가 금덩이 두 개를 발견했어요. 형제는 기뻐하며 금덩이를 하나씩 나누어 가지고, 배를 탔어요. 그런데 갑자기 동생이 강물로 금덩이를 던졌어요. 풍덩!

"아니, 아우야! 그 귀한 금덩이를 왜 버리는 거냐?"

"형님, 저는 금덩이를 주운 순간부터 나쁜 마음이 생겼어요. 형님 금덩이가 제 것보다 크다는 생각에 형님이 미워졌거든요. 저 나쁜 금덩이를 버리고 나니 마음이 편해졌어요."

동생의 말을 듣고, 형도 금덩이를 풍덩 강물에 빠트렸어요. 금덩이를 버린 형제는 예전처럼 웃으며 집으로 돌아갔답니다.

정답과 해설 40쪽

오늘의 어휘

다음 낱말의 알맞은 뜻을 찾아 선으로 이으세요.

댁 •	• 벼를 베어 묶은 단.
형제 •	• 형과 아우를 아울러 이르는 말.
볏단 •	• 친구나 가족 사이의 정이 두텁게.
추수 •	• 가을에 익은 곡식을 거두어들이는 것.
의좋게 •	• 듣는 사람이 비슷한 관계에 있는 사람이나 아랫사람일 때, 그 사람을 가리키는 말.

1 다음 빈칸에 들어갈 알맞은 낱말을 오늘의 어휘에서 찾아 쓰세요.

- □은 누구신데 나를 아나요?
- 우리 □□는 사이가 좋기로 유명하다.
- 가을이 되어 농촌에서는 □□를 하고 있다.
- 시골집의 창고에는 □□이 높게 쌓여 있다.
- 정민이와 정수는 싸우지 않고 □□□ 지낸다.

2 다음 밑줄 친 말을 모두 포함하는 말을 (　　　)에서 찾아 ○표 하세요.

세계에서 처음 제대로 하늘을 난 사람은 미국의 라이트 오빌이에요. 동생 오빌은 형 윌버와 함께 비행기에 대한 책을 열심히 읽으며 비행기를 연구했어요. 둘은 열심히 연구를 거듭한 끝에 결국 비행기를 발명해 냈답니다.

(남매, 자매, 형제)

오늘의 어휘 찾아보기

바른 독해의 빠른시작

정답과 해설

초등 국어

문학 독해 2단계

1·2학년

동아출판

- **글의 종류** 창작 동화
- **글의 특징** 찬호가 꺼벙이처럼만 보이던 억수의 진짜 모습을 알아 가는 과정을 통해 겉모습만 보고 사람을 판단해서는 안 된다는 것과 사람을 판단할 때 생각해야 할 진짜 중요한 것은 무엇인가에 대해 생각해 보게 하는 글입니다.
- **글의 주제** 겉모습만 보고 사람(친구)을 판단하지 말자. / 올바르고 착한 일을 하는 친구를 본받자.
- **글 ❶ 중심 내용** 고은이의 생일날 선물을 가져오지 못한 꺼벙이 억수는 선물로 노래 세 곡을 연달아 부르고 찬호는 속으로 꺼벙이 억수를 비웃습니다.

013쪽 지문 독해

1 생일 **2** ② **3** 꺼벙이 **4** ⑤

1 고은이의 생일날에 초대 받은 친구들이 고은이에게 선물을 하였지만, 빈손으로 온 억수는 고은이에게 생일 선물 대신에 노래를 불러 줍니다. 이처럼 이 글은 고은이의 생일날에 있었던 일을 중심으로 이야기가 펼쳐지고 있습니다.

2 찬호는 올해 고은이와 같은 반이 되어서 무척 기뻐하였습니다.

오답 풀이
① 찬호는 억수를 '꺼벙이' 같다고 생각하며 좋아하지 않습니다.
③ 찬호는 고은이에게 생일 초대장을 받고 기뻐하였습니다.
④ 고은이에게 생일 선물로 그림물감을 준 인물은 찬호입니다.
⑤ 고은이를 학교에서 더 자주 볼 수 있어 좋아한 것은 찬호입니다. 억수도 그러한지 이 글의 내용으로는 알 수 없습니다.

3 찬호는 겉보기에 지저분하고 늘 헤헤거리는 억수를 '꺼벙이'라고 부르고 있습니다.

유형 공략 / 표현
낱말의 정확한 뜻을 알아야 글의 내용을 제대로 파악할 수 있습니다. 하지만 처음 보거나 어려운 낱말이 나올 수도 있습니다. 이럴 때는 해당 낱말이 들어간 앞뒤 문장을 살펴봐서 낱말의 뜻이 무엇일지 짐작해 보도록 합니다.

4 생일 선물을 가져가지 못한 억수가 고은이에게 미안한 마음으로 노래를 부르며 선물을 대신했습니다.

오답 풀이
① 억수의 노래를 듣고 아이들이 박수를 치고 웃으며 즐거워한다고 볼 수는 있지만, 감동했다고 할 수는 없습니다.
② 고은이는 억수가 온 것을 싫어하지 않았습니다.
③ 친구를 사귈 때 겉모습을 중요하게 생각하는 인물은 찬호입니다.
④ 찬호는 고은이를 좋아합니다.

014쪽 지문 분석

1 억수
- 수줍음이 많다. (×)
- 옷차림이 지저분하다. (○)
- 늘 헤헤거린다. (○)
- 밤송이머리를 하고 있다. (○)

2

찬호의 행동	→	찬호의 성격
억수의 겉모습을 보고 꺼벙이 같은 아이라고 생각하며 좋아하지 않음.	→	• 겉모습만 보고 친구를 판단한다. (○) • 친구의 실수를 용서할 줄 모른다. ( )

1 억수는 밤송이머리에 뻐드렁니가 났고, 까만 얼굴에 자주 빨지도 않은 것 같은 옷을 입고 다니며 뭐가 좋은지 늘 헤헤거리는 친구입니다. 그런데 억수가 고은이의 생일 선물을 준비하지 못해서 부끄러워하기는 하지만, 생일 선물로 노래를 세 곡이나 부르는 것으로 보아 수줍음이 많은 친구는 아니라는 것을 알 수 있습니다.

2 찬호는 억수의 겉모습만 보고 꺼벙이 같은 아이라고 생각하며 좋아하지 않고, 억수의 행동을 보며 비웃습니다. 이로 보아 찬호는 겉모습만 보고 친구를 판단하는 인물임을 알 수 있습니다. 그런데 친구의 실수에 대해 찬호가 한 행동이 나오지는 않았으므로, 친구의 실수를 용서할 줄 모른다는 것은 맞지 않습니다.

015쪽 오늘의 어휘

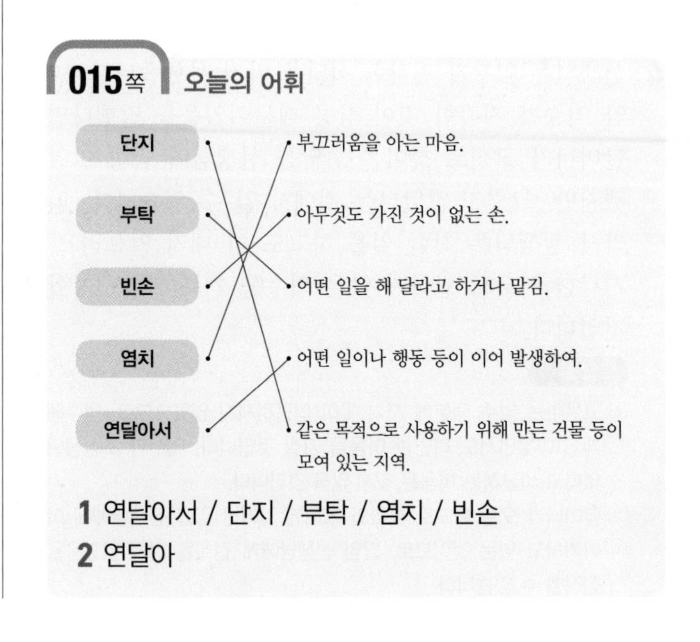

1 연달아서 / 단지 / 부탁 / 염치 / 빈손
2 연달아

• 글 ❷ 중심 내용 억수는 비 내리던 날 고은이 대신 흙탕물을 흠뻑 뒤집어쓰고, 또 어느 날은 땅콩 가게 할머니를 돕다가 지각을 하고도 선생님께 변명하지 않았습니다.

017쪽 지문 독해

1 ⑤ 2 ① 3 ② 4 (3) ○

1 이 글에는 찻길에서 억수가 고은이 대신 흙탕물을 뒤집어쓴 일과 억수가 쏟아진 땅콩을 주워 주며 할머니를 돕다가 지각을 했던 일 두 가지가 나타나 있습니다. 중심 내용을 정리할 때에는 이 두 가지 일이 모두 들어가게 하면서도 간단하게 써야 합니다. 따라서 '찻길', '흙탕물', '땅콩', '지각' 등은 중심 내용을 정리할 때 반드시 들어가야 합니다. 하지만 '장사꾼'은 중요한 내용은 아니므로 중심 내용을 정리할 때에 들어가지 않아도 됩니다.

2 ㉠ '얘들'은 도환이 주변에 있는 친구들로, 찬호와 고은이 등을 가리킵니다. ㉡, ㉢, ㉣, ㉤은 모두 '억수'를 가리킵니다.

3 땅콩 가게 할머니는 오토바이가 지나가면서 쏟은 땅콩을 주울 때 도와준 억수를 칭찬하기 위해 학교에 찾아오셨습니다.

유형 공략/세부 내용

원인은 어떤 일이 일어나게 만든 까닭을 말합니다. 원인이 무엇인지 알기 위해서는 이야기가 전개되는 과정을 살펴보며 어떤 일이 왜 일어났는지를 찾아보아야 합니다. 이때 '왜'에 해당하는 내용이 바로 일이 일어난 까닭이 된답니다.

4 선생님은 억수가 지각한 까닭을 알지 못했습니다. 만약 억수가 지각한 것이 땅콩 때문이었음을 말했다면 할머니가 교실로 찾아온 까닭을 선생님이 금방 알았겠지만, 그렇지 않았다는 것에서 알 수 있습니다. 따라서 선생님은 착한 일을 하고도 티 내지 않으려고, 지각한 까닭도 말하지 않은 억수를 기특하게 생각할 것입니다.

오답 풀이

(1) 고은이는 억수 덕분에 자기 옷이 더럽혀지지 않았으므로, 억수에게 고마우면서도 미안한 마음을 가질 것입니다. 억수가 조심성이 없다고 비난하는 마음은 갖지 않을 것입니다.
(2) 할머니가 오늘 학교로 찾아와 그저께 일어난 일을 선생님에게 이야기하고 있는 것이므로, 담임 선생님에게 전화를 걸지 않았음을 짐작할 수 있습니다.

018쪽 지문 분석

1

상황		고은이의 마음
트럭이 물이 괸 웅덩이를 지나갈 때 억수가 자기 몸으로 고은이를 가려 주고 대신 흙탕물을 뒤집어씀.	→	억수에게 (화나고, (고맙고)) 미안한 마음

2

억수의 행동		억수의 성격
학교에 오다가 땅콩 가게 할머니의 땅콩을 함께 주워 주느라 지각을 했지만 지각한 까닭을 선생님께 말하지 않음.	→	• 다른 사람에게 자기 것을 양보할 줄 앎. ( ) • 자신이 한 올바른 행동을 자랑하지 않음. (○)

1 자기 대신에 흙탕물을 뒤집어쓴 억수의 행동을 보며 고은이는 고맙기도 하면서 미안한 마음이 들었을 것입니다. 흙탕물을 뒤집어쓴 것은 억수가 고은이를 위해 한 행동이므로, 고은이가 화를 낼 일은 아닙니다.

2 땅콩 가게 할머니의 땅콩을 줍는 착한 행동을 하느라 지각을 했지만 늦은 까닭을 말하지 않는 억수의 행동으로 보아, 억수는 자신이 한 착하고 올바른 행동을 다른 사람에게 자랑하거나 여기저기 말하고 다니는 성격이 아님을 알 수 있습니다. 그런데 억수의 행동은 남을 돕는 행동이므로, 양보하는 행동과는 상관이 없습니다.

019쪽 오늘의 어휘

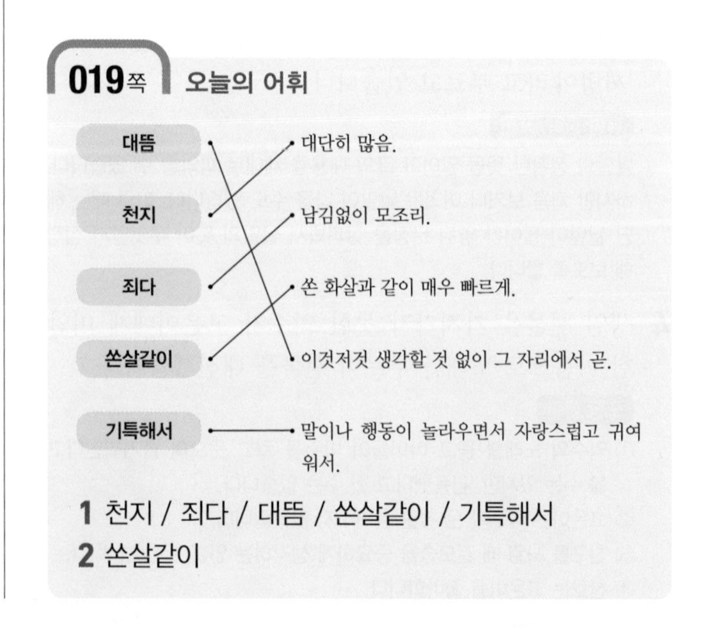

1 천지 / 죄다 / 대뜸 / 쏜살같이 / 기특해서
2 쏜살같이

• 글 ❸ 중심 내용 '학급 별'을 놓고 억수와 경쟁하던 찬호는 억수가 학급 별로 왜 뽑히게 되었는지를 알게 되면서 억수가 좋은 아이일지도 모른다고 생각하게 됩니다.

021쪽 지문 독해

1 학급 별 2 ④ 3 긴장감 4 ㉯

1 찬호와 억수가 학급 별을 뽑는 투표에서 경쟁하다가 마지막 표에서 억수의 이름이 나와 억수가 학급 별에 뽑히게 됩니다. 따라서 이 글은 학급 별을 뽑는 일을 중심으로 이야기가 펼쳐지고 있습니다.

유형 공략/중심 내용

이야기에서 중심 내용을 정리할 때는 인물들이 어떤 일에 관심을 두고 있는지, 이야기가 무엇을 중심으로 펼쳐지는지를 살펴보아야 합니다. 이때 글에 많이 나오거나 사용되는 낱말이나 글감이 무엇인지를 찾아봅니다. 이 낱말이나 글감은 이야기의 중심이 되는 일을 드러내는 구실을 합니다. 그러므로 이 낱말이나 글감을 넣어, 인물이 관심을 둔 일이나 이야기에 중심이 되는 일을 짧은 형태로 정리하면 중심 내용을 정리할 수 있습니다.

2 칠판에 글씨를 쓴 사람은 선생님입니다. 억수가 선생님 대신에 칠판에 글씨를 썼다는 내용은 나와 있지 않습니다.

오답 풀이

① 억수를 학급 별로 뽑은 까닭을 묻는 선생님의 질문에 아이들이 "휴지가 떨어져 있으면 주워요."라고 대답한 것에서 알 수 있습니다.
② "땅바닥에 떨어진 땅콩을 주웠어요."라는 말에 나타나 있습니다.
③ "고은이 대신 흙탕물을 뒤집어썼어요."라는 말에 나타나 있습니다.
⑤ "진선이가 팔 다쳤을 때 가방을 들어 줬어요."라는 말에 나타나 있습니다.

3 '이제 학급 별은 표 한 장에 달려 있었어요. 교실 안은 긴장감이 감돌았어요.'에서 알 수 있듯이, 누가 학급 별이 될지 결정하는 표가 한 장 남은 상황에서 반 친구들은 모두 긴장감에 휩싸였습니다.

4 억수는 친구들에게 자신의 좋은 점을 인정받고 본받게 하려고 착한 일을 한 것이 아닙니다. 자신을 자랑하기 위해 착한 일을 하는 것은 이 글이 주는 교훈을 실천하는 것이라고 볼 수 없습니다.

오답 풀이

㉮ 희수는 억수의 겉모습만 보고 꺼벙이라고 판단했던 찬호가 억수의 착한 모습을 알게 되는 내용을 통해 얻은 깨달음을 실천했습니다.
㉯ 성연이는 억수가 친구들을 돕고 궂은일도 도맡아 하는 모습에서 얻은 깨달음을 실천했습니다.

022쪽 지문 분석

1

마지막 내용	찬호도 힘껏 손뼉을 쳤어요. 진짜 큰 별 하나가 마음속으로 쏘옥 들어오는 것을 느끼면서요.

↓

찬호가 ❶☐☐를 소중한 ❷☐☐(으)로 여기게 되었음.

❶(억수) ❷(친구)

2

중요한 내용		주제
겉모습만 보고 억수를 꺼벙이라고 비웃었던 찬호가 억수의 좋은 모습을 알게 되고 진정한 친구로 인정하게 됨.	→	• 친구를 놀리거나 괴롭히지 말고 소중하게 대해야 한다. ( ) • 겉모습만 보고 사람을 판단하지 말고, 친구의 좋은 점을 인정해 주자. (○)

1 그동안 꺼벙이라고 생각하며 억수를 비웃었던 찬호는 억수가 '학급 별'로 뽑힌 까닭을 들으며, 억수의 좋은 점을 알게 되면서 억수를 소중한 친구로 여기게 됩니다.

2 겉모습만 보고 억수를 비웃던 찬호가 억수의 좋은 모습을 알게 되는 내용이므로 '겉모습만 보고 사람을 판단하지 말자'라는 주제를 이끌어 낼 수 있습니다. 그런데 찬호가 억수를 꺼벙이로 여기고는 있었지만, 이것은 억수를 제대로 알지 못해서 그랬던 것으로, 찬호가 억수를 놀리거나 괴롭히는 행동을 하지는 않았습니다.

023쪽 오늘의 어휘

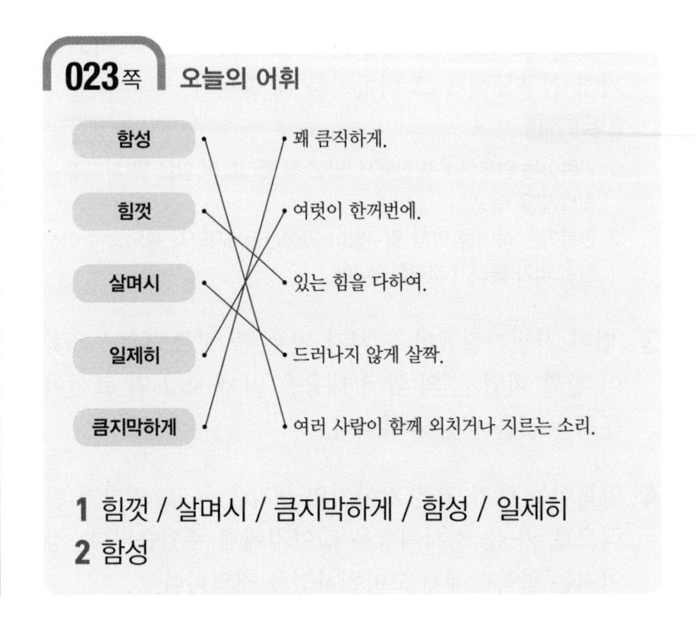

1 힘껏 / 살며시 / 큼지막하게 / 함성 / 일제히
2 함성

- **글의 종류** 창작 동화
- **글의 특징** 걸핏하면 친구들과 싸워서 욕쟁이, 깡패, 심술쟁이로 이름난 만복이가 '만복이네 떡집'에서 신기한 떡을 먹고 착한 아이로 변하게 되는 일을 담은 이야기로, 재미와 감동을 줍니다.
- **글의 주제** 다른 사람의 마음을 먼저 헤아리며 행동하고, 고운 말을 사용하자.
- **글 ❶ 중심 내용** '만복이네 떡집'에서 무지개떡을 먹은 만복이는 친구들에게 재미있는 이야기를 들려주었고, 쑥떡을 먹고는 지나가는 사람들과 강아지의 생각을 듣게 되었습니다.

025쪽 지문 독해

1 만복이네 떡집 **2** ③, ④, ⑤
3 (1) ㉮ (2) ㉰ (3) ㉯ **4** (3) ○

1 만복이는 만복이네 떡집에서 무지개떡을 먹고, 다음 날 학교에 가서 친구들에게 재미있는 이야기를 들려줍니다. 그리고 학교가 끝나고 또 만복이네 떡집으로 달려가 쑥떡을 먹었습니다. 그런 다음 길을 가다가 사람들의 생각과 강아지의 생각을 듣게 됩니다.

유형 공략/갈래

이야기의 공간적 배경은 일이 일어난 장소를 뜻합니다. 글을 읽으면서 장소를 나타내는 말이 나오면 표시해 봅니다. 그리고 그 장소에서 어떤 일이 일어났는지, 장소의 이동에 따라 이야기가 어떻게 펼쳐지는지를 확인해 보면 이야기의 흐름을 좀 더 쉽게 알 수 있습니다.

2 무지개떡은 아주 구수하고 신비롭고 독특한 맛이 납니다. 만복이는 그런 무지개떡을 먹고 머릿속에 재미있는 이야기들이 몽실몽실 떠올랐고, 다음 날 학교에 가서 친구들에게 그 이야기를 해 줍니다.

오답 풀이

① 만복이는 만복이네 떡집에서 '입에 척 들러붙어 말을 못 하게 되는 찹쌀떡'을 먹었습니다.
② 만복이는 쑥떡을 먹자 귓구멍이 간질간질해지면서 쑥덕쑥덕 이상한 소리가 들리기 시작했습니다.

3 '입이 간질간질했어.', '시간 가는 줄 모르고', '웃음꽃이 활짝 피었지.'의 앞뒤 내용을 읽어 보고 각 표현이 뜻하는 것을 짐작해 봅니다.

4 만복이는 배가 고픈 강아지의 생각을 듣고, 엄마가 간식으로 싸 준 소시지빵을 강아지에게 주었습니다. 강아지는 만복이에게 고마워하였을 것입니다.

026쪽 지문 분석

1

일이 일어난 때	일어난 일
❶□□□□을 먹었을 때	머릿속에 재미있는 이야기들이 저절로 떠오름.
❷□□을 먹었을 때	사람들과 동물들의 생각을 듣게 됨.

❶(무지개떡) ❷(쑥떡)

2

상황		만복이의 마음
만복이의 이야기를 듣고 아이들의 웃음꽃이 활짝 핌.	→	(부럽고, (뿌듯하고)) 즐거운 마음
만복이가 배고픈 강아지에게 소시지빵을 줌.	→	강아지를 ((돕고), 만지고) 싶은 마음

1 무지개떡을 먹은 만복이는 머릿속에 재미있는 이야기들이 저절로 떠올랐고, 쑥떡을 먹고는 지나가는 사람들과 강아지의 생각을 듣게 되었습니다.

2 만복이는 자신의 이야기를 듣고 웃음꽃이 활짝 핀 아이들의 모습을 보면서 자신이 아이들을 즐겁게 해 줄 수 있다는 것에 뿌듯함을 느끼며 즐거운 마음이 들었을 것입니다. 또, 쓰레기를 뒤지던 강아지의 생각을 듣고 강아지에게 소시지빵을 준 것은 강아지가 배고픈 것을 알고 그냥 지나칠 수 없었기 때문입니다. 즉, 배고픈 강아지를 돕고 싶은 마음에 소시지빵을 준 것으로, 강아지를 만지고 싶어서 빵을 준 것은 아닙니다.

027쪽 오늘의 어휘

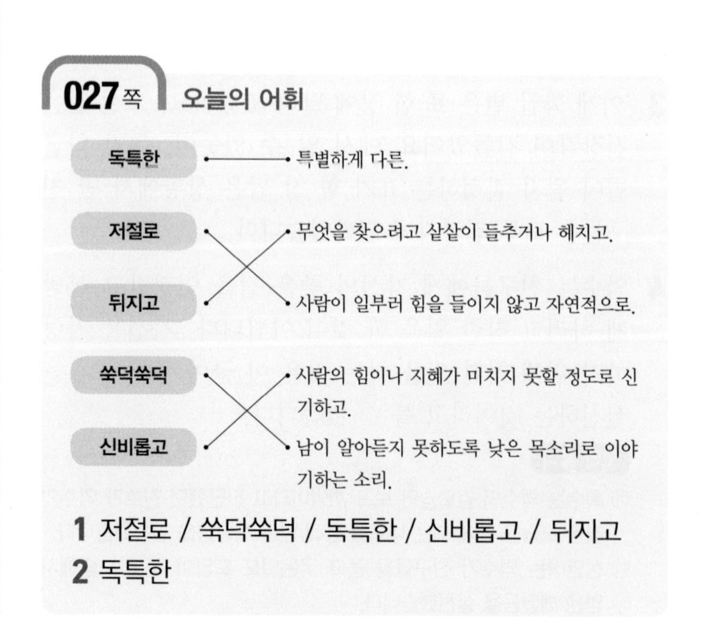

• **글 ❷ 중심 내용** 은지와 선생님의 고민을 들은 만복이는 은지에게 먼저 말을 걸었고, 선생님의 모습을 칭찬해 드렸습니다. 또, 만복이는 자신이 좋아진다는 초연이의 말을 듣고 초연이에게 좋아한다고 말했습니다.

029쪽 지문 독해

1 ⑤ **2** (2) ○ **3** ㉰ **4** ⑤

1 만복이의 부모님은 선생님의 마음속 생각에 언급될 뿐, 실제로 글에 나오지 않습니다.

2 '발 벗고 나서다'는 적극적으로 나서는 행동을 가리키는 말입니다. ㉠에서 만복이는 은지의 고민을 알고 이를 해결해 주고 싶어 은지에게 먼저 말을 걸어 주고 있으므로, 적극적으로 나서는 행동을 한다고 볼 수 있습니다.

유형 공략 / 표현

안타깝거나 다급할 때 '발 구르다'라는 말을 사용하는데, 이처럼 '발'이나 '구르다'와 같은 원래의 뜻과는 다른 새로운 뜻으로 굳어져서 쓰는 표현을 '관용 표현'이라고 합니다. 이러한 표현을 사용하면 짧은 말로 자신의 생각이나 상황을 더욱 쉽게 설명할 수 있습니다. 관용 표현의 뜻은 그것이 사용된 앞뒤 상황이나 내용을 살펴보면 쉽게 알아낼 수 있습니다.

3 만복이는 선생님한테 조용히 다가가서 칭찬의 말을 하였습니다.

오답 풀이

㉮ 만복이는 선생님에게 조용히 다가가서 말했습니다.

㉯ 만복이는 선생님의 고민을 해결해 주기 위해 선생님에게 칭찬의 말을 했을 뿐이며, 초연이에게는 선생님에 대해 이야기하지 않았습니다.

4 초연이의 생각을 알게 된 만복이가 초연이에게 작은 소리로 자신도 초연이를 좋아한다고 말했습니다.

오답 풀이

① 비밀이 소문이 나서 부끄럽고 화가 날 수 있는 상황으로, 초연이의 비밀이 소문이 난 것이 아니므로 초연이가 겪은 일과 관련이 없습니다.

② 놀라고 화가 날 수 있는 상황으로, 초연이가 겪은 일과 관련이 없습니다.

③ 아무도 자신에게 말을 걸어 주지 않는다는 은지의 고민을 듣고 만복이가 은지에게 말을 걸어 줍니다. 따라서 초연이가 아니라 은지가 겪은 일과 비슷한 상황입니다.

④ 질투가 나고 서운할 수 있는 상황으로, 초연이가 겪은 일과 관련이 없습니다.

030쪽 지문 분석

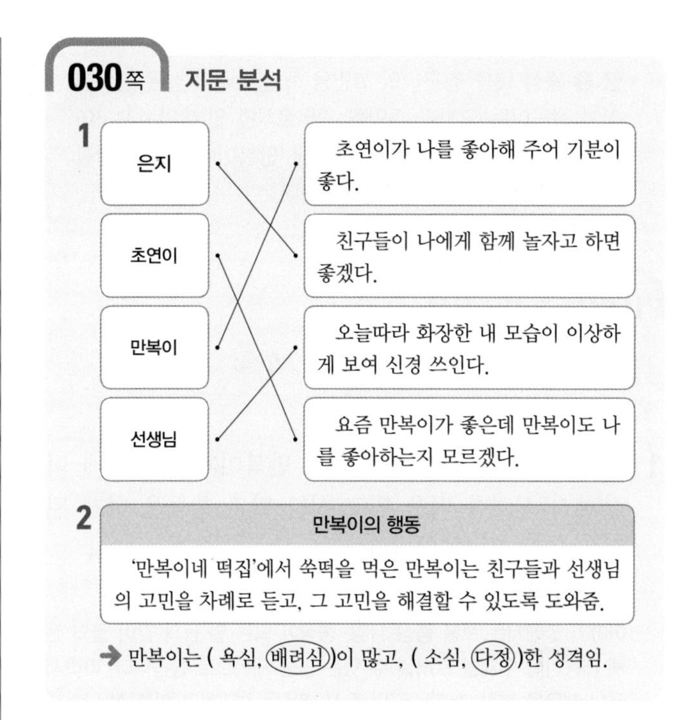

1 이 글에서 쑥떡을 먹은 만복이는 은지, 선생님, 초연이의 생각을 차례대로 알게 됩니다. 은지는 친구들이 자신에게 말을 걸어 놀자고 하기를 바라고 있고, 선생님은 자신의 옷차림과 화장이 마음에 들지 않아 고민합니다. 초연이는 만복이가 좋아져서 만복이도 자신을 좋아했으면 좋겠다고 생각하는데, 그런 초연이의 생각을 알게 된 만복이는 기분이 좋아 하늘로 날아오를 것 같은 기분이 들었습니다.

2 만복이는 친구들과 선생님의 고민을 듣게 되었고, 고민을 해결해 주는 행동을 바로 실천했습니다.

031쪽 오늘의 어휘

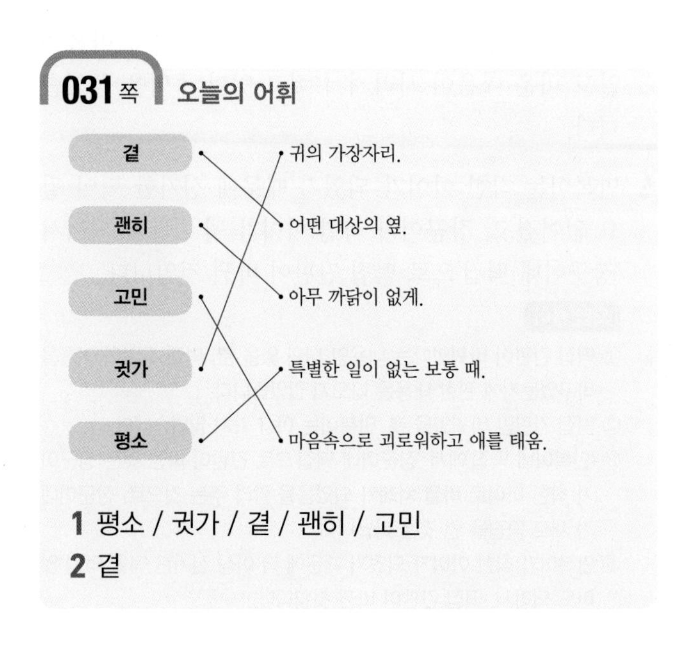

1 평소 / 귓가 / 곁 / 괜히 / 고민
2 곁

• **글 ❸ 중심 내용** 장군이의 고민을 해결해 주고 싶은 만복이에게 장군이는 오히려 주먹을 휘두르지만 만복이는 장군이의 속마음을 듣고 화를 풉니다. 그날 '만복이네 떡집'의 간판은 '장군이네 떡집'으로 바뀌게 됩니다.

033쪽 지문 독해

1 (2) ○ **2** ①, ③ **3** ③ **4** ④

1 이 글은 항상 나쁜 말만 하던 만복이가 '만복이네 떡집'에서 신기한 떡을 먹고 착한 말과 행동을 하게 된 일을 그린 이야기입니다.

유형 공략/중심 내용

이야기 글에서는 보통 중심 글감, 중심이 되는 일 등과 같이 글의 전체 내용이나 주제를 드러낼 수 있는 말을 제목으로 삼습니다. 따라서 글의 제목을 정할 때에는 글의 중심 내용을 정리하고 이를 잘 나타낼 수 있는 글감이나 낱말 등을 찾아보고, 이를 이용해 제목을 만들도록 합니다.

2 만복이는 공부를 못하는 장군이를 진심으로 도와주고 싶어 하였지만, 장군이는 만복이의 진심을 알지 못하고 만복이에게 주먹을 날려 만복이의 코피를 터지게 했습니다.

오답 풀이

② 장군이는 만복이에게 시험 공부를 부탁하지 않았고, 혼자 속으로 공부를 좀 잘하면 좋겠다고 생각했습니다.
④ 장군이가 공부를 못해 고민인 것을 만복이가 알게 된 것입니다.
⑤ 만복이는 집으로 돌아가는 길에 원래 있던 떡집을 바라보았고, 떡집 간판이 '장군이네 떡집'이라고 바뀌어 있었습니다.

3 만복이는 자신의 행동을 후회하는 장군이의 마음을 알고 미운 마음이 사라져서 쥐고 있던 주먹을 풀었습니다.

4 만복이는 착한 아이가 되었기 때문에 신기한 떡이 필요 없어졌고, 장군이가 착한 아이가 될 차례가 되어서 '장군이네 떡집'으로 떡집 간판이 바뀐 것입니다.

오답 풀이

① 떡집 간판이 바뀌었다는 내용만 나와 있을 뿐, 떡집 주인이 이름을 바꾸었는지에 관한 내용은 나오지 않았습니다.
② 떡집 간판만 바뀌었을 뿐, 만복이는 이사 가지 않았습니다.
③ '만복이네 떡집'에서 '장군이네 떡집'으로 간판이 바뀐 것은 장군이가 착한 아이로 바뀔 차례가 되었음을 알려 주는 것으로, 장군이네가 새로 떡집을 연 것은 아닙니다.
⑤ 만복이가 착한 아이가 되었기 때문에 더 이상 신기한 떡을 먹지 않아도 되어서, 떡집 간판이 바뀐 것입니다.

034쪽 지문 분석

1

만복이의 행동	장군이의 행동
장군이에게 (노래, (공부)) 를 가르쳐 주겠다고 말함.	만복이가 잘난 척한다고 생각해 만복이에게 ((주먹), 공책)을 날림.

↓

다툼의 해결
만복이는 장군이가 자신에게 (질투하는, (미안해하는)) 마음을 알게 되어 화를 풀게 됨.

2

중심 내용		교훈
만복이는 '만복이네 떡집'의 떡을 하나씩 먹을 때마다 착한 일을 하고, 주변 사람들의 기분을 좋게 만듦.	→	• 상대방에게 솔직한 사람이 되자. ( ) • 상대방의 입장에서 생각하고 행동하자. (○)

1 장군이는 시험을 잘 볼 수 있게 공부 좀 가르쳐 주겠다고 말한 만복이의 진심을 모르고 만복이가 잘난 척한다고 생각해 주먹부터 날립니다. 만복이는 이런 장군이에게 너무 화가 나서 주먹을 꼬옥 쥐었지만 다시 장군이의 마음을 알게 되어 화를 풉니다.

2 만복이가 '만복이네 떡집'의 신기한 떡을 먹기 전에는 항상 나쁜 말만 했지만, 신기한 떡을 먹은 후에는 착한 말과 행동을 하며 상대방의 말에도 귀 기울이며 배려하는 아이로 변화되었습니다. 이를 생각해 볼 때, 다른 사람의 마음을 잘 헤아리고 행동하자는 교훈을 얻을 수 있습니다.

035쪽 오늘의 어휘

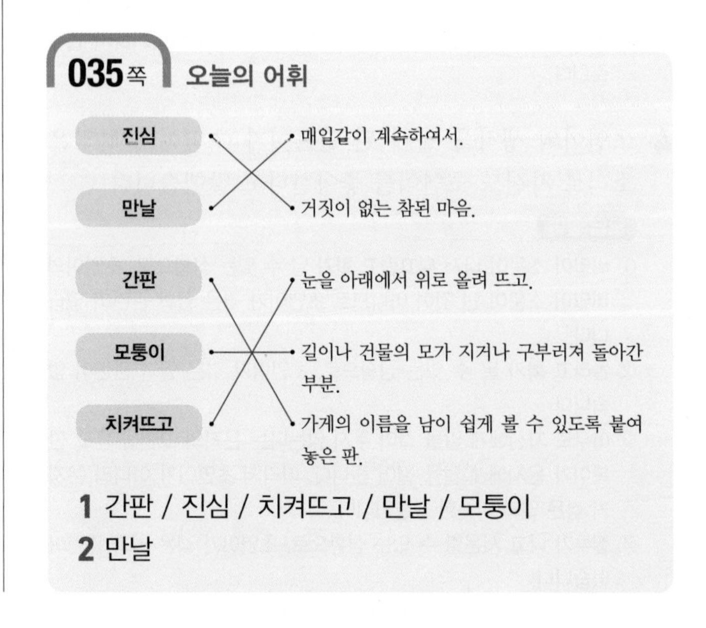

1 간판 / 진심 / 치켜뜨고 / 만날 / 모퉁이
2 만날

- **글의 종류** 창작 동화
- **글의 특징** 비가 오는데 엄마가 우산을 가져다줄 수 없어 학교에 남아 속상해하는 아이들의 마음을 선생님이 위로해 주고 희망을 주는 이야기입니다.
- **글의 주제** 어려운 일을 이겨 내면 좋은 일이 생긴다. 어려운 일이 와도 당당히 맞서자.
- **글 ❶ 중심 내용** 수업 중에 갑자기 비가 내리기 시작했습니다. 수업이 끝난 뒤 현관에는 아이들을 데리러 온 엄마들로 가득했지만 오늘 청소 당번인 소은이는 엄마가 학교에 오실 수가 없다는 것을 알고 있습니다.

037쪽 지문 독해

1 비 **2** ①, ② **3** (1) ㉯ (2) ㉮ **4** ④, ⑤

1 이 글의 제목에서도 알 수 있듯이 '비'가 사건을 이끌어 가는 중심 소재입니다. 그리고 비가 오는 날, 우산도 없는데 엄마가 데리러 올 수 없는 '나'(소은)의 이야기가 펼쳐지고 있습니다.

2 '나'의 이름은 '소은'이고, '오늘은 네가 청소 검사 맡으러 가는 날'이라는 은영이의 말을 통해 '나'는 오늘 청소 검사 맡으러 가야 하는 청소 당번임을 알 수 있습니다.

오답 풀이

③ '내'가 비 오는 날을 좋아하는지는 알 수 없습니다.
④ 할머니가 불러 교실을 나간 사람은 진수입니다.
⑤ 운동장 여기저기 흙탕물이 작은 시내를 이루었다고 하였을 뿐이며, '나'가 흙탕물 놀이를 좋아하는지는 알 수 없습니다.

3 '투두둑, 툭툭' 하며 갑자기 비가 내리기 시작했고, '드르륵' 뒷문이 열렸습니다.

유형 공략/표현

흉내 내는 말은 읽는 사람에게 재미를 주고 글의 내용을 더욱 실감나게 이해할 수 있게 해 줍니다. 사람이나 사물의 소리나 모양, 움직임을 흉내 낸 알맞은 말을 찾아보도록 합니다.

4 '나'는 엄마가 올 수 없다는 것을 알면서도 혹시 자신을 데리러 왔는지 기대했을 것이고, 또 아이들을 데리러 온 엄마들을 보면서 다른 아이들을 부러워하였을 것입니다.

오답 풀이

① '나'는 비를 맞을 생각을 하지 않았습니다.
② '나'는 엄마가 오지 못한다는 것을 알고 있습니다.
③ '내'가 비를 맞으며 집에 혼자 돌아갈 것인지는 알 수 없습니다.

038쪽 지문 분석

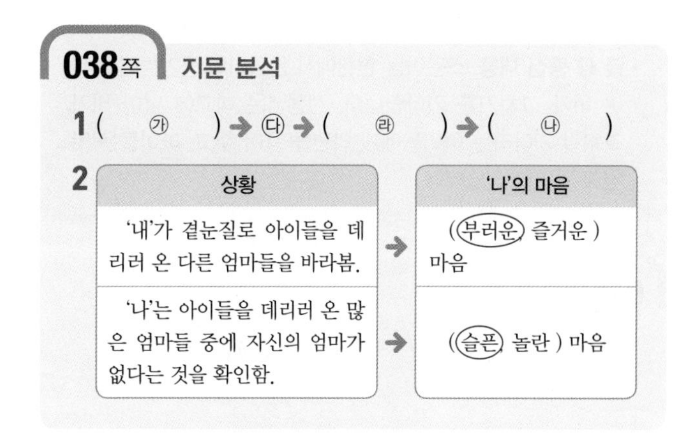
1 (㉮) → ㉰ → (㉱) → (㉯)

2

상황		'나'의 마음
'내'가 곁눈질로 아이들을 데리러 온 다른 엄마들을 바라봄.	→	(부러운, 즐거운) 마음
'나'는 아이들을 데리러 온 많은 엄마들 중에 자신의 엄마가 없다는 것을 확인함.	→	(슬픈, 놀란) 마음

1 학교에 있는데 갑자기 비가 오기 시작한 것이기 때문에 아이들은 대부분 우산이 없습니다. 진수의 할머니가 뒷문을 열고 진수를 부르자 진수가 가장 먼저 교실을 나갔습니다. 그리고 현관에는 엄마를 기다리는 아이들과 아이들을 데리러 온 엄마들로 가득 차 있었습니다. '나'는 엄마가 오지 못한다는 것을 알면서도 혹시나 하는 마음에 엄마들이 있는 현관을 바라보고 엄마가 없는 것을 확인합니다.

2 현관에 아이들을 데리러 온 다른 엄마들을 봤을 때 '나'는 친구들이 부러웠을 것입니다. 하지만, 엄마가 데리러 오지 못하는 상황이므로, '내'가 즐거운 마음을 갖기는 어렵습니다. 그리고 '나'는 엄마가 올 수 없다는 것을 알고 있었지만, 그래도 자신의 엄마가 없다는 것을 다시 확인했을 때는 슬프고 울적했을 것입니다.

039쪽 오늘의 어휘

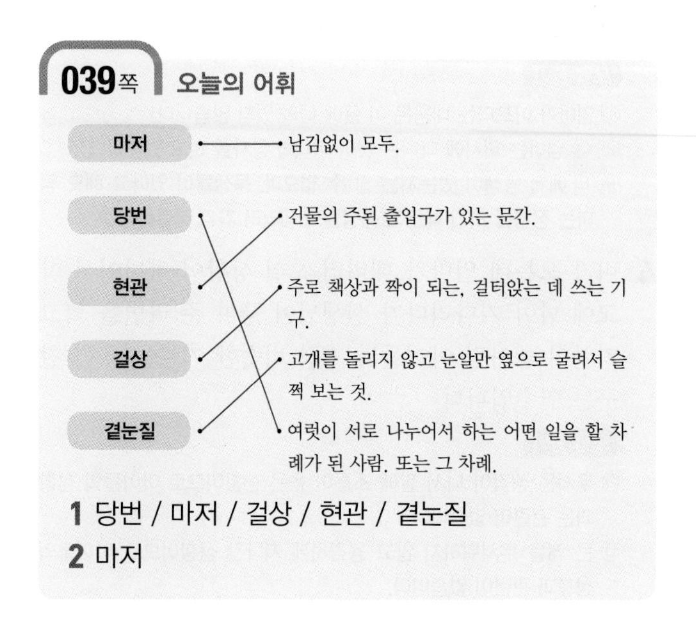

1 당번 / 마저 / 걸상 / 현관 / 곁눈질
2 마저

• **글 ❷ 중심 내용** 소은이는 현관에서 은영이와 공기놀이를 하며 비가 그치기를 기다립니다. 선생님은 학교에 남아 비가 그치길 기다리는 아이들에게 라면을 끓여 주고, 아이들은 맛있게 라면을 먹습니다.

041쪽 지문 독해

1 숙직실 **2** (2) ○ **3** ④ **4** ㉰

1 '나'와 친구들은 학교 현관에서 비가 그치길 기다리다가 선생님이 라면을 끓여 준다고 하여서 숙직실로 이동했습니다.

유형 공략/갈래

하나의 이야기는 한 장소에서만이 아니라 여러 장소로 변화되면서 펼쳐지기도 합니다. 학교, 교실, 읍내, 숙직실과 같이 장소와 관련된 말을 찾아보고 이 중에서 인물들이 구체적으로 행동하거나 대화를 나누는 곳이 어디인지를 뽑아 보면 장소가 어떻게 바뀌었는지 쉽게 알아낼 수 있습니다.

2 아이들은 학교가 끝난 뒤 비가 오는데 우산도 없습니다. 게다가 엄마가 데리러 오지도 못하기 때문에 비가 그치기를 기다리고 있는 상황입니다.

오답 풀이

(1) 아이들은 우산이 없어서 비가 그치길 기다리고 있습니다.
(3) '나'와 은영이가 청소 당번이고 나머지 아이들은 청소 당번은 아닙니다.

3 '내'가 비가 오면 장사도 잘 안 된다고 한 엄마의 말을 떠올리며 걱정하고 있는 것으로 보아 엄마는 장사를 하고 있어서 '나'를 데리러 오지 못하였다는 것을 알 수 있습니다.

오답 풀이

① 엄마가 아프다는 내용은 이 글에 나와 있지 않습니다.
②, ③ 엄마는 회사에 다니는 것이 아니라 장사를 하고 있습니다.
⑤ '나'에게 동생이 있는지는 알 수 없으며, 동생들이 있다고 해도 엄마는 장사를 하기 때문에 동생들도 데리러 가기 어렵습니다.

4 비가 오는데 엄마가 데리러 오실 상황이 아니어서 학교에 남아 기다리다가 선생님이 끓여 준 라면을 먹고 기분이 좋아진 아이들과 가장 비슷한 기분을 느낀 친구는 연수입니다.

오답 풀이

㉮ 무서운 생각이 나서 팔에 소름이 돋은 상황이므로 아이들의 상황과는 관련이 없습니다.
㉯ 큰 개를 무서워하지 않고 용감하게 지나간 상황이므로 아이들의 상황과 관련이 없습니다.

042쪽 지문 분석

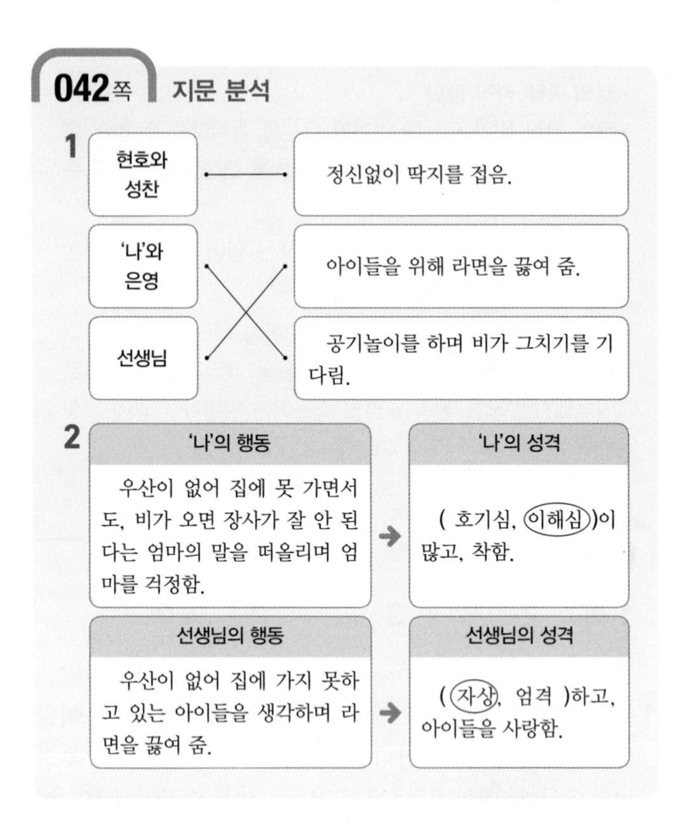

1 현호와 성찬이는 학교에 남아 딱지를 접었고, '나'와 은영이는 공기놀이를 하며 비가 그치기를 기다렸습니다. 그런 아이들을 위해 선생님은 라면을 끓여 주었고, 아이들은 함께 라면을 먹으며 기분이 좋아졌습니다.

2 우산이 없어서 집에 갈 수 없어 속상할 텐데도 엄마를 걱정하는 '나'는 이해심이 많은 아이입니다. 한편, 아이들의 기분을 풀어 주기 위해 맛있는 라면을 끓여 주는 선생님은 아이들을 사랑하는 자상한 인물입니다.

043쪽 오늘의 어휘

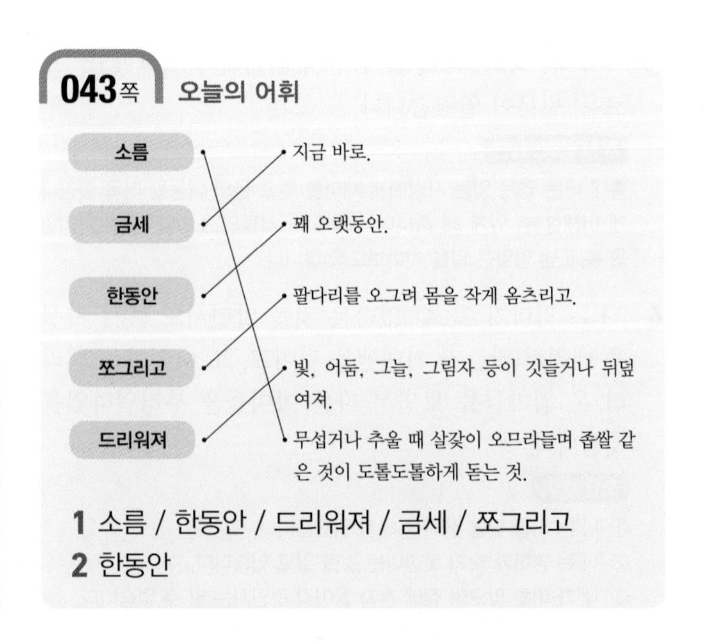

1 소름 / 한동안 / 드리워져 / 금세 / 쪼그리고
2 한동안

• **글 ❸ 중심 내용** 선생님은 아이들에게 비구름 뒤에는 항상 파란 하늘이 있다며 용기를 줍니다. 즐거워진 아이들은 오동나무 잎을 따서 우산처럼 머리에 쓰고 빗속을 신나게 달려 집으로 돌아갑니다.

045쪽 지문 독해

1 ⑤ **2** (1) ○ **3** ④ **4** 성연

1 선생님은 어려운 일을 이겨 내면 좋은 일이 생긴다는 말을 '먹구름 뒤에 늘 파란 하늘이 있다.'라는 말로 빗대어서 표현했습니다.

유형 공략/중심 내용

글에서 글쓴이가 말하고자 하는 중심 생각이 담긴 문장을 파악하고 그 뜻을 이해할 수 있어야 합니다. 글 전체의 중요한 내용을 생각해 보고 핵심 문장에 담긴 뜻이 무엇일지 생각해 봅니다.

오답 풀이

① '비구름 뒤엔 항상 파란 하늘이 있다'는 선생님이 아이들에게 희망을 주기 위해 한 말로, 비가 언제 그칠 것인가를 말해 주기 위해 한 말은 아닙니다.
② 세월과는 관련이 없는 내용입니다.
③ 비구름에 가려진 파란 하늘을 떠올리라는 말이지, 파란 하늘일 때 비구름이 생긴다는 것을 말하고 있는 것은 아닙니다.
④ 선생님이 한 말에서 '비구름'은 힘든 일이나 상황을 뜻한다면, '파란 하늘'은 희망을 뜻합니다. 즉 힘든 상황에서도 희망을 가지라는 말로, 착한 마음을 가지라고 말하고 있는 것은 아닙니다.

2 '고생 끝에 낙이 온다.'는 어려운 일이나 고된 일을 겪은 뒤에는 반드시 즐겁고 좋은 일이 생긴다는 뜻입니다.

오답 풀이

(2) 바늘 가는 데 실 간다: 바늘이 가는 데 실이 항상 뒤따른다는 뜻으로, 사람 사이의 관계가 매우 가깝게 이어져 있음을 이르는 속담입니다.
(3) 소 잃고 외양간 고친다: 일이 이미 잘못된 뒤에는 손을 써도 소용이 없음을 비꼬는 속담입니다.

3 아이들은 잎이 넓은 오동나무 잎을 우산처럼 쓰고 집으로 돌아갑니다.

4 선생님은 희망을 잃지 말자는 뜻으로 '먹구름 뒤엔 항상 파란 하늘이 있다'는 말씀을 하셨습니다.

오답 풀이

지영: 아이들이 즐겁게 집으로 돌아가는 부분은 나타나지만, 아이들이 협동하여 어려운 일을 이겨 내는 내용은 나오지 않습니다.
혜민: 이 글에서는 선생님의 말씀에 위로 받은 아이들의 모습이 나타날 뿐, 좋은 친구인지 아닌지를 알게 되는 내용은 나오지 않습니다.

046쪽 지문 분석

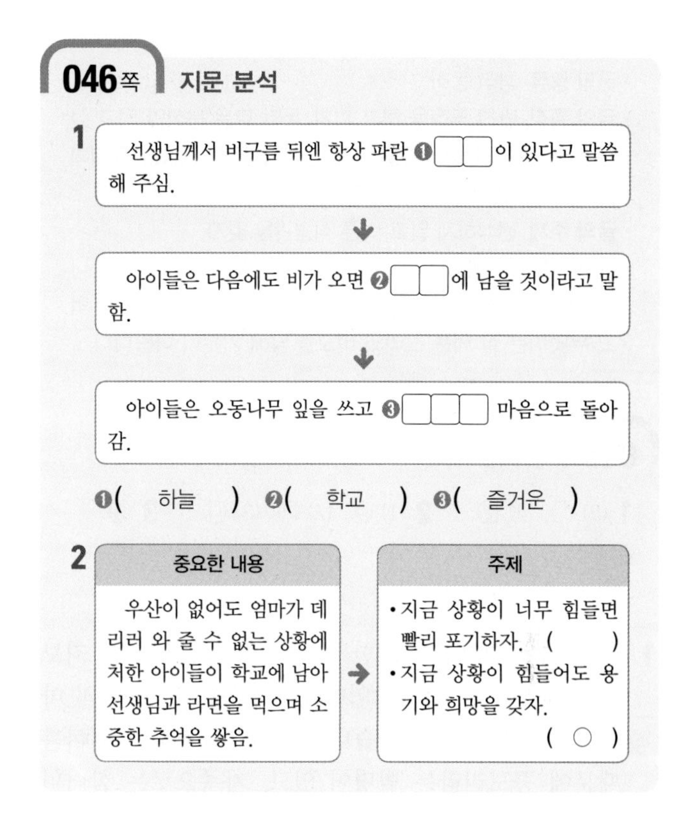

1 선생님은 아이들에게 희망을 잃지 말라는 말을 해 주었고, 기분이 좋아진 아이들은 즐겁게 집으로 돌아갔습니다.

2 아이들은 선생님이 끓여 준 라면을 먹고 선생님의 말을 들으며, 어려운 상황을 이겨 내면 좋은 일이 생긴다는 희망을 얻게 되었습니다. 또 힘든 상황에도 기죽지 않고 당당히 맞서겠다는 자신감도 얻었을 것입니다.

047쪽 오늘의 어휘

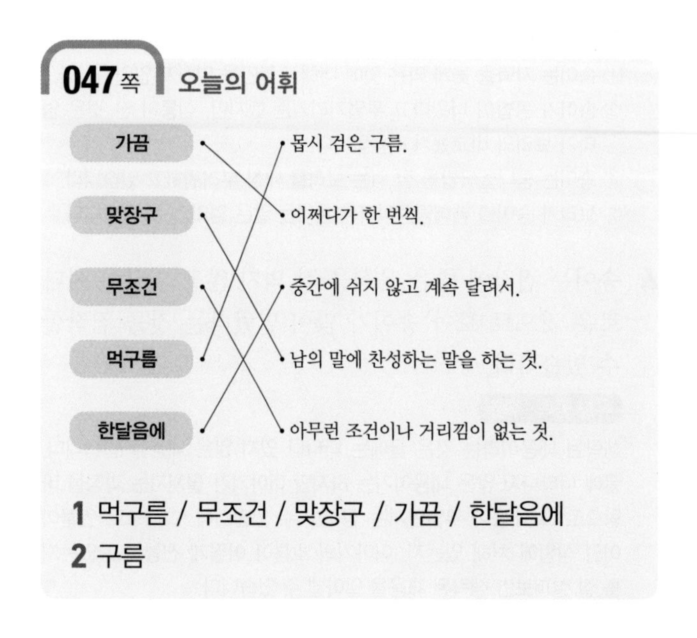

1 먹구름 / 무조건 / 맞장구 / 가끔 / 한달음에
2 구름

- **글의 종류** 창작 동화
- **글의 특징** 반찬 투정을 하고 피자, 통닭 같은 음식만 먹고 싶어 하는 송이의 이야기를 통해 정성이 담긴 건강한 음식의 소중함을 생각해 보게 하는 이야기입니다.
- **글의 주제** 편식하지 말고 바른 식습관을 갖자.
- **글 ❶ 중심 내용** 송이네는 콩나물국밥 식당을 하고 있습니다. 콩나물국밥을 싫어하는 송이는 콩나물국밥을 맛있게 먹고 무엇이든 잘 먹는 보리와 비교를 당해 기분이 나쁩니다.

049쪽 지문 독해

1 (2) ○ (4) ○ **2** (1) ㉯ (2) ㉮ (3) ㉰ **3** ③
4 ㉯

1 이 글에는 최보리에 대한 송이의 생각과 속마음, 최보리와 자신을 비교하는 엄마에게 심통이 난 송이의 마음 등이 잘 나타나 있습니다. 그리고 최보리는 이름 때문에 꽁보리라는 별명이 있고, 가족으로는 할머니와 할아버지가 있다는 내용이 나와 있습니다.

오답 풀이
(1) 송이와 최보리의 대화는 나와 있지 않습니다.
(3) 송이네 식당에서 일어난 일이 펼쳐지고 있습니다.

2 '송송'은 청양고추를 써는 모양을, '보글보글'은 국밥이 끓는 소리를, '후룩후룩'은 반숙 달걀을 들이마시는 소리를 흉내 내고 있습니다.

3 송이는 엄마가 또 보리와 자신을 비교하자 괜히 심통이 났습니다.

오답 풀이
① 송이는 저녁을 늦게 먹은 것에 대해서 불만을 말하지 않았습니다.
② 송이가 콩밥이 나왔다고 투덜거리기는 했지만, 심통이 난 것은 엄마가 보리와 비교했기 때문입니다.
④ 송이는 콩나물국밥을 잘 먹는 보리를 내심 부러워하고 있습니다.
⑤ 보리가 송이를 빼빼땅콩이라 부른다는 말은 엄마가 한 말입니다.

4 송이는 건강에 좋은 음식을 잘 먹지 않고 입맛이 까다로운 것으로 보아 송이가 많이 말랐다는 것을 짐작할 수 있습니다.

유형 공략 / 추론
생략된 내용이라는 것은 글에는 나타나 있지 않은 내용을 말합니다. 글에 나타나지 않은 내용이기는 하지만 이야기가 펼쳐지는 과정을 바탕으로 그 내용이 무엇인지는 짐작할 수 있습니다. 그러므로 인물이 어떤 상황에 처해 있는지, 이야기의 흐름이 어떻게 진행되고 있는지를 잘 살펴보면 생략된 내용을 알아낼 수 있습니다.

050쪽 지문 분석

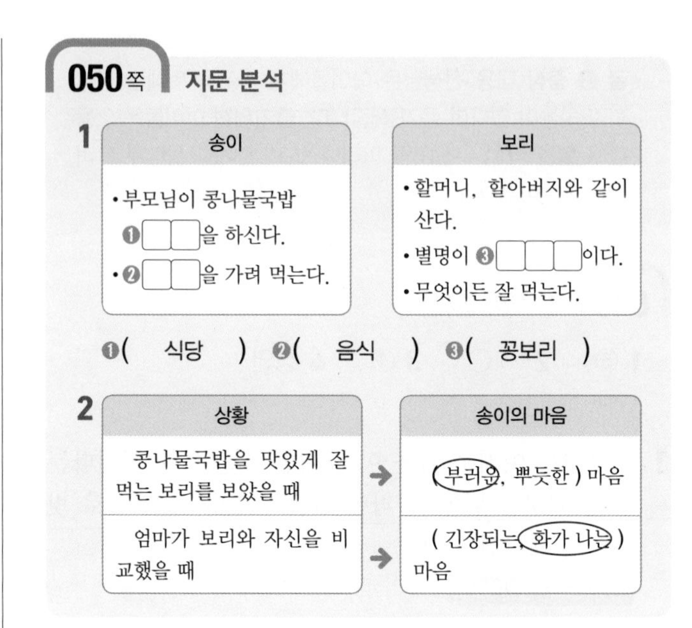

1 송이는 부모님이 콩나물국밥 식당을 운영하고 있으나, 콩나물국밥이나 콩밥 등 싫어하는 음식이 많고 입맛이 까다롭습니다. 이러한 송이와는 다르게 보리는 음식을 가리지 않고 잘 먹습니다. 그리고 보리는 할머니, 할아버지와 같이 살며 별명은 '꽁보리'입니다.

2 송이는 콩나물국밥을 맛있게 잘 먹는 보리를 보고, "흥! 촌스럽기는." 하고 말을 하긴 했지만, 사실은 무엇이든 잘 먹는 보리가 부럽기도 했습니다. 그렇지만 보리와 자신을 비교하는 엄마의 말에는 괜히 심통이 났습니다.

051쪽 오늘의 어휘

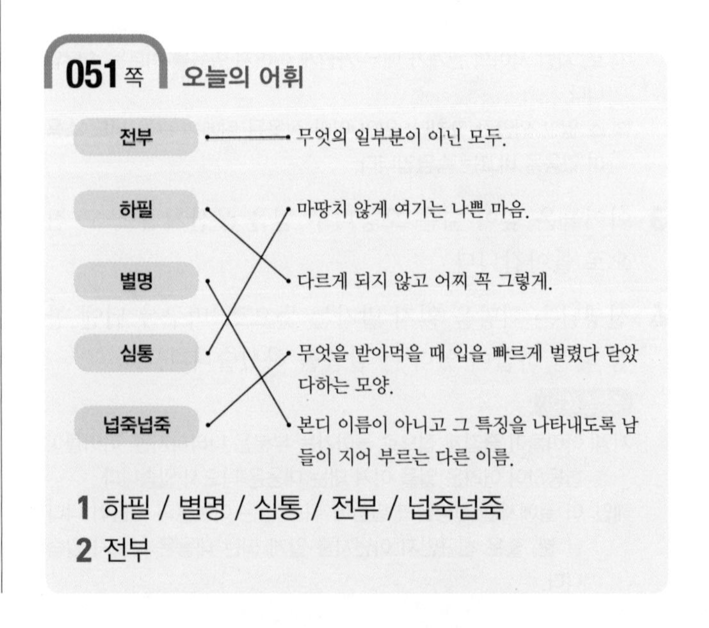

• **글 ❷ 중심 내용** 음식을 골고루 먹지 않던 송이는 감기와 영양실조까지 걸렸습니다. 보리가 송이를 문병 온 다음 날 송이는 할머니가 끓여 준 콩나물 달인 물을 마시고 건강을 되찾고, 처음으로 콩나물국밥에 관심을 갖게 됩니다.

053쪽 지문 독해

1 콩나물, 관심 **2** (3) ○ **3** ③ **4** ㉰

1 감기와 영양실조까지 걸릴 정도로 몸이 약해진 송이는 할머니가 정성스럽게 달인 콩나물 물을 먹고 몸이 나았습니다. 그날 이후 송이는 할머니가 끓인 콩나물국밥에 관심이 생겼습니다.

유형 공략/중심 내용

이야기를 읽으며 가장 중요한 내용을 정리할 수 있어야 합니다. 작가는 중요 내용을 뼈대로 거기에 여러 가지 내용들을 앞뒤로 연결시켜 이야기를 전개해 나가기 때문입니다. 핵심 내용을 잘 이해하면 글의 주제도 쉽게 파악할 수 있습니다.

2 송이는 아픈 자신을 보러 찾아온 보리가 고맙기도 하고, 보리가 건네는 농담에 그동안 보리 때문에 속상했던 마음이 풀려서 피식 웃은 것입니다.

오답 풀이

(1) 송이는 보리가 자신을 걱정해 병문안을 왔다는 것을 알고 있기 때문에, 보리가 한 말도 농담이라는 것을 이해하고 있습니다.
(2) 보리는 송이가 피식 웃은 다음에 씩 웃었습니다. 병실에 들어올 때부터 밝게 웃고 있었던 것은 아닙니다.

3 평소 입이 까다롭고, 건강에 좋은 음식을 잘 먹지 않아 빼빼 마른 송이는 심한 감기와 영양실조에 걸리게 됩니다. 이렇게 아픈 송이를 할머니가 콩나물 달인 물을 먹이며 정성으로 돌봐 주었기 때문에 송이가 나을 수 있었습니다.

오답 풀이

① 송이의 가족들은 송이가 감기와 영양실조에 걸려 아프자 모두 걱정했습니다.
② 송이는 건강에 좋은 음식을 골고루 먹지 않아 영양실조에 걸렸습니다.
④ 보리는 아픈 송이가 걱정되어서 송이를 만나러 병원에 찾아온 것입니다.
⑤ 보리는 송이가 식당에 없으니 콩나물국밥이 맛없고 심심하다고 했습니다.

4 영양실조와 감기로 열이 펄펄 끓을 때 할머니께서 정성껏 달여 주신 콩나물 물을 먹고 나을 수 있었던 송이와 비슷한 경험을 말한 것은 ㉰입니다.

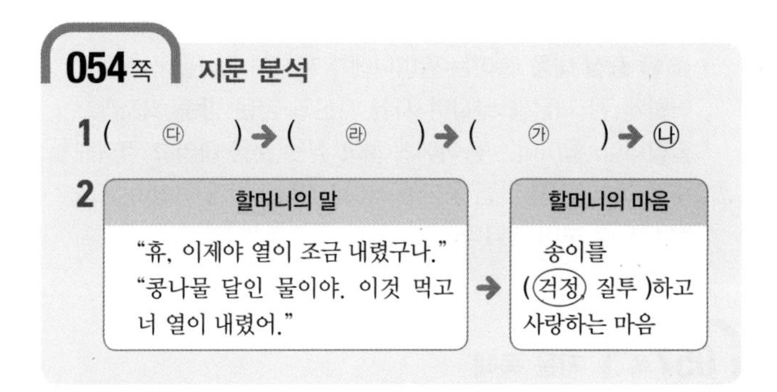

1 송이는 열이 나고 속이 상해 식당에 딸린 방으로 들어가 있었습니다. 할머니가 끙끙 앓고 있던 송이를 발견한 후, 아빠를 찾았습니다. 할머니가 부르는 소리에 방으로 온 아빠는 송이를 들쳐 업고 병원 응급실로 갑니다. 송이가 입원을 한 후, 보리가 아픈 송이를 병문안하기 위해 찾아옵니다. 최보리가 다녀간 뒤 하루가 지나 송이의 열이 조금 내리면서 송이는 자리에서 일어나게 됩니다. 이때 송이는 할머니가 정성으로 달인 콩나물 물을 먹고 열이 내린 것을 알게 됩니다.

2 자리에서 일어난 송이를 보며 할머니는 열이 조금 내렸다고 안도하면서도 송이를 걱정하고 있습니다. 한편, 할머니는 송이의 열을 내리게 하려고 정성으로 달인 콩나물 물을 송이에게 먹입니다. 여기에는 아픈 송이에 대한 걱정과 함께 송이를 낫게 하고 싶은 할머니의 정성과 사랑이 담겨 있습니다.

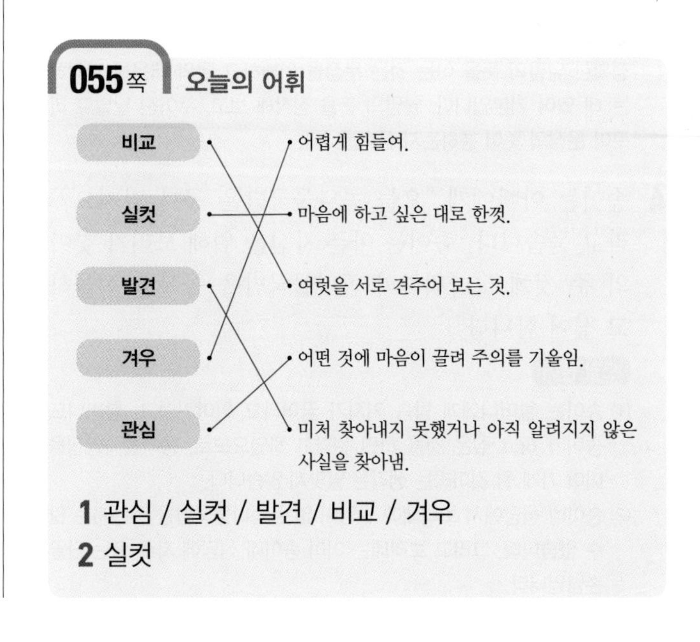

• **글 ❸ 중심 내용** 송이는 할머니에게 자신이 콩나물국밥을 싫어하게 된 까닭을 말하며 사실 자신의 꿈은 방송 기자라고 말합니다. 할머니는 송이에게 하고 싶은 것을 하라고 격려해 주고, 송이는 자기 집 콩나물국밥을 자랑스럽게 여기며 달라진 태도를 보여 줍니다.

057쪽 지문 독해

1 콩나물국밥 **2** ⑤ **3** ④ **4** (3) ○

1 '콩나물국밥'이라는 글감을 중심으로, 송이와 보리가 친해지는 과정, 송이가 콩나물국밥을 좋아하게 되는 과정을 그리고 있습니다.

2 주변 사람들은 송이에게 콩나물국밥집을 이어받으라며 잘 보고 배우라고 했습니다. 방송 기자가 꿈인 송이는 그것이 너무 싫었습니다.

오답 풀이

① 송이가 콩나물 냄새를 싫어하는지는 알 수 없습니다.
② 보리가 콩나물국밥을 좋아해서 송이가 콩나물국밥을 싫어한다는 내용은 이 글에는 나타나 있지 않습니다.
③ 송이가 콩나물국밥을 너무 많이 먹어 질렸다는 내용은 이 글에 나타나 있지 않습니다.
④ 가족들이 콩나물국밥 장사를 하느라 바쁘다는 내용은 나타나 있지 않습니다. 그리고 송이의 가족들은 송이에게 많은 관심을 주고 있습니다.

3 '어리둥절해서'는 '무슨 일인지를 빨리 알아차리지 못해서.'라는 뜻으로, '얼떨떨해서'와 바꾸어 쓸 수 있습니다.

유형 공략/어휘

정확한 낱말의 뜻을 아는 것은 문장을 이해하고 글의 내용을 파악하는 데 있어 기본입니다. 낱말의 뜻을 짐작해 보고, 주어진 낱말로 바꾸어 문상의 뇻이 통하는지 살펴봅니다.

4 송이는 아빠에게 "오늘 콩나물국밥은 공짜 맞지요?"라고 묻습니다. 송이는 아픈 자신을 위해 보리가 찾아와 준 것에 고마워하며 콩나물국밥을 공짜로 선물하고 싶어 합니다.

오답 풀이

(1) 송이는 할머니에게 방송 기자가 꿈이라고 이야기했고, 할머니도 송이가 하고 싶은 것을 하면 된다고 하였으므로, 콩나물국밥집을 이어 가게 될 것이라는 생각은 알맞지 않습니다.
(2) 송이네 식당에서 보리네에게 양이 많은 콩나물국밥을 주는지는 알 수 없습니다. 그리고 보리네는 이미 송이네 식당에 자주 오는 단골 손님입니다.

058쪽 지문 분석

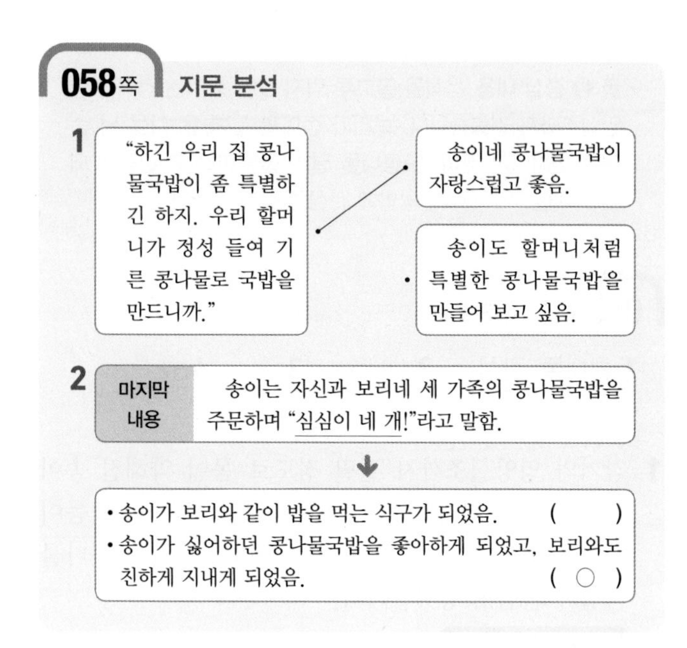

1 송이는 그동안 방송기자가 꿈인데 콩나물국밥집을 이어받으라는 주변 사람들 때문에 콩나물국밥이 너무 싫었습니다. 하지만, 송이가 원하는 것을 하라는 할머니의 말씀을 들은 데다가 할머니가 콩나물을 정성 들여 키우는 것도 알게 되어 콩나물국밥을 자랑스럽게 여기게 되었습니다.

2 보리네 식구는 보리와 할아버지, 할머니 세 명입니다. 평소 콩나물국밥을 먹지 않던 송이가 심심이 네 개를 주문한 것은 자신도 함께 한 그릇을 먹겠다는 뜻입니다. 따라서 이 글의 제목인 '심심이 네 개'는 송이가 콩나물국밥을 좋아하게 되었고, 보리와도 친한 친구가 되었음을 뜻한다고 할 수 있습니다.

059쪽 오늘의 어휘

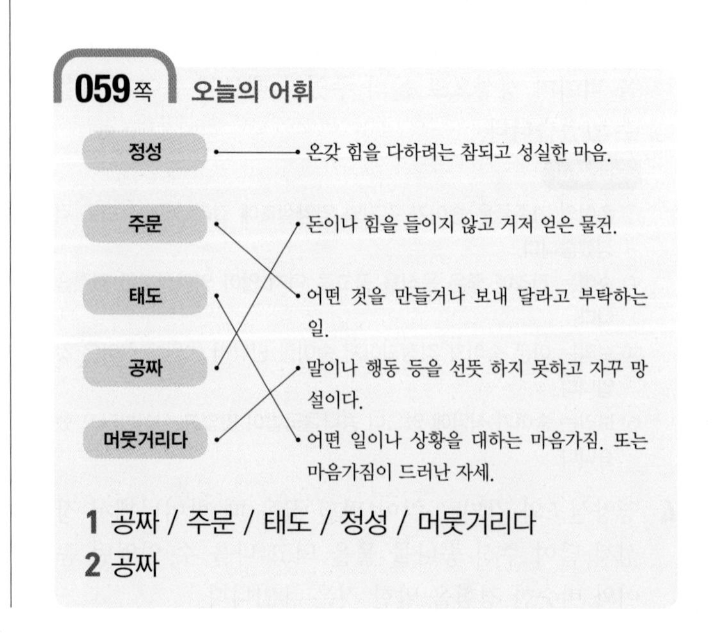

1 공짜 / 주문 / 태도 / 정성 / 머뭇거리다
2 공짜

- **글의 종류** 창작 동화
- **글의 특징** 기발하면서도 우스운 영식이의 꿈 이야기를 통해 학교에서 처음 배우는 것에 대한 설렘과 재미에 대해 생각해 보게 하는 이야기입니다.
- **글의 주제** 글을 배우는 재미에 푹 빠진 초등학교 1학년 아이의 순수함과 설렘.
- **글 ❶ 중심 내용** 올해 초등학교 1학년인 영식이는 글을 배우기 시작하면서 학교가 재미있어집니다. 여기저기에 영식이가 자신의 이름을 쓰고 다니던 어느 날 선생님께서 '박영식' 하고 출석을 부르시는데 한꺼번에 여럿이 '예.'라고 답합니다.

061쪽 지문 독해

1 학교, 교실 **2** (1) ㉮ (2) ㉯ **3** ④ **4** ㉰

1 1학년이 된 영식이가 학교에서 글을 배우기 시작하면서 일어나는 일들이 펼쳐지고 있습니다. 따라서 일이 일어나는 주된 장소는 학교 또는 교실입니다.

2 영식이는 학교에 들어갔는데 유치원에서 배우는 것을 똑같이 배워서 처음에는 지루해하고 실망했습니다. 그러나 글을 배우기 시작하면서 학교가 재미있는 곳이라고 생각하게 되었습니다.

유형 공략 세부 내용

사건이 전개되면서 인물의 마음이 어떻게 변하는지 파악할 수 있어야 합니다. 보통 인물의 마음은 어떠한 사건을 계기로 해서 변하게 되는데, 이 글에서는 영식이가 학교에 들어간 뒤 글자를 배우게 된 일을 계기로 학교에 대한 영식이의 마음이 바뀌게 되었습니다.

3 영식이에게는 자기 이름 '박영식'을 여기저기에 써 놓는 것이 무척 신나고 즐거운 일이었습니다.

오답 풀이

② 영식이는 학교에서 글을 배우기 전에 유치원에서 배운 것을 반복해서 배워서 매우 지루해하였습니다.
③ 영식이가 친구들에게 글자를 가르쳐 주는 내용은 나오지 않습니다.
⑤ 영식이는 글을 배우기 시작하면서 학교에 나가는 것을 좋아했습니다.

4 선생님이 출석을 부르면서 영식이의 이름을 말하자 한꺼번에 여럿이 대답을 했다고 하였으므로 대답한 것이 누구였는지 밝혀지는 내용이 이어질 것임을 짐작할 수 있습니다.

오답 풀이

㉮ 선생님이 영식이의 이름을 부른 것은 출석을 확인하기 위한 것이라는 내용이 이미 글에 나타나 있습니다.
㉯ 영식이가 여러 번 대답한 것이 아니고 영식이가 아닌 다른 여럿이 한꺼번에 대답한 것입니다.

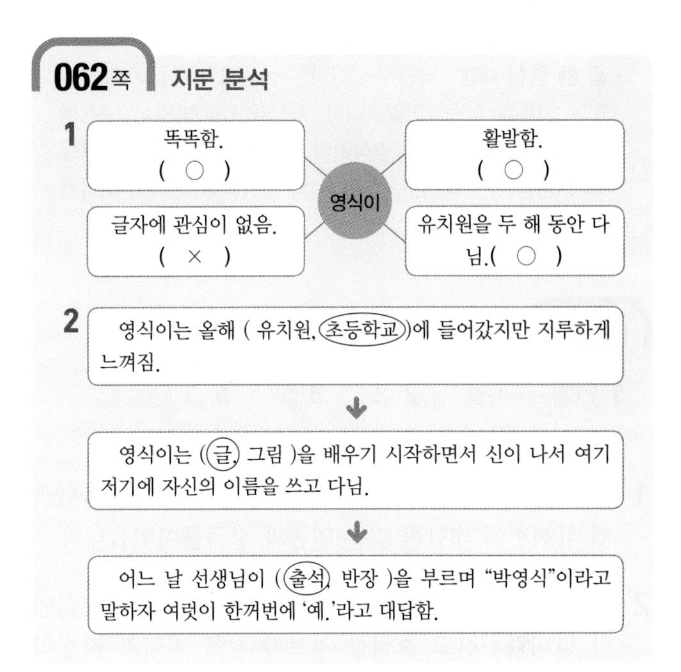

1 영식이는 올해 초등학교 1학년으로 활발하고 똑똑한 아이이며, 두 해 동안이나 유치원을 다녔습니다. 또, 처음에는 학교를 재미없어 하다가 글을 배우면서 학교에 재미를 느끼게 되어, 여기저기에 자기 이름을 쓰고 다녔습니다. 이로 보아 영식이는 글자에 관심이 있었음을 알 수 있습니다.

2 영식이는 올해 초등학교에 입학하여 글을 배우기 시작하면서 재미를 느낍니다. 영식이가 여기저기에 자기 이름을 쓰고 다니던 어느 날, 선생님께서 출석을 부르며 영식이의 이름을 부르자 여럿이 한꺼번에 대답하는 이상한 일이 생깁니다.

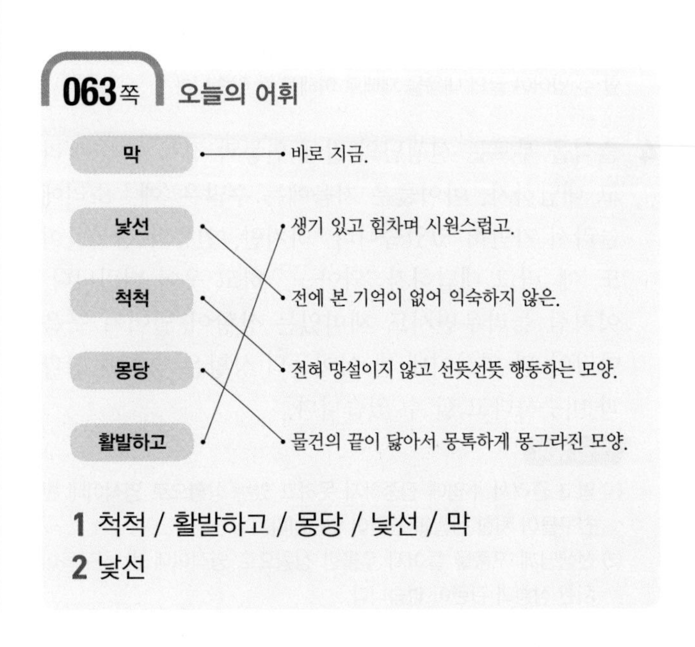

1 척척 / 활발하고 / 몽당 / 낯선 / 막
2 낯선

• **글 ❷ 중심 내용** "박영식-."이라는 선생님의 부름에 대답한 것은 연통과 장독들이었습니다. 자신들에게 '박영식'이란 이름이 쓰여 있으므로 박영식이라고 주장하는 연통과 장독들에게 선생님은 '너희들은 박영식의 박영식이다.'라고 이야기합니다.

065쪽 지문 독해

1 연통, 장독들 **2** ② **3** ⑤ **4** (3) ○

1 선생님이 출석을 부르며 박영식이라는 이름을 불렀을 때 한꺼번에 대답한 것은 연통과 장독들이었습니다.

2 선생님이 연통과 장독들에게 "너희들이 왜 박영식이란 말이냐?"라고 소리를 지르자 장독 하나가 자신의 몸에 '박영식'이라는 글자가 쓰여 있기 때문이라고 대답했습니다.

오답 풀이

① 아이들은 연통과 장독들이 계속 대답을 해서 웃은 것입니다.
③ 선생님은 자꾸 연통과 장독들이 대답을 해서 출석을 여러 번 부른 것입니다.
④ 출석을 부르고 난 뒤에 연통과 장독들이 교실에 늘어서 있었습니다.
⑤ 선생님은 연통과 장독들을 향해 소리를 질렀습니다.

3 ㉠~㉣은 연통과 장독들이고, ㉤은 박영식을 가리킵니다.

유형 공략/표현

'이, 그, 저'와 같이 무엇인가를 가리키는 말을 지시어라고 합니다. 글에서는 지시어를 많이 사용합니다. 지시어를 사용하면 표현이 되풀이되는 것을 줄이고 문장을 짧게 하여 읽는 맛을 살릴 수 있기 때문입니다. 글을 읽으며 이런 지시어들이 가리키고 있는 것이 무엇인지 파악할 수 있어야 글의 내용을 제대로 이해할 수 있습니다.

4 출석을 부르는 선생님의 말에 연통과 장독들이 '예'라고 대답하자, 아이들은 처음에는 수많은 '예.' 소리에 놀라서 가만히 있었습니다. 하지만, 연통과 장독들이 또 '예.'라고 대답하자 "와아—." 하고 웃어 버립니다. 이처럼 놀라우면서도 재미있는 상황이 벌어져 웃음마당이 된 영식이네 반 아이들의 상황은 영주의 상황과 비슷하다고 할 수 있습니다.

오답 풀이

(1) 덥고 졸려서 수업에 집중하지 못하고 있는 상황으로 영식이네 반 친구들이 처한 상황과 관련이 없습니다.
(2) 선생님께 꾸중을 들어서 우울한 상황으로 영식이네 반 친구들이 처한 상황과 관련이 없습니다.

066쪽 지문 분석

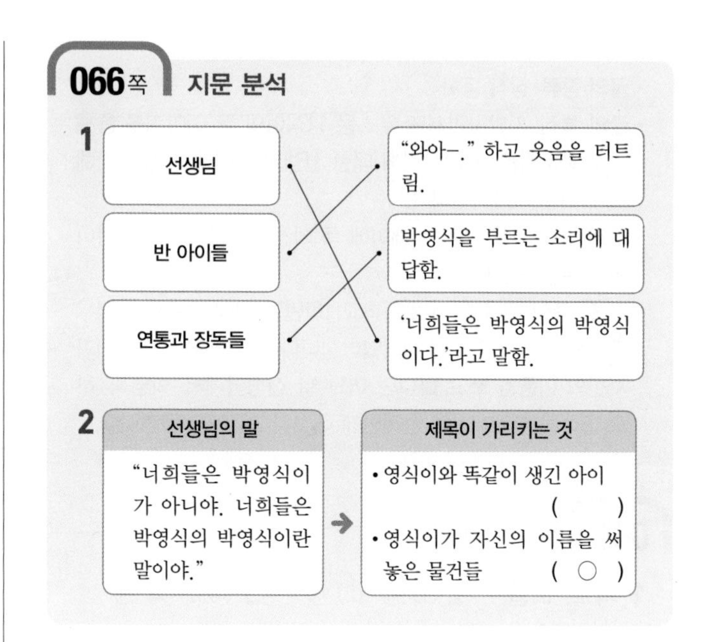

1 연통과 장독들이 박영식을 부르는 소리에 계속해서 대답을 하자 아이들은 그만 웃음이 터져 버리고, 선생님은 화를 내며 연통과 장독들에게 '너희들은 박영식의 박영식이다.'라고 말합니다.

2 선생님이 "너희들이 왜 박영식이란 말이냐?"라고 묻는 말에, 연통과 장독들은 자신들에게 박영식이라는 이름이 쓰여 있기 때문이라고 말합니다. 이에 선생님은 영식이라는 아이는 초등학생 1학년인 사람 박영식 하나밖에 없으며, '너희들은 박영식의 박영식이다.'라고 합니다. 이를 볼 때, '영식이의 영식이'란 영식이가 자기 이름을 써 놓은 물건들을 뜻함을 알 수 있습니다.

067쪽 오늘의 어휘

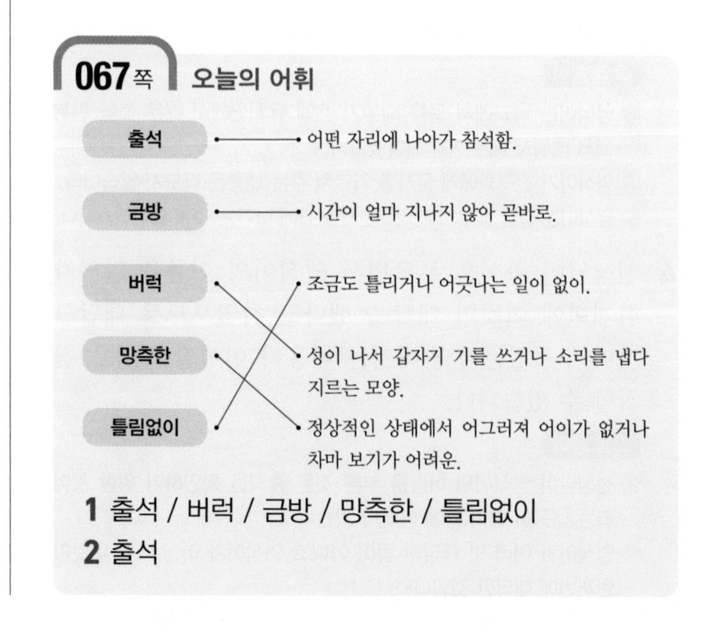

1 출석 / 버럭 / 금방 / 망측한 / 틀림없이
2 출석

• **글 ❸ 중심 내용** 연통과 장독들이 교실을 나가기 시작하는데, 한 아이가 "박영식, 안녕!"이라고 하는 말에 반 아이들의 웃음이 터졌습니다. 그러나 영식이만큼은 웃지 못하고 "조용히 해!" 하고 큰 소리를 질렀는데, 그것은 자기의 잠을 깨우는 소리였습니다.

069쪽 지문 독해

1 ④ **2** 팽이 **3** ④ **4** 경준

1 이 글은 작가의 상상력을 통해 이야기를 만들어 낸 창작 동화입니다.

오답 풀이

① 창작 동화는 대개가 작가가 알려져 있습니다.
② 연극을 하기 위한 대본이 아닙니다.
③ 오래전부터 전해 내려오는 전래 동화가 아닙니다.
⑤ 실제로 있었던 인물에 대한 이야기가 아닙니다.

2 장독과 연통들이 빙글빙글 돌아서 교실 문을 나가는 모습을 '팽이'처럼 빙글빙글 돈다고 빗대어 표현했습니다.

3 영식이는 아이들이 웃을 때마다 자기 때문인 것 같아서 자신에게 화가 나고 죄책감이 들어서 큰 목소리로 조용히 하라고 말한 것입니다.

4 영식이의 영식이, 즉 연통과 장독들이 나타나는 부분은 영식이의 꿈입니다. 꿈에서 영식이는 아이들이 웃을 때마다 이 모든 일이 아무 물건에나 이름을 써 놓은 자신 때문에 벌어진 것이라고 생각하여 자꾸만 가슴이 죄어드는 것 같다고 했습니다.

유형 공략/감상

작품 내용을 잘 이해하고 감상한다는 것은 인물이 어떤 상황에서 어떤 생각을 하고 어떤 마음을 가졌는지를 정확하게 이해하고, 이야기가 어떻게 펼쳐지는지, 그리고 주제는 무엇인지를 잘 파악하는 것을 말합니다. 따라서 감상을 제대로 한 사람인지를 판단하기 위해서는 먼저 작품 속 인물이 처한 상황, 사건 전개, 주제 등을 파악하는 것이 중요합니다.

오답 풀이

혜림: 영식이도 출석했고, 영식이의 영식이(연통과 장독들)도 출석한 상황이므로 영식이의 영식이가 영식이를 대신해서 출석한 것은 아닙니다.
상준: 영식이의 영식이가 나가는 것을 반 친구들이 본 것은 꿈속 상황이고, 영식이가 잠을 깬 것은 현실의 상황입니다. 따라서 반 친구들이 장독과 연통이 나간 것을 영식이에게 알려 주려고 영식이를 깨운 것이라고 볼 수 없습니다.

070쪽 지문 분석

1 (㉯) → ㉮ → (㉱) → (㉰)

2

마지막 내용		결말의 의미
영식이는 화가 난 목소리로 "조용히 해!"라고 큰 소리를 질렀으나 그것은 자기의 잠을 깨우는 소리였음.	→	영식이가 겪은 신기한 일은 모두 영식이의 (꿈, 책, 상상) 속에서 일어난 일이었음.

1 선생님이 연통과 장독들에게 제자리로 돌아가라고 말하자 연통과 장독들은 빙글빙글 돌며 돌아갑니다. 이때 한 아이가 "박영식, 안녕!"이라고 작별 인사를 하자 아이들이 웃는데, 화가 난 영식이가 조용히 하라고 소리를 지르다가 잠에서 깨어납니다.

2 출석을 부르는 선생님의 말에 연통과 장독들이 대답을 하거나, 사람처럼 말을 하는 것은 현실에서는 일어나기 어려운 일입니다. 이 글에서는 연통과 장독들이 선생님의 질문에 꼬박꼬박 대답하고, 제자리로 돌아가라는 말에 팽이처럼 빙빙 돌면서 교실 문을 나가는 신기한 일이 벌어집니다. 그리고 "박영식, 안녕!"이라는 한 아이의 말에 아이들의 웃음소리가 터지고 영식이는 "조용히 해."라고 소리치는데, 이 소리는 영식이가 '자기의 잠을 깨우는 소리'라고 하였습니다. 이로 보아 영식이가 교실에서 겪은 이상한 일은 모두 꿈 속에서 벌어진 일이었음을 알 수 있습니다.

071쪽 오늘의 어휘

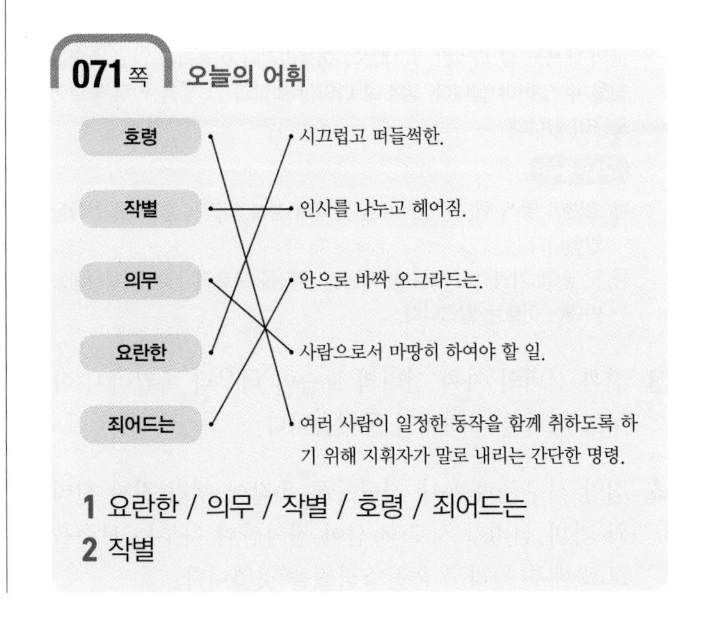

1 요란한 / 의무 / 작별 / 호령 / 죄어드는
2 작별

- **글의 종류** 전래 동화
- **글의 특징** 손톱을 아무 데나 버려서 그 손톱을 먹은 들쥐가 자신과 똑같은 모습으로 둔갑하여 어려움을 겪는 선비의 이야기입니다.
- **글의 주제** 작은 일 하나에도 게으름을 피우지 말고 몸가짐을 깨끗하게 하자.
- **글 ❶ 중심 내용** 절에서 글공부를 하던 선비가 손톱을 깎아서 아무 데나 버리자 들쥐가 그것을 먹고 선비와 똑같은 모습으로 변합니다. 3년 뒤 진짜 선비가 집으로 돌아왔을 때 가짜 선비가 주인 노릇을 하고 있었고, 사람들은 누가 진짜인지 가려내지 못했습니다.

073쪽 지문 독해

1 (3) ○ **2** ㉯ **3** 모습 **4** ③

1 산속의 절에서 선비가 버린 손톱을 들쥐가 먹은 일이 벌어졌고, 삼 년 뒤 선비가 집으로 돌아왔을 때 가짜 선비가 주인 노릇을 하고 있는 일이 벌어졌습니다.

오답 풀이

(1) '어느덧 세월이 흘러 삼 년이 지났어.'와 같은 부분에서 시간의 흐름을 알 수 있습니다.

(2) 등장인물은 선비뿐만 아니라 스님, 가짜 선비, 집안 식구들 등 여러 명입니다.

2 가짜 선비는 진짜 선비에게 오히려 자신이 진짜라며 우기고 있습니다. 이런 상황에 어울리는 속담은 '잘못을 저지른 쪽에서 오히려 남에게 성낸다.'는 뜻의 ㉯입니다.

유형 공략/어휘

글의 내용을 잘 파악한 후 내용에 어울리거나 어울리지 않는 속담을 찾을 수 있어야 합니다. 평소에 다양한 속담과 그 뜻을 익혀 놓으면 도움이 됩니다.

오답 풀이

㉮ 고양이 앞에 쥐: 무서운 사람 앞에서 설설 기면서 꼼짝 못 한다는 말입니다.

㉱ 낫 놓고 기역자도 모른다: 사람이 글자를 모르거나 아주 무식함을 빗대어 이르는 말입니다.

3 진짜 선비와 가짜 선비의 모습이 너무나 똑같아서 아무도 진짜를 가려내지 못했습니다.

4 집안 식구들과 동네 사람들은 똑같이 생긴 진짜 선비와 가짜 선비가 서로 자신이 진짜라며 다투는 모습을 보고 매우 놀라고 혼란스러웠을 것입니다.

074쪽 지문 분석

1

선비가 무심코 버린 ((손톱), 발톱)을 들쥐가 먹어 치움.

↓

선비가 (절, (집))에 돌아오니 자신과 똑같이 생긴 사람이 주인 행세를 하고 있음.

↓

사람들은 누가 (들쥐, (진짜 선비))인지 아무도 가려내지 못함.

2

상황	선비의 마음
자신이 버린 손톱을 들쥐가 먹어 치우는 것을 봄.	억울하고 황당함.
집안 식구들과 동네 사람들이 진짜 선비와 가짜 선비를 구별하지 못함.	재미있고 신기함.

1 절에서 글공부를 하다 3년 만에 집으로 돌아온 진짜 선비는 자신과 똑같이 생긴 사람이 주인 행세를 하고 있는 것을 보게 됩니다. 진짜 선비와 가짜 선비가 서로 자기가 진짜라며 다투는데, 집안 식구들과 동네 사람들은 선뜻 진짜를 가려내지 못합니다.

2 선비는 무심코 버린 손톱을 들쥐가 쪼르르 와서 먹어 치우는 것이 재미있어서 손톱을 깎을 때마다 손톱을 툇마루에 내놓았습니다. 이후 집에 돌아온 진짜 선비는 사람들이 자신과 가짜 선비를 구별하지 못하는 것에 억울하고 황당하며 곤란했을 것입니다.

075쪽 오늘의 어휘

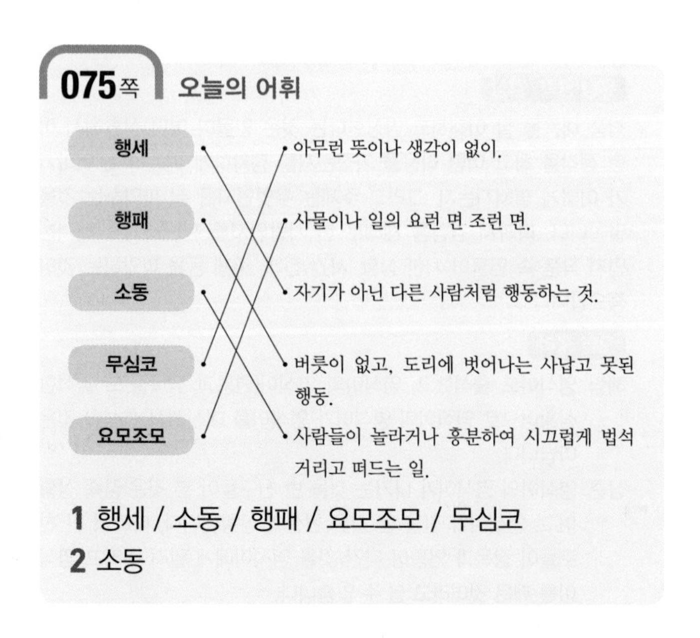

1 행세 / 소동 / 행패 / 요모조모 / 무심코

2 소동

• **글 ❷ 중심 내용** 원님은 누가 진짜인지 가리기 위해서 집 안에 있는 물건의 수를 물어봅니다. 오랫동안 집을 비워 집안의 물건에 대해 전혀 알지 못했던 진짜 선비는 가짜로 몰려 집에서 쫓겨나고, 스님을 만나 해결 방법을 전해 듣습니다.

077쪽 지문 독해

1 들쥐 **2** ⑤ **3** ① **4** ㉯

1 들쥐가 진짜 선비의 손톱을 먹고 가짜 선비로 둔갑한 것이었습니다.

2 ㉠'이 둘'은 가짜 선비와 진짜 선비를 가리킵니다.

3 원님의 판결로 진짜가 가짜가 되고, 가짜가 진짜가 되면서 진짜 선비가 집에서 쫓겨났으므로 진짜 선비가 원님의 판결에 만족하기는 어렵습니다.

오답 풀이

② 진짜 선비는 삼 년 동안 절에서 공부를 하느라고 집을 비웠기 때문에 집 안의 물건에 대해 정확하게 알 수 없었습니다.

③ 원님은 진짜 선비와 가짜 선비에게 집 안에 있는 물건의 수를 물어보았습니다.

④ 가짜 선비는 밥그릇과 수저의 수를 정확하게 말했습니다.

⑤ 원님은 가짜 선비와 진짜 선비가 너무 똑같아서 누가 진짜인지를 알 수 없어서 집 안 물건의 수를 묻는 방법으로 진짜를 찾으려고 했습니다.

4 스님은 진짜 선비의 이야기를 듣고는 들쥐가 선비의 손톱을 먹고 가짜 선비로 둔갑한 것을 알게 됩니다. 그래서 들쥐에게 위협이 되는 고양이를 진짜 선비에게 주며 들쥐 앞에다 풀어 놓으라고 말합니다. 스님이 이러한 해결 방법을 말한 것은 고양이가 가짜 선비인 들쥐를 위협하면 들쥐가 자신의 정체를 드러낼 것이라 생각했기 때문이라고 짐작할 수 있습니다.

유형 공략 / 감상

이야기 속 인물들의 행동에는 어떤 의도가 담겨 있기 때문에 글을 읽을 때 이 의도를 파악해야 글의 내용을 제대로 이해할 수 있습니다. 의도란 왜 그러한 행동을 했는지 그 까닭에 해당하므로, 인물의 행동한 까닭이 무엇일지 앞뒤 내용을 바탕으로 짐작해 보도록 합니다.

오답 풀이

㉮ 진짜 선비는 집에서 쫓겨나 이곳저곳을 떠돌다가 갈 곳이 없어 다시 절을 찾아간 것입니다. 들쥐가 가짜 선비로 둔갑한 것과 문제 해결 방법을 진짜 선비가 알게 된 것은 절을 찾아간 후의 일입니다.

㉰ 원님은 진짜 선비가 삼 년 동안 절에 있었다는 것을 알지 못했기 때문에, 가짜 선비와 진짜 선비를 가려내기 위해 집 안의 물건 수를 물어본 것이었습니다.

078쪽 지문 분석

1

일이 일어난 장소	일어난 일
❶□□	진짜 선비가 원님이 낸 문제를 맞히지 못해 가짜로 몰려 쫓겨나게 됨.
❷□	스님이 진짜 선비에게 가짜 선비의 정체를 밝히고, 일을 해결할 방법을 알려 줌.

❶(관가) ❷(절)

2

상황		진짜 선비의 마음
가짜로 몰려 집에서 쫓겨남.	➔	((억울한), 후회하는) 마음
스님에게서 해결 방법을 들음.	➔	(무서운, (희망적인)) 마음

1 첫 번째 일이 일어난 장소는 진짜 선비와 가짜 선비를 가려내는 판결이 이루어진 관가입니다. 그리고 두 번째 일이 일어난 장소는 진짜 선비가 스님에게 가짜 선비의 정체와 문제 해결 방법을 듣게 되는 절입니다.

2 삼 년 동안 집을 떠나 절에서 글공부만 한 선비는 집의 물건 수를 전혀 알 수 없었기에 가짜로 몰립니다. 진짜 선비는 자신이 진짜인데 가짜로 몰려서 정말 억울했을 것입니다. 하지만 자신의 손톱을 먹은 들쥐가 가짜 선비가 된 것을 모르고 있으므로, 자신의 잘못을 뉘우치는 후회를 한다고 볼 수 없습니다. 한편, 진짜 선비는 스님을 찾아갔다가 가짜 선비의 정체를 알게 되고 해결 방법을 듣게 되어 마음이 놓였을 것입니다.

079쪽 오늘의 어휘

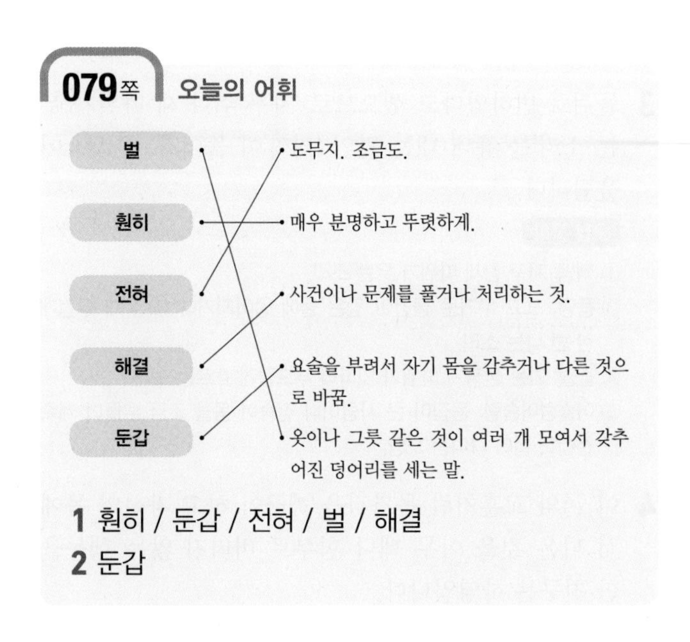

1 훤히 / 둔갑 / 전혀 / 벌 / 해결
2 둔갑

• **글 ❸ 중심 내용** 집에 다시 온 진짜 선비를 내쫓으라며 화를 내던 가짜 선비는 고양이를 보자 도망가기 시작하고, 곧 들쥐로 변해 멀리멀리 도망갑니다. 그 후로 선비는 손톱을 깍으면 아무 데나 버리지 않았습니다.

081쪽 지문 독해

1 (1) ㉯ (2) ㉮ **2** ⑤ **3** ② **4** (3) ○

1 진짜 선비가 꺼내 놓은 고양이를 보고 가짜 선비가 도망가다가 들쥐로 변하면서, 그동안의 문제 상황이 모두 해결되고 누가 진짜 선비인지 모든 사람들이 알게 됩니다.

2 식구들은 그동안 가짜 선비를 진짜 선비로 알고 집 안에 들여놓고, 진짜 선비를 가짜 선비로 몰아 내쫓았던 것임을 알고 어처구니가 없었습니다.

유형 공략/세부 내용
글의 내용과 맞는 것을 고르는 문제, 글의 내용과 맞지 않는 것을 고르는 문제가 자주 나옵니다. 이러한 문제를 풀기 위해서는 누가 어떤 상황에서 어떤 행동을 하였고, 시간의 흐름에 따라 사건이 어떻게 펼쳐지고 있는지를 정확하게 파악할 수 있어야 합니다.

오답 풀이
① 가짜 선비는 고양이를 보고 놀라 들쥐로 변했습니다.
② 가짜 선비는 집으로 돌아온 진짜 선비를 보고 두 눈을 부릅뜨고 펄펄 뛰며 화를 냈습니다.
③ 들쥐가 가짜 선비로 둔갑하게 된 사연을 알게 된 식구들은 진짜 선비와 마찬가지로 손톱을 깎으면 잘 모아서 불태웠습니다.
④ 집안 식구들과 하인들에게 호령을 하고 다닌 것은 가짜 선비입니다. 진짜 선비가 집으로 돌아온 후 호령을 하고 다녔는지는 이 글에 나와 있지 않습니다.

3 들쥐로 변하였다고 했으므로 '자꾸 쥐나 새 따위가 우는 소리'를 흉내 내는 말인 '찍찍'이 들어가는 것이 어울립니다.

오답 풀이
① 짹짹: 자꾸 참새 따위가 우는 소리.
③ 풍덩: 크고 무거운 물건이 깊은 물에 떨어지거나 빠질 때 무겁게 한 번 나는 소리.
④ 졸졸: 가는 물줄기 따위가 잇따라 부드럽게 흐르는 소리.
⑤ 어슬렁어슬렁: 몸집이 큰 사람이나 짐승이 몸을 조금 흔들며 계속 천천히 걸어 다니는 모양.

4 이 글의 교훈처럼 몸가짐을 깨끗이 하고 자신의 몸에서 나온 것을 아무 데나 함부로 버리지 않는 행동을 한 친구는 하영입니다.

082쪽 지문 분석

1 (㉱) → ㉮ → (㉯) → (㉰)

2

중요한 내용		주제
선비가 자신의 손톱을 먹고 자신과 똑같은 모습으로 둔갑한 들쥐 때문에 어려움을 겪은 뒤에는 손톱을 깎으면 항상 깨끗이 불태워 버림.	→	• 어려운 상황이 일어나기 전에 미리미리 준비하자. ( ) • 손톱을 버리는 작은 일 하나에도 게으름을 피우지 말고 몸가짐을 깨끗이 하자. (○)

1 진짜 선비가 집으로 돌아왔을 때 가짜 선비는 여전히 주인 노릇을 하며 진짜 선비를 내쫓으려고 합니다. 진짜 선비가 고양이를 꺼내 놓자 도망가던 가짜 선비는 들쥐로 변하고, 그 모습을 본 사람들은 그동안 들쥐가 선비의 모습으로 둔갑하여 선비 행세를 했던 것을 알게 됩니다.

2 손톱을 잘못 버린 작은 실수 때문에 큰 고난을 겪은 선비의 이야기를 통해 작은 일 하나에도 게으름을 피우지 말고 몸가짐을 깨끗하게 하자는 주제를 전하고 있습니다. 그런데 선비는 들쥐가 자신의 손톱을 먹고 자신과 똑같은 모습으로 둔갑해 어려운 상황을 겪기는 했지만, 이것은 미리 예상하고 대비할 수 있는 일이 아니므로 여기서 어려운 상황이 오기 전에 미리 준비해야 한다는 주제를 이끌어 내기는 어렵습니다.

083쪽 오늘의 어휘

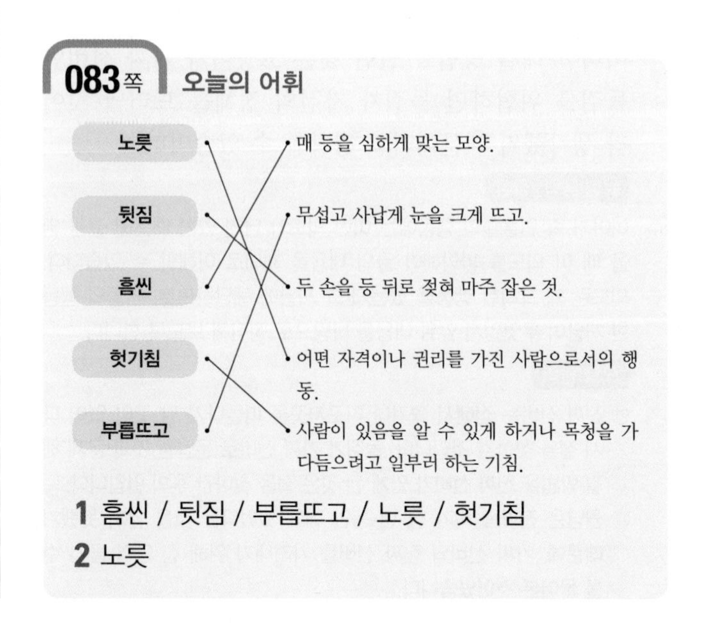

1 흠씬 / 뒷짐 / 부릅뜨고 / 노릇 / 헛기침
2 노릇

- **글의 종류** 전래 동화
- **글의 특징** 개와 고양이가 주인의 은혜를 갚기 위해 주인이 잃어버린 구슬을 되찾는 과정에서 서로 다투어 사이가 나빠지게 되었다는 내용으로, 개와 고양이의 사이가 좋지 않게 된 유래를 전하고 있습니다.
- **글의 주제** 은혜를 베풀면 그 보답을 받게 되고 착한 일을 하면 복을 받는다.
- **글 ❶ 중심 내용** 가난한 할아버지는 눈물을 흘리는 잉어를 놓아주었는데, 그 잉어는 용왕님의 아들인 왕자였습니다. 용왕님은 보답으로 할아버지를 용궁으로 초대합니다. 용궁에 간 할아버지는 파란 구슬을 얻어 큰 부자가 됩니다.

085쪽 지문 독해

1 아들 **2** ⑤ **3** ② **4** ⑤

1 할아버지가 불쌍해서 놓아준 잉어는 사실 용왕님의 아들이었습니다.

2 할아버지가 목숨을 살려 준 잉어는 용왕님의 아들인 왕자였습니다. 용왕님은 그 은혜에 보답하고자 할아버지를 용궁에 초대했습니다.

오답 풀이

① 할아버지는 잉어를 잡았다가 놓아주었습니다.
② 할아버지는 용왕님이 아닌 잉어의 목숨을 살려 주었습니다.
③ 할아버지에게 진귀한 음식을 대접한 사람은 용왕님입니다.
④ 할아버지가 용궁에 가고 싶다고 한 것이 아니라, 용왕님이 보답하기 위해 초대한 것입니다.

3 할아버지가 용왕님에게 얻은 파란 구슬은 원하는 것은 무엇이든지 주는 마법의 구슬이었습니다.

유형 공략 / 세부 내용

글에서 중심 소재는 이야기를 펼쳐 나가는 데 중요한 역할을 합니다. 갈등을 일으키거나 해소하는 역할을 하며, 인물의 마음이나 성격을 드러내기도 하고, 또 사건과 사건을 연결해 주기도 합니다. 중심 소재가 인물이나 사건에 어떤 영향을 주는지를 잘 살펴보면 소재의 의미와 역할도 함께 알 수 있습니다.

4 할아버지는 겸손한 성격이기 때문에 용왕님의 초대를 몇 번 사양하다가 결국 용궁으로 간 것입니다.

오답 풀이

② 할아버지가 잉어를 살려 준 착한 일을 해서 복을 받았습니다.
③ 잉어는 자신을 살려 준 할아버지를 모른 척하지 않고 할아버지가 부자가 될 수 있도록 도우며 은혜를 갚았습니다.
④ 잉어가 사람처럼 말하고 젊은이로 변신도 합니다. 이것이 가능한 것은 잉어가 용왕님의 아들이라는 특별한 인물이기 때문입니다.

086쪽 지문 분석

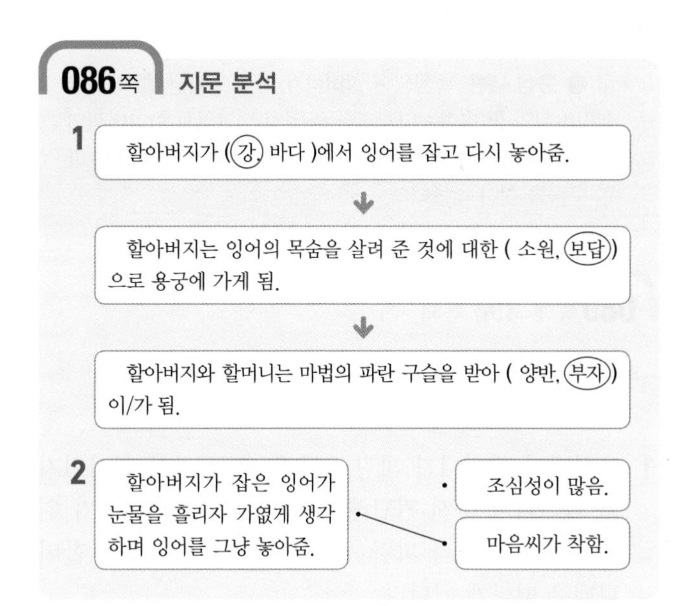

1 가난한 할아버지는 강에서 잉어를 잡았다가 잉어가 눈물을 흘리자 다시 놓아줍니다. 이 잉어는 용왕님의 아들이었습니다. 그래서 용왕님은 자신의 아들인 잉어의 목숨을 살려준 할아버지를 용궁으로 초대하고, 할아버지에게 원하는 것은 무엇이든지 주는 마법의 파란 구슬을 주었습니다. 이 구슬을 받은 할아버지와 할머니는 부자가 됩니다.

2 가난해서 먹을 것이 부족하지만, 할아버지는 눈물을 흘리는 잉어를 가엾게 여겨 놓아주는 착한 마음씨를 지녔습니다. 그런데 잉어를 놓아주는 할아버지의 행동은 착한 마음씨를 보여 줄 뿐, '잘못이나 실수가 없도록 말이나 행동에 마음을 쓰는 성질이나 태도'를 뜻하는 조심성에 관한 성격과는 관련이 없습니다.

087쪽 오늘의 어휘

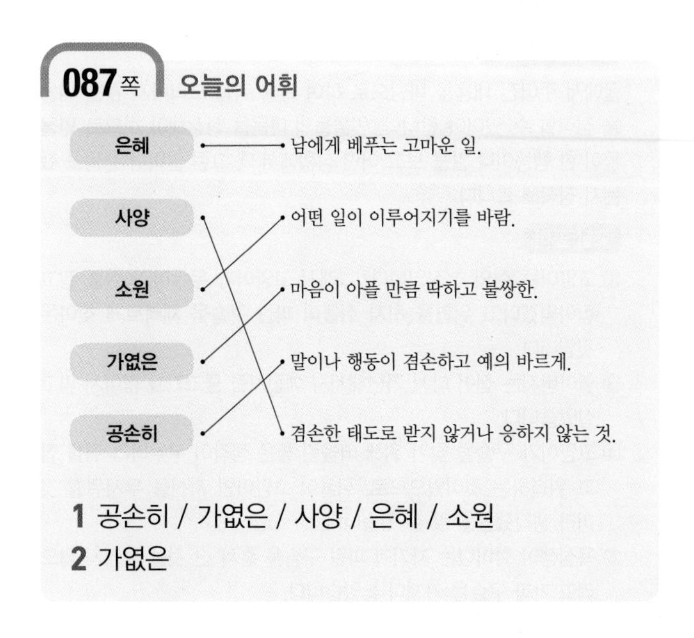

1 공손히 / 가엾은 / 사양 / 은혜 / 소원
2 가엾은

- **글 ❷ 중심 내용** 욕심쟁이 할머니가 파란 구슬을 훔쳐 가자 할아버지와 할머니는 다시 가난해집니다. 그러자 할아버지의 집에 있던 개와 고양이는 욕심쟁이 할머니네 집으로 가서 파란 구슬을 찾아 나옵니다.

089쪽 지문 독해

1 개, 고양이 **2** ⑤ **3** 대궐 **4** ②

1 욕심쟁이 할머니가 파란 구슬을 훔쳐 가서 할아버지와 할머니가 다시 가난해지자 이 문제를 해결하기 위해 개와 고양이가 파란 구슬을 찾으러 욕심쟁이 할머니네로 떠나게 됩니다.

2 개와 고양이는 파란 구슬을 다시 찾아오려고 욕심쟁이 할머니의 집으로 갔습니다.

오답 풀이

② 욕심쟁이 할머니의 집에 간 까닭은 파란 구슬을 찾아오기 위함입니다.
③ 욕심쟁이 할머니가 파란 구슬을 훔쳐 할아버지와 할머니의 집이 가난해지고, 이 때문에 개와 고양이도 배고픈 신세가 되었습니다.
④ 욕심쟁이 할머니에게 가짜 구슬을 선물하려는 것이 아닙니다. 개와 고양이는 욕심쟁이 할머니네로 갈 때 어떤 구슬도 가져가지 않았습니다.

3 욕심쟁이 할머니의 집을 '대궐'같이 으리으리하다고 표현했습니다.

4 개는 할아버지와 할머니를 위해 욕심쟁이 할머니의 집에서 파란 구슬을 다시 찾아오려고 했습니다.

유형 공략 / 추론

글에서 주어진 내용을 바탕으로 하여 글에 직접 드러나지 않은 내용을 짐작할 수 있어야 합니다. 인물들의 마음을 상상해야 하므로 인물들이 한 행동이나 말을 보고 어떤 상황에서 왜 그런 말이나 행동을 했는지 짐작해 봅니다.

오답 풀이

① 고양이는 쥐의 천적입니다. 그래서 고양이가 우두머리 쥐를 잡고 잡아먹겠다고 위협을 하자 쥐들이 파란 구슬을 재빠르게 찾아온 것입니다.
③ 할아버지는 집이 다시 가난해지자 예전처럼 물고기를 잡아서 먹고 살았습니다.
④ 고양이가 구슬을 찾기 위해 떠올린 좋은 생각이 우두머리 쥐를 잡고 위협하는 것이었으므로, 쥐들이 고양이인 자신을 무서워할 것이라 생각했음을 알 수 있습니다.
⑤ 욕심쟁이 할머니는 자기가 파란 구슬을 훔쳐 간 것을 들키지 않으려고 가짜 구슬을 가져다 놓았습니다.

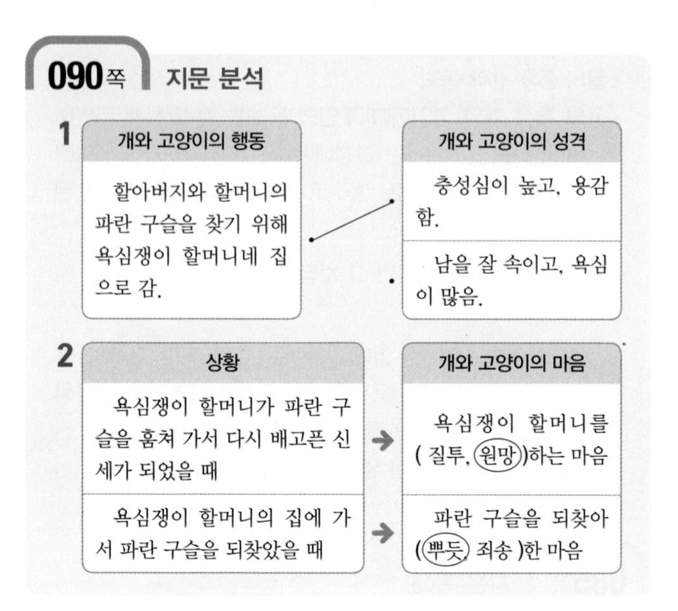

1 할아버지와 할머니를 위해 파란 구슬을 찾으려고 강을 건너 욕심쟁이 할머니네 집으로 간 개와 고양이의 행동은 용감합니다.

2 부자가 된 할아버지 집에서 배불리 먹고 편하게 지냈는데, 욕심쟁이 할머니가 파란 구슬을 훔쳐 가서 다시 배고픈 신세가 되었으므로, 개와 고양이는 파란 구슬을 가져간 욕심쟁이 할머니가 원망스러웠을 것입니다. 그리고 욕심쟁이 할머니 집에서 파란 구슬을 되찾았을 때는 할아버지와 할머니를 도울 수 있게 되었고 자신들이 어려운 일을 해냈다는 것에 뿌듯하고 기쁜 마음이 들었을 것입니다.

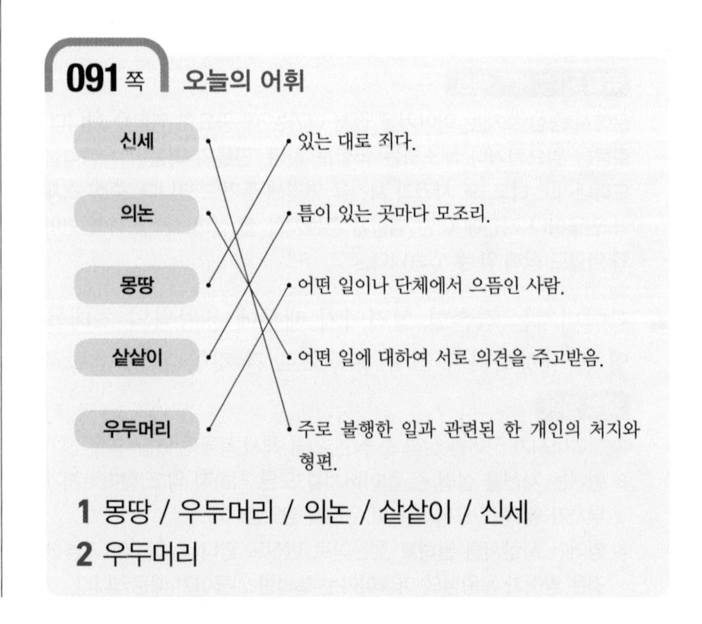

1 몽땅 / 우두머리 / 의논 / 샅샅이 / 신세
2 우두머리

• **글 ❸ 중심 내용** 개가 고양이에게 파란 구슬을 잘 물고 있는지 계속 묻자 화가 난 고양이는 잘 물고 있다고 말을 하다가 파란 구슬을 강물에 빠뜨리게 됩니다. 개는 그만 집으로 돌아가 버렸지만 고양이는 어부가 던져 준 물고기 배에서 파란 구슬을 발견해 집으로 가져옵니다. 할아버지와 할머니는 다시 큰 부자가 되고 고양이는 귀여움을 받게 됩니다.

093쪽 지문 독해

1 (1) ㉮ (2) ㉯ **2** ⑤ **3** 퐁당 **4** 상훈

1 헤엄을 못 치는 고양이는 입에 파란 구슬을 물고 있었고, 개는 고양이를 등에 태우고 헤엄을 쳐서 강을 건넜습니다.

2 고양이가 계속되는 개의 질문에 답하는 순간 고양이가 물고 있던 파란 구슬은 강물 속에 빠지고 맙니다.

오답 풀이

① 개는 고양이를 물지 않았습니다.
② 고양이는 개의 등에 잘 타고 있었으며 물에 빠지지 않았습니다.
③ 개는 고양이를 간지럽히지 않았습니다.
④ 개와 고양이는 서로 협력해서 파란 구슬을 찾아오고 있습니다. 서로 갖겠다고 싸우지 않았습니다.

3 '작고 단단한 물건이 물에 떨어지거나 빠질 때 가볍게 한 번 나는 소리'를 흉내 내는 말은 '퐁당'입니다.

4 파란 구슬이 물에 빠지자 그냥 집으로 돌아온 개와 다르게, 고양이는 끝까지 남아서 파란 구슬을 다시 찾아 돌아오고, 할아버지와 할머니의 사랑을 받으며 집 안에서 지내게 되었습니다. 밖에서 살게 된 개는 이를 보고 파란 구슬을 끝까지 찾으려 하지 않았던 자신의 행동을 후회했을 것이라고 생각해 볼 수 있습니다.

유형 공략/감상

글에 나타난 내용을 바탕으로 생각할 수 있는 알맞은 내용을 찾는 문제입니다. 이러한 유형의 문제를 풀 때에는 인물이 처한 상황, 일이 진행되는 흐름 등을 살펴보고, 이를 바탕으로 나올 수 있는 내용인지 아닌지를 판단해 보도록 합니다.

오답 풀이

지은: 할아버지와 할머니는 고양이가 푸른 구슬을 찾아온 것만을 알고 있을 뿐, 개가 고양이를 등에 태우고 왔는지를 알지 못합니다. 또 개를 밖에서 살게 했으므로 개를 기특하게 여기고 있는 것도 아님을 알 수 있습니다.
현규: 개는 밖에서 살게 되었으므로, 할아버지와 할머니에게 귀여움을 받게 되었다는 것은 알맞지 않습니다.

094쪽 지문 분석

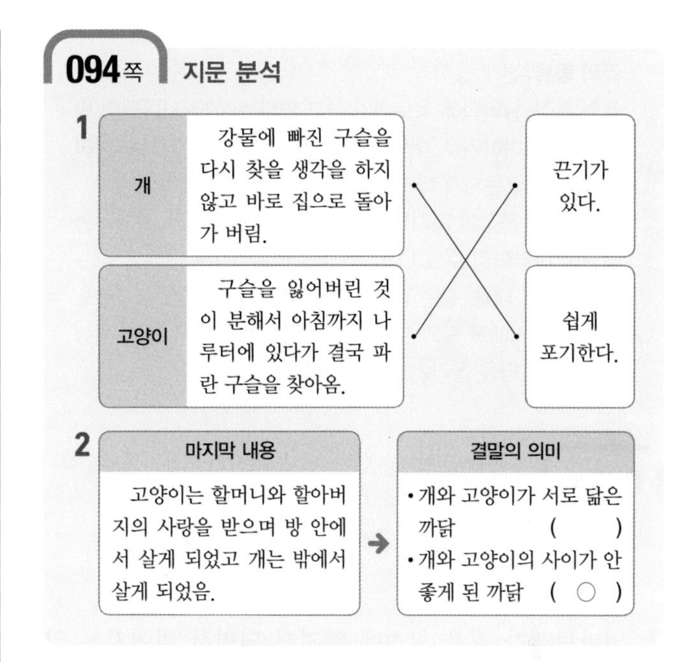

1 개는 강물에 빠뜨린 구슬을 찾는 것을 포기하고 바로 집으로 돌아가 버립니다. 하지만 고양이는 분해서 끝까지 포기하지 않고 끈질기게 아침까지 나루터에 있다가 파란 구슬을 찾는 행운을 얻게 됩니다. 여기서 개는 포기가 빠른 편이고, 고양이는 끈기가 있는 편임을 알 수 있습니다.

2 파란 구슬을 찾아온 고양이는 방 안에서 살게 되고, 도중에 포기한 개는 밖에서 살게 되었다는 결말은 개가 왜 고양이를 미워하고 고양이와 싸우는지를 알게 해 줍니다. 따라서 이 이야기는 개와 고양이의 사이가 왜 좋지 않게 되었는지 그 까닭을 재미있게 알려 주는 전래 동화라고 할 수 있습니다.

095쪽 오늘의 어휘

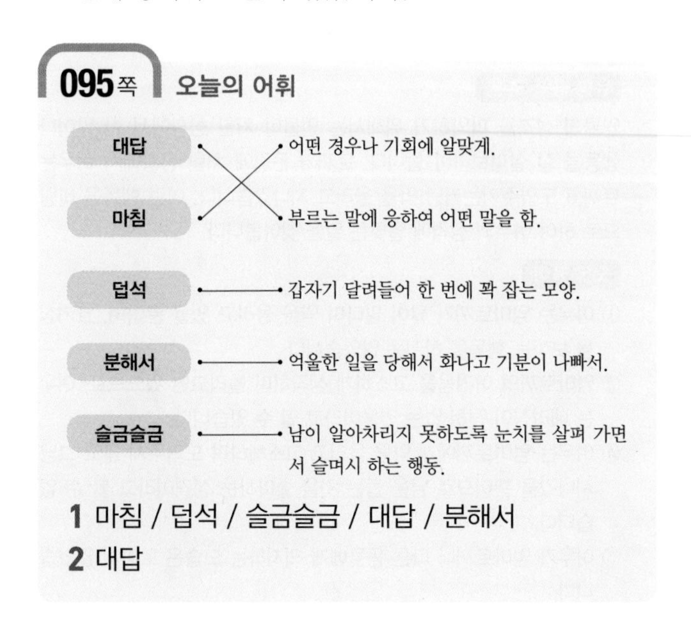

- **글의 종류** 전래 동화
- **글의 특징** 달나라에 옥토끼가 살고 있다는 옛날 사람들의 믿음이 담긴 이야기로, 어떻게 토끼들이 달나라에 가서 떡방아를 찧게 되었는지가 나타나 있습니다.
- **글의 주제** 곤경에 빠지더라도 착하게 살고 진심을 다한다면 소원이 이루어질 수 있다.
- **글 ❶ 중심 내용** 깊은 함정에 빠진 엄마토끼가 이웃사촌 노루와 너구리에게 도와 달라고 부탁했지만 도움을 받지 못했고, 여우는 약을 올리기만 했습니다.

097쪽 지문 독해

1 함정　**2** (1) ○　**3** (1) ㉮ (2) ㉯　**4** ③

1 엄마토끼가 깊은 함정에 빠지게 되면서 벌어지는 일들을 중심으로 이야기가 펼쳐지고 있습니다.

2 노루는 앞발이 짧아서, 너구리는 몸이 둔해서 잘못하다간 자신들까지 함정에 빠질 것이라고 말하며 엄마토끼를 도와주지 않습니다.

오답 풀이

(2) 노루와 너구리는 엄마토끼를 돕다가 자신들이 함정에 빠지게 될까 봐 겁을 먹고 도망갔습니다.

3 ㉠은 긴 다리를 모으고 계속 힘 있게 솟구쳐 뛰는 모양을, ㉡은 남이 알아채지 못하도록 눈치를 살펴 슬며시 행동하는 모양을 흉내 내는 말입니다.

4 곤경에 빠진 토끼를 도와주지 않고, 오히려 놀리기만 하는 여우의 행동을 통해 여우가 남에게 못되게 굴고 교활한 성격임을 알 수 있습니다.

유형 공략/추론

인물의 성격을 파악하기 위해서는 인물이 처한 상황에서 한 말이나 행동을 잘 살펴보아야 합니다. 토끼가 곤경에 처한 상황에서 여우는 토끼를 도와주기는커녕 약을 올리고 지나갔습니다. 이런 행동을 바탕으로 하여 여우의 성격에 알맞은 말을 찾아봅니다.

오답 풀이

① 여우는 엄마토끼가 말이 많다며 약을 올리고 있을 뿐이며, 호기심을 보이는 행동을 하지는 않았습니다.
② 엄마토끼의 어려움을 고소하게 생각하며 놀리고만 있으므로, 여우는 배려심이 전혀 없는 인물이라고 할 수 있습니다.
④ 여우는 엄마토끼에게 약을 올리고 고소해하며 도와주지 않고 그냥 지나갔을 뿐이므로 남을 돕는 것을 좋아하는 성격이라고 볼 수 없습니다.
⑤ 여우가 엄마토끼나 다른 동물에게 의지하는 모습은 보이지 않았습니다.

098쪽 지문 분석

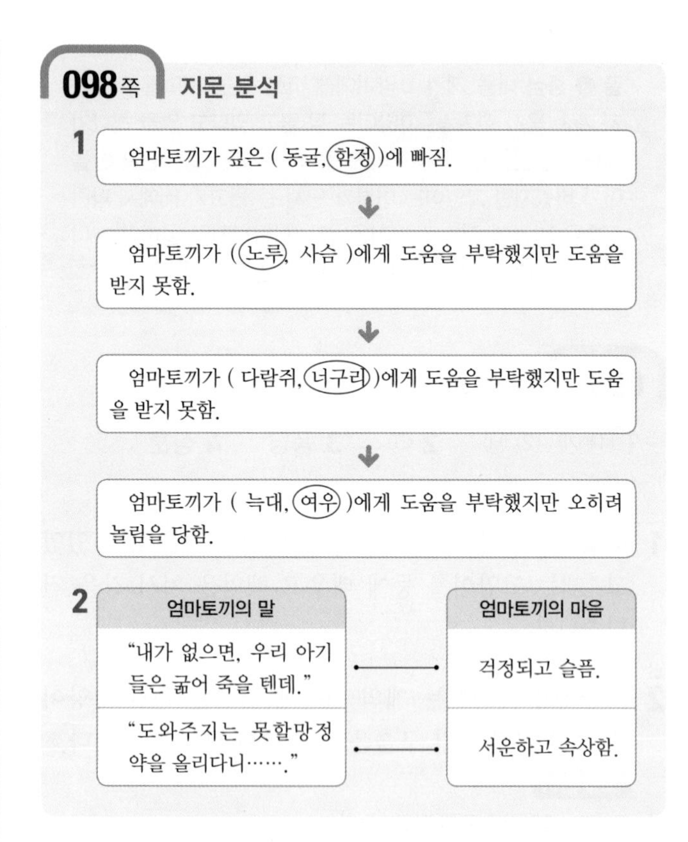

1 엄마토끼는 깊은 함정에 빠져 노루, 너구리, 여우에게 차례대로 도움을 부탁했지만 모두 엄마토끼를 구해 주지 않고 가 버렸습니다.

2 엄마토끼는 함정에 빠지자, "내가 없으면, 우리 아기들은 굶어 죽을 텐데."라며 아기토끼들을 걱정하며 슬퍼합니다. 또 여우가 도와주기는커녕 약을 올리고 지나가자 "도와주지는 못할망정 약을 올리다니……."라며 서운해하고 속상해했습니다.

099쪽 오늘의 어휘

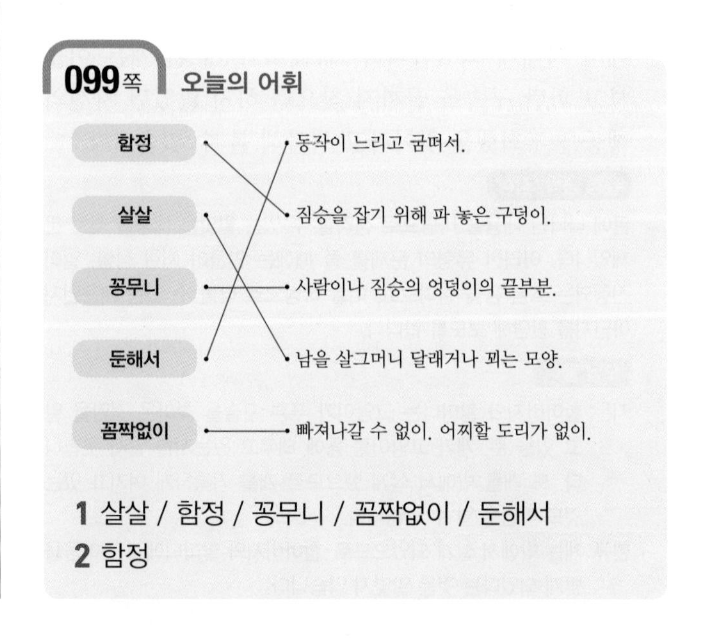

1 살살 / 함정 / 꽁무니 / 꼼짝없이 / 둔해서
2 함정

• **글 ❷ 중심 내용** 다람쥐는 아기토끼들을 불러옵니다. 엄마토끼는 아기토끼들과 함께 호미, 칡덩굴을 이용하고, 흙을 파는 등 함정에서 나오기 위해 열심히 노력했지만 그곳에서 빠져나올 수는 없었습니다.

101쪽 지문 독해

1 다람쥐 **2** ②, ④ **3** (3) ○ **4** 지현

1 지나가던 다람쥐가 함정에 빠져 있던 엄마토끼의 부탁을 받고 아기토끼들을 엄마토끼가 있는 곳으로 데려다줍니다.

2 엄마토끼는 호미로 벽에 홈을 판 후 홈을 딛고 한 발씩 오르다가 가운데쯤에서 그만 뒤로 나동그라졌고, 칡덩굴에 대롱대롱 매달렸지만 칡덩굴이 툭 끊어지고 말았습니다.

유형 공략 / 세부 내용

어떤 일이 펼쳐지느냐에 따라 그것의 진행을 돕는 다양한 글감들이 사용됩니다. 따라서 글감의 역할을 알기 위해서는 먼저 어떤 일이 펼쳐지는지 살펴보고, 글에 사용된 글감 중 각각의 일들과 관련된 것들에는 무엇이 있는지 표시해 봅니다. 그리고 이를 바탕으로 각 글감들이 각각 어떤 역할을 하는지 판단해 보도록 합니다.

3 아기토끼들은 조그만 앞발로 열심히 흙을 팠지만 큰 함정을 메울 수는 없었습니다.

오답 풀이

(1) 흙으로 함정을 메우고 있던 때는 해가 지기 전이므로, 어두워서 함정이 보이지 않아 함정을 메우지 못한 것은 아닙니다.
(2) 아기토끼들은 함정에 빠지지 않았습니다.

4 아기토끼들은 엄마토끼가 시키는 대로 열심히 호미도 빌려 오고, 칡덩굴도 자르고, 흙을 파서 함정을 메우기도 하였습니다. 작고 어린 아기토끼들이 엄마토끼를 구해 내기 위해 애쓰는 모습이므로, 이를 보면서 안쓰러운 마음이 들 수 있습니다.

오답 풀이

민준: 다람쥐는 아기토끼들을 엄마토끼에게 데려다주는 일을 했지만, 아기토끼들과 함께 엄마토끼가 함정에서 나올 수 있게 하는 일을 하지는 않았습니다. 따라서 다람쥐가 중간에 포기하였다는 것은 잘못 이해한 것입니다.
혜성: 엄마토끼는 어린 아기토끼들에게 힘든 일을 시켜야 해서 미안한 마음이 들었을 수 있습니다. 그런데 아기토끼들은 엄마토끼가 함정에 빠져 있는 것을 보고 놀라서 울고, 또 날이 어두워지면서 엄마토끼가 사냥꾼에게 잡히게 될 까 봐 운 것이지, 일이 힘들어서 운 것은 아닙니다.

102쪽 지문 분석

1

엄마토끼가 한 행동		엄마토끼의 성격
• 호미로 홈을 판 뒤 홈을 딛고 오름. • 칡덩굴에 대롱대롱 매달림. • 아기토끼들에게 흙을 파서 함정을 메워 달라고 부탁함.	→	• 쉽게 포기하지 않고 용감하다. (○) • 남을 배려하며 자신을 희생한다. ( )

2

상황		아기토끼들의 마음
엄마토끼가 함정에서 빠져나오려고 여러 가지 노력을 할 때	→	(우울한, (희망적인)) 마음
엄마토끼가 함정을 빠져나오지 못하고 날이 어두워졌을 때	→	((절망하는), 억울해하는) 마음

1 엄마토끼는 함정에서 빠져나오기 위해 호미로 홈을 파고 올라오려고 하지만 실패합니다. 하지만 엄마토끼는 포기하지 않고 칡덩굴에 매달려 오르려고 하고, 흙으로 함정을 메워 빠져나오려고 시도도 합니다. 이처럼 엄마토끼는 자신이 처한 상황에서 쉽게 포기하지 않고 끈질기게 여러 방법을 시도하고 있습니다.

2 엄마토끼가 함정에서 빠져나오려고 여러 가지 노력을 할 때 아기토끼들은 엄마가 함정에서 나올 수 있을 것이라는 기대를 하고 있습니다. 하지만 엄마토끼의 노력들이 실패로 돌아갔을 때는 엄마토끼가 사냥꾼에게 잡힐까 봐 큰 슬픔에 빠져 절망하며 울었습니다.

103쪽 오늘의 어휘

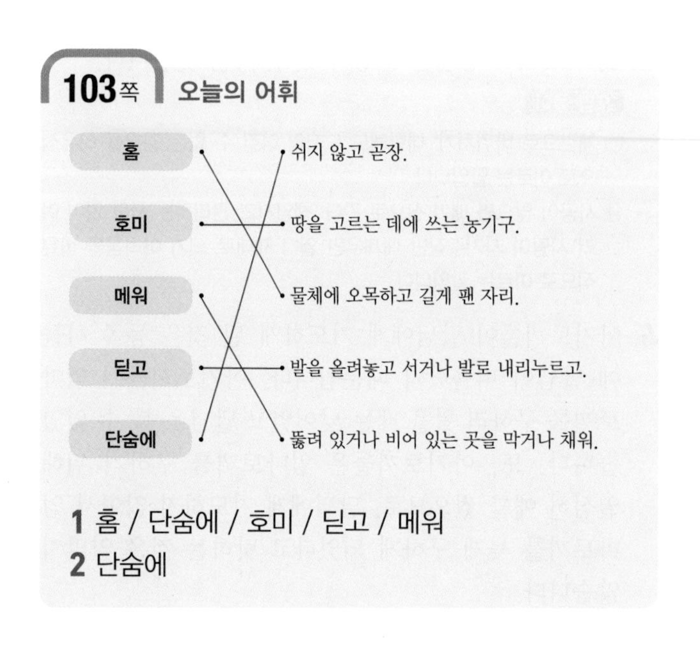

1 홈 / 단숨에 / 호미 / 딛고 / 메워
2 단숨에

- **글 ❸ 중심 내용** 아기토끼들이 달님에게 엄마를 구해 달라고 기도하는 순간 하늘에서 하얀 동아줄이 내려와서 엄마토끼가 함정을 빠져나올 수 있게 됩니다. 엄마와 아기토끼들은 달님에게 고맙다는 인사를 하려고 동아줄을 타고 하늘 높이 올라가고, 그 뒤로 보름만 되면 토끼들은 달님에게 올라가 떡방아를 찧었습니다.

105쪽 지문 독해

1 달님, 동아줄 **2** ③ **3** ㉰ **4** ⑤

1 아기토끼들이 달님에게 엄마토끼를 구해 달라는 소원을 간절하게 빌자 하늘에서 동아줄이 내려옵니다.

유형 공략/중심 내용

이야기 글에서는 인물들이 겪는 문제 상황이 나타나고 이를 해결해 가는 과정에 따라 이야기가 펼쳐집니다. 따라서 문제 상황이 무엇인지 먼저 확인하고, 인물들이 이를 해결하기 위해 사용한 방법을 찾을 수 있어야 합니다.

2 매달 보름이 되면 토끼들은 달님이 내려 준 동아줄을 타고 달님에게 올라가서 떡방아를 찧습니다.

오답 풀이

① 아기토끼들의 소원은 엄마를 구하는 것입니다.
② 달님은 방긋이 웃기만 하였을 뿐, 엄마토끼와 아기토끼들을 안는 행동은 하지 않았습니다.
④ 엄마토끼와 아기토끼들은 달님에게 고맙다는 인사를 하려고 하늘로 올라갔습니다.
⑤ 산속의 토끼들은 매달 보름에 하늘로 올라갔습니다.

3 '하늘이 무너져도 솟아날 구멍이 있다'는 속담은 '하늘이 무너지는 것 같은 어려운 상황에 부딪히더라도, 그것을 벗어날 방법은 분명히 있다.'라는 뜻입니다.

오답 풀이

㉮ 계란으로 바위치기: 대항해도 도저히 이길 수 없는 경우를 비유적으로 이르는 말입니다.
㉯ 사공이 많으면 배가 산으로 간다: 책임지고 관리하는 사람 없이 여러 사람이 자기주장만 내세우면 일이 제대로 되기 어려움을 비유적으로 이르는 말입니다.

4 아기토끼들이 달님에게 기도하게 된 것은 동쪽 하늘에 달님이 떠올랐기 때문입니다. 아기토끼들이 엄마토끼를 구하러 왔을 때는 낮이었고 달님을 볼 수 없었습니다. 또, 아기토끼들은 엄마토끼를 구하기 위해 열심히 애를 썼으므로, 달님에게 기도하지 않아서 엄마토끼를 늦게 구하게 되었다고 탓하는 것은 알맞지 않습니다.

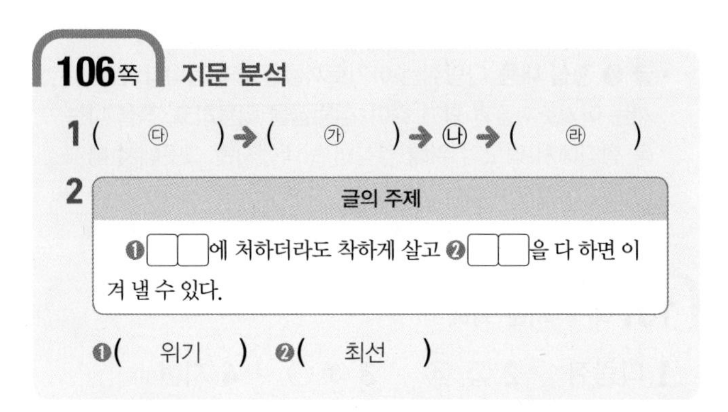

106쪽 지문 분석

1 (㉰) → (㉮) → ㉯ → (㉱)

2 글의 주제

❶□□에 처하더라도 착하게 살고 ❷□□을 다 하면 이겨 낼 수 있다.

❶(위기) ❷(최선)

1 엄마토끼를 구하지 못한 채 날이 어두워지고 달님이 떠오르기 시작하자, 아기토끼들은 달님에게 엄마토끼를 구해 달라고 기도를 합니다. 아기토끼들의 간절한 기도에 하늘에서 하얀 동아줄이 내려와 함정 아래까지 갑니다. 엄마토끼가 이 동아줄을 꽉 잡자 동아줄이 위로 올라가기 시작하여 엄마토끼는 함정에서 나와 아기토끼들을 만나게 됩니다. 엄마토끼와 아기토끼들은 함정에서 빠져나올 수 있게 도와준 달님에게 고맙다는 인사를 하려고 동아줄을 타고 달님이 있는 하늘 위로 올라갑니다.

2 엄마토끼가 함정에 빠진 절망적인 상황에서도 포기하지 않고 함정에서 빠져나오기 위해 노력한 엄마토끼와 아기토끼의 이야기를 통해, 위기에 처해도 최선을 다해 노력하면 이겨 낼 수 있다는 주제를 전하고 있습니다.

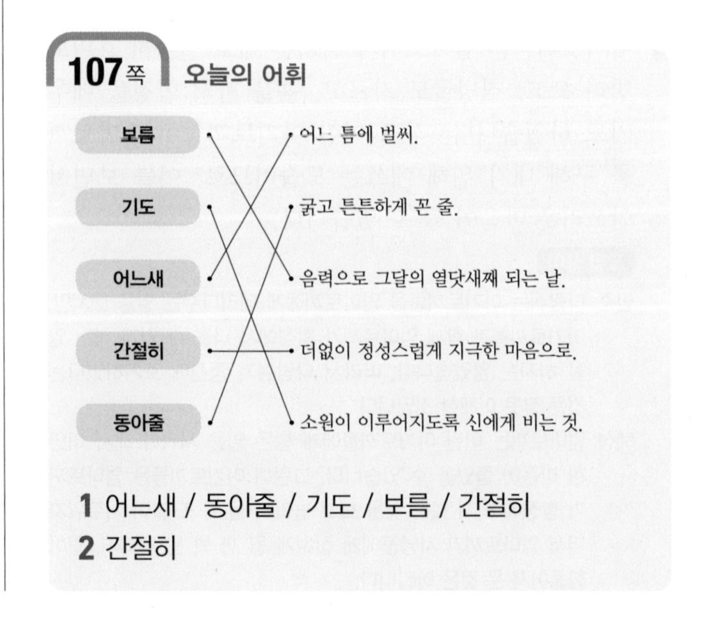

107쪽 오늘의 어휘

1 어느새 / 동아줄 / 기도 / 보름 / 간절히
2 간절히

- **글의 종류** 외국 동화
- **글의 특징** 사랑하는 소년에게 자신의 모든 것을 내어 주면서 아무것도 바라지 않는 헌신적인 나무의 사랑을 통해 사랑을 주는 것의 행복을 알 수 있고, 헌신적인 사랑의 위대함을 생각하게 하는 이야기입니다.
- **글의 주제** 소년을 향한 나무의 헌신적이고 순수한 사랑의 아름다움
- **글 ❶ 중심 내용** 소년은 나무를 무척 사랑하였고 나무는 행복하였지만, 소년이 점점 나이가 들어갈수록 나무는 홀로 있을 때가 많아졌습니다. 소년은 나이가 들자 나무와 보내는 시간보다 더 중요한 것이 생겼습니다.

109쪽 지문 독해

1 소년, 나무 **2** ①, ② **3** ③, ④ **4** ②

1 이 글에는 한 소년과 그를 사랑하는 나무가 나옵니다.

유형 공략/갈래

이야기의 배경이 되는 때와 장소, 인물을 알아야 이야기의 내용을 정확하게 파악할 수 있습니다. 이 글은 소년과 나무 사이에 일어나는 사건을 중심으로 이야기가 펼쳐지고 있습니다.

2 어린 소년은 날마다 나무를 찾아와 숨바꼭질을 하고, 피곤해지면 나무 그늘에서 단잠을 자기도 하였습니다.

오답 풀이

③ 어린 소년이 나무의 사과를 따 먹고는 했지만, 나무의 사과를 모두 따서 모았다는 내용은 나타나 있지 않습니다.
④ 나뭇가지에 매달려 그네를 탄 것으로, 나뭇가지를 모아 그네를 만든 것은 아닙니다.
⑤ 나뭇잎을 모아 왕관을 만들어 쓰고 왕 노릇을 하였습니다.

3 나무와 행복한 시간을 보내는 소년의 모습을 통해 기쁨, 행복, 즐거움, 사랑 등의 감정을 느낄 수 있습니다.

4 시간이 흘러 소년이 점점 나이가 들어가자 나무는 홀로 있을 때가 많아졌습니다. 소년이 나이가 들어 다른 일에 관심이 많아지고 바빠졌기 때문으로, 이때 혼자 지내야 하는 나무는 무척 외로웠을 것입니다.

오답 풀이

① 나무가 소년을 사랑하는 마음은 변하지 않았지만 소년은 시간이 흘러 나이가 들수록 나무를 대하는 마음이 예전 같지 않았습니다.
③ 나무가 돈이 필요하다는 소년의 부탁을 들어주지 못한 것은 돈이 없었기 때문입니다. 그래서 돈 대신 사과 열매를 내어 주었습니다.
④ 소년은 시간이 흐르면서 나무와 노는 것에 흥미를 잃었습니다.
⑤ 소년은 나무가 자신에게 베풀어 주는 희생에 대해 고맙게 생각하지 않았습니다.

110쪽 지문 분석

1

소년이 어렸을 때	소년이 나이 들었을 때
• 나무를 무척 ❶☐☐했음. • 날마다 나무를 찾아와 함께 ❷☐☐을 보냄.	• 나무와 노는 것 말고 돈이 필요해짐. • 나무의 ❸☐☐를 따서 도회지로 나감.

❶(사랑) ❷(시간) ❸(사과)

2

나무의 말		나무의 마음
"내 사과를 따다가 도회지에서 팔지 그러니? 그러면 돈이 생기고 행복해질 거야."	➔	• 항상 소년의 행복을 바라고 있음. (○) • 변해 버린 소년이 섭섭하게 여겨져 슬픔. ( )

1 어린 소년이었을 때 소년은 날마다 나무에게로 와서 놀았고, 나무를 무척 사랑했습니다. 그러나 시간이 흘러 소년이 점점 나이가 들자 나무는 홀로 있을 때가 많아졌습니다. 그리고 돈이 필요하다는 소년에게 나무는 사과를 따서 도회지에서 팔라고 이야기했습니다. 그러자 소년은 나무의 사과를 따서 도회지로 나갑니다.

2 나이가 든 소년은 나무와 노는 것 말고 하고 싶은 것이 많고 돈이 필요하다고 이야기합니다. 나무는 돈이 없어 미안하다고 말하며 사과를 팔아 돈이 생기면 소년이 행복해질 것이라고 말합니다. 이로 보아 나무는 항상 소년의 행복을 진심으로 바라고 있으며, 소년에게 섭섭해하고 있지는 않음을 알 수 있습니다.

111쪽 오늘의 어휘

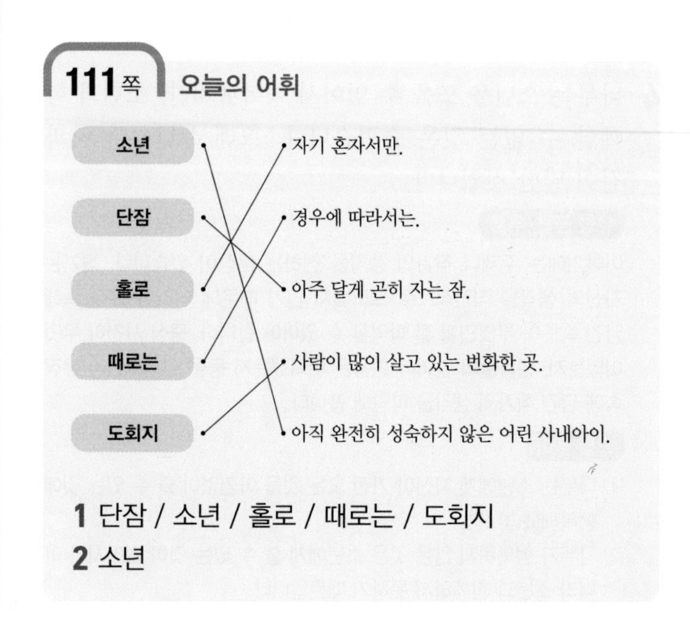

1 단잠 / 소년 / 홀로 / 때로는 / 도회지
2 소년

> • **글 ❷ 중심 내용** 오랜 세월 후에 돌아와 집이 필요하다고 말하는 소년에게 나무는 가지들을 베어다가 집을 지으면 행복해질 것이라고 말합니다. 소년이 떠나고 또 시간이 지나 오랜만에 돌아온 소년이 배가 필요하다고 말하자 나무는 자신의 줄기도 내어 줍니다.

113쪽 지문 독해

1 가지, 줄기 **2** ① **3** (1) ㉯ (2) ㉮ **4** (3) ○

1 나무는 소년을 사랑해서 자신의 모든 것을 아낌 없이 내어 주고 있고, 소년은 나무의 희생에 대해 고마움을 모르고 계속 요구만 하고 있습니다.

2 나무는 소년이 다시 돌아왔을 때 기뻐하며 자신과 함께 시간을 보내자고 했지만 소년은 그럴 수 없다고 했습니다.

오답 풀이

② 소년은 배를 만들기 위해 나무의 줄기를 베어 갔습니다.
③ 소년은 집을 짓기 위해 나무의 가지를 베어 갔습니다.
④ 소년은 함께 놀자고 말하는 나무에게 자신이 너무 나이가 들어서 그럴 수 없다고 했습니다.
⑤ 소년이 아내와 자식이 있으려면 집이 필요하다고 말하였을 뿐, 아내와 자식을 만들어 달라고 말하지는 않았습니다.

3 나무는 오랜 세월 소년이 돌아오지 않았을 때는 사랑하는 소년 없이 혼자 지내야 해서 슬프고 외로웠을 것입니다. 그러나 소년이 돌아왔을 때는 다시 함께 즐거운 시간을 보낼 수 있을 것이라 생각해 기쁘고 행복했습니다.

4 나무는 소년을 도울 수 있어서 행복했지만, 소년과 함께할 수 없는 것은 슬펐습니다. 그래서 나무는 ㉠과 같이 말한 것입니다.

유형 공략 / 추론

이야기에는 주제나 작가의 생각을 전하는 문장이 있습니다. 작가는 자신의 생각을 직접적으로 드러내지 않기 때문에 이러한 문장 속에 담긴 속뜻이 무엇인지 잘 파악할 수 있어야 합니다. 중심 사건이 무엇이었는지, 인물들의 말이나 행동은 어떠했는지 등을 살펴보면서 문장 속에 담긴 작가의 생각을 파악해 봅니다.

오답 풀이

(1) 나무는 소년에게 자신이 가진 모든 것을 아낌없이 줄 수 있는 것에 행복해했습니다.
(2) 나무가 행복하지 않은 것은 소년에게 줄 수 있는 것이 없어서가 아니라 소년과 함께하지 못하기 때문입니다.

114쪽 지문 분석

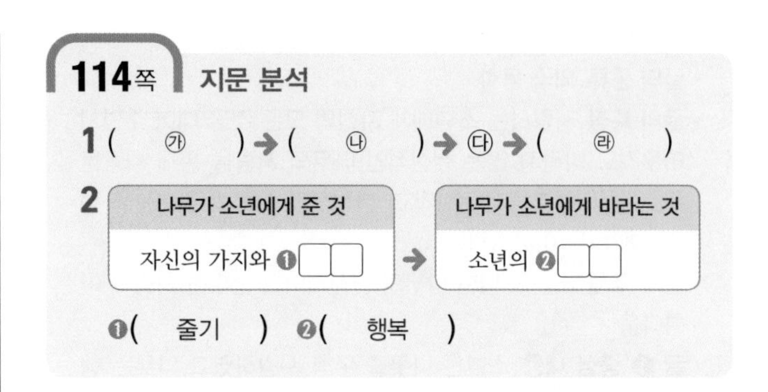
1 (㉮) → (㉯) → ㉰ → (㉱)

2 나무가 소년에게 준 것: 자신의 가지와 ❶□□ → 나무가 소년에게 바라는 것: 소년의 ❷□□

❶(줄기) ❷(행복)

1 어느 날 소년이 돌아와서 나무에게 따뜻하게 지낼 집 한 채를 마련해 달라고 합니다. 이에 나무는 자신의 가지를 베어다가 집을 지으라며 자신의 가지를 내어 줍니다. 그러자 소년은 나무의 가지를 베어서 집을 짓기 위해 가지고 갑니다. 세월이 지나 다시 돌아온 소년이 이번에는 배 한 척이 필요하다고 합니다. 이에 나무는 자신의 줄기를 베어다가 배를 만들라고 합니다. 그러자 소년은 나무의 줄기를 베어 배를 만들어 타고 멀리 떠나 버립니다.

2 나무는 집이 필요하다는 소년에게 자신의 가지들을 주었고, 배를 만들고 싶다는 소년에게 자신의 줄기를 주었습니다. 소년이 무언가를 요구할 때마다 나무는 자신의 것을 주면서 이것으로 집을 만들거나 배를 만들면 소년이 행복해질 수 있을 것이라고 말합니다. 이처럼 나무는 소년이 행복해질 수 있도록 자신이 가진 모든 것을 준 것입니다.

115쪽 오늘의 어휘

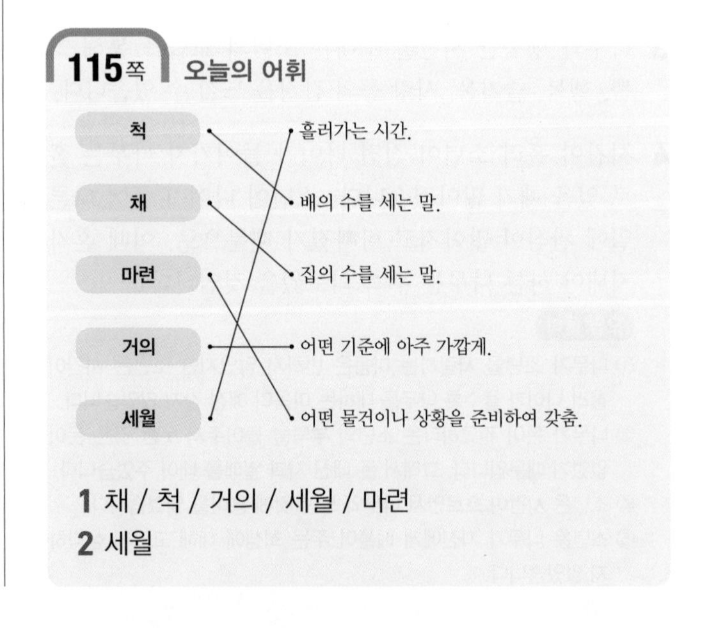

1 채 / 척 / 거의 / 세월 / 마련
2 세월

• **글 ❸ 중심 내용** 오랜 세월이 지난 뒤에 소년이 다시 돌아왔을 때 나무는 소년에게 줄 것이 없어 미안하다고 말합니다. 소년은 그저 편안히 앉아서 쉴 곳이 필요하다고 말했고, 나무는 밑동을 내어 주었습니다. 소년은 그곳에 앉아서 쉬었고, 나무는 행복했습니다.

117쪽 지문 독해

1 (2) ○ **2** ⑤ **3** 밑동 **4** ㉰

1 오랜 세월이 지나 다시 돌아온 소년은 나무에게 그저 편안히 앉아서 쉴 곳이 있었으면 좋겠다고 말합니다. 그러자 나무는 안간힘을 다하여 몸뚱이를 펴면서 소년에게 나무 밑동에 앉아 쉬라고 이야기합니다.

오답 풀이

(1) 나무가 소년에게 아낌없이 주고 있는 일이 중심이므로, 나무가 아무것도 남은 것이 없다고 말한 일은 중심 사건이 아닙니다.

(3) 소년이 늙어 그네도 탈 수 없고 나무줄기도 오를 수 없게 된 일이 아니라 나무의 희생과 사랑이 이 이야기의 중심이 됩니다.

2 나무는 아무것도 바라지 않고 소년한테 모든 것을 내어 줍니다. 그런데 이제 더 내어 줄 것이 없자 나무는 소년에게 미안하다고 말합니다.

오답 풀이

① 나무는 소년에게 자신의 사과와 가지, 줄기를 다 내어 주었습니다.

② 나무는 소년이 다시 돌아왔을 때마다 함께 놀자고 했습니다.

③ 나무는 소년에게 자신의 모든 것을 아낌없이 주었고, 소년은 그것을 받기만 했습니다.

④ 소년은 나이가 든 뒤부터는 나무와 함께 놀아 주지 않았습니다.

3 나무는 그저 편안히 앉아서 쉴 곳이 필요하다는 소년의 말에 마지막으로 자신의 밑동을 내어 줍니다.

유형 공략/세부 내용

글에 사용되는 글감은 인물의 마음이나 성격을 나타내 주는 역할을 하기도 합니다. 그리고 그 역할에 따라 글감이 지닌 의미도 결정이 됩니다. 예를 들어, 이 글에 나오는 사과, 나무의 가지와 줄기 그리고 밑동은 소년을 향한 나무의 희생과 사랑을 의미합니다.

4 나무는 소년에게 바라는 것 없이 모든 것을 내어 주고 있습니다. 자신이 키우는 개에게 모든 것을 주고 싶어 하는 정민이의 경우도 나무의 경우와 비슷합니다.

오답 풀이

㉮ 몸이 피곤해서 쉬고 싶어 하는 것은 나무가 아니라 소년입니다. 따라서 지효의 경우는 소년의 경우와 비슷합니다.

㉯ 나무가 소년의 잘못된 버릇을 고쳐 주려 한 것은 아니므로, 동생의 버릇을 고쳐 주려는 영우의 태도는 나무의 태도와 다릅니다.

118쪽 지문 분석

1

나무의 행동		나무의 마음
소년에게 무언가 주고 싶은데 남은 것이 없어 미안하다고 말함.	→	• 사랑하는 소년에게 더 해 줄 것이 없어 미안함. (○) • 소년이 나무를 더 이상 찾아오지 않으면 좋겠음. ( )
안간힘을 다하여 몸뚱이를 펴서 소년의 쉴 자리를 마련해 줌.	→	• 소년이 나무를 위해 무언가 해 주기를 바람. ( ) • 마지막 남은 것까지 모두 소년에게 주고 싶음. (○)

2 아낌없이 주는 나무에게서 ❶□□과 ❷□□의 마음을 배울 수 있습니다.

❶(사랑/희생) ❷(희생/사랑)

1 세월이 흘러 소년이 나무를 찾아옵니다. 하지만 나무는 소년에게 줄 것이 아무것도 없다며 미안하다고 말합니다. 여기에는 소년에게 무언가 더 해 주고 싶지만 그렇지 못하는 것을 미안해하는 나무의 마음이 담겨 있습니다. 그런데 나무는 마지막까지 소년이 쉴 자리를 위해 안간힘을 쓰며 밑동을 내어 줍니다. 여기에는 소년에게 마지막까지 남은 것 모두를 주고 싶은 나무의 마음이 담겨 있습니다.

2 소년에게 어떤 것도 바라지 않고 자기가 가지고 있는 모든 것을 내어 주는 나무의 모습을 통해 어떤 대가도 바라지 않고 아낌없이 사랑을 주고 희생하는 마음을 배울 수 있습니다.

119쪽 오늘의 어휘

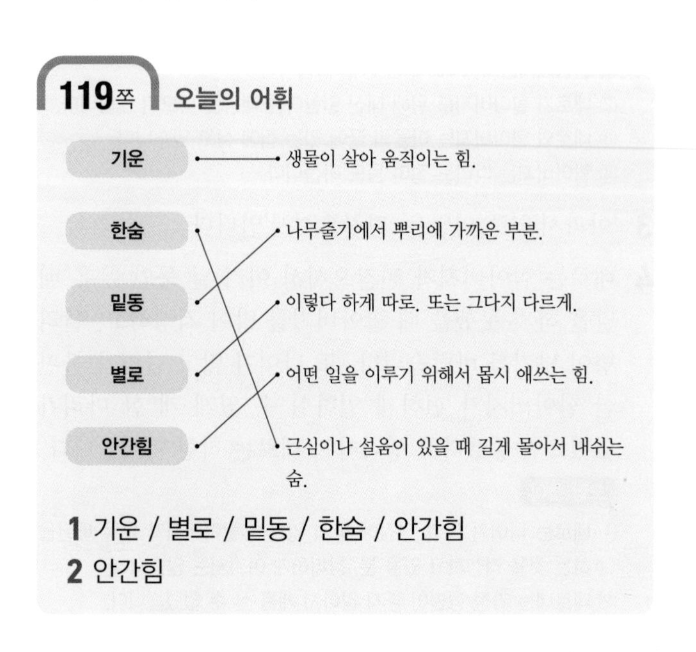

1 기운 / 별로 / 밑동 / 한숨 / 안간힘

2 안간힘

- **글의 종류** 외국 동화
- **글의 특징** 어려운 형편 속에서도 할아버지와 네로, 파트라세가 한 식구로 서로 의지하며 밝게 살아가는 이야기를 통해 서로를 위하는 가족의 따뜻한 애정을 보여 주는 글입니다.
- **글의 주제** 사람과 동물 사이의 서로를 향한 따뜻한 사랑과 애정
- **글 ❶ 중심 내용** 네로는 우유 배달을 하는 할아버지와 단둘이 살고 있습니다. 네로는, 노인인데다가 다리까지 저는 할아버지가 편히 일할 수 있도록 개가 한 마리 있었으면 하고 바랍니다.

121쪽 지문 독해

1 ①, ⑤ **2** ⑤ **3** 편찮으셔서 **4** (3) ○

1 이 글은 네로와 할아버지가 서로 의지하며 살아가면서 겪는 일을 중심으로 이야기가 펼쳐집니다. 네로의 엄마와 아빠는 네로의 가정 형편을 소개할 때 언급되었을 뿐이며 성당의 신부님은 나오지 않고 있습니다.

유형 공략/갈래

실제로 등장해 이야기를 이끌어 가는 인물도 있지만, 인물들의 대화나 소개하는 문장에서만 등장하는 인물도 있습니다. 이야기에서 펼쳐지고 있는 일들을 직접 겪고 있는 인물인지, 아니면 대화나 인물 소개를 하는 문장에만 나오는 인물인지를 구분해 보도록 합니다.

2 네로의 아빠는 네로가 태어나기도 전에 돌아가셨고, 엄마마저도 두 살 된 네로를 남겨 두고 눈을 감고 말았습니다. 그래서 네로가 두 살일 때부터 할아버지가 네로를 맡아 키우고 있는 것입니다.

오답 풀이

① 성당에서는 하루에 세 번 종을 울립니다.
② 네로가 할아버지를 위해 대신 일한다는 내용은 나오지 않습니다.
③ 네루와 할아버지는 마을이 끝에 있는 집에 살고 있습니다.
④ 할아버지는 다리도 절며 몸도 아픕니다.

3 '아파서'의 높임말은 '편찮으셔서'입니다.

4 네로는 할아버지가 편찮으셔서 여러 날 동안 우유 배달을 하지 못했을 때 할아버지를 많이 걱정하고, 빨리 병이 낫기를 바랐습니다. 또 나이가 많고 다리가 불편한 할아버지가 편하게 일하실 수 있게 개 한 마리가 있었으면 좋겠다고 생각하는 네로는 착한 아이입니다.

오답 풀이

(1) 네로는 나이가 많고 건강이 좋지 않으신 할아버지가 우유 배달을 하는 것을 걱정하고 있을 뿐, 창피하게 여기지는 않습니다.
(2) 네로네는 가정 형편이 좋지 않아서 개를 살 수 없었습니다.

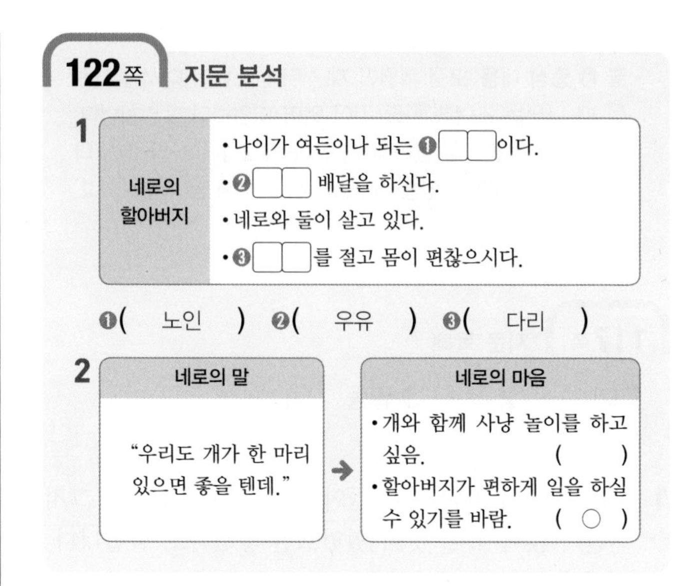

1 네로 할아버지는 네로가 두 살일 때부터 맡아 키우면서 네로와 함께 둘이 살고 있습니다. 할아버지는 나이가 여든이나 된 노인이고, 다리를 절고 있어서 돈을 제대로 벌 수 없습니다. 또 우유 배달을 하면서 살고는 있지만 어떤 때는 몸이 편치 않아 여러 날 동안 우유 배달을 하지 못하곤 하였습니다.

2 네로는 노인인데다가 건강이 좋지 않은 할아버지가 편히 일을 할 수 있도록 개가 한 마리 있으면 좋겠다고 생각했습니다. 즉 네로는 할아버지의 건강을 걱정하고 할아버지의 일을 덜어 드리고 싶은 마음에 개 한 마리가 있기를 바라고 있습니다.

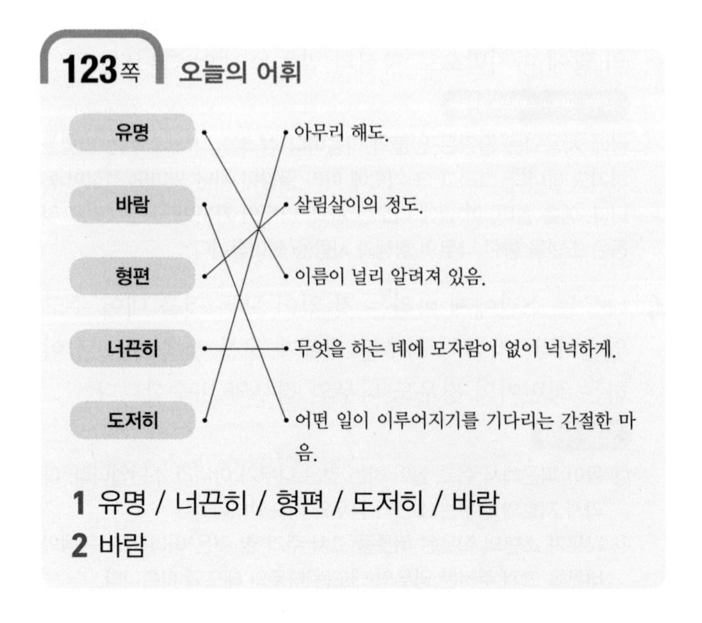

1 유명 / 너끈히 / 형편 / 도저히 / 바람
2 바람

• **글 ❷ 중심 내용** 네로와 할아버지는 길에 쓰러져 있는 개를 데리고 와서 우유와 죽을 먹이며 정성스럽게 돌봅니다. 철물 장수 주인 밑에서 고되게 일을 하다가 버려진 개 파트라세는 네로네 집의 식구가 됩니다.

125쪽 지문 독해

1 오두막집 **2** ⑤ **3** (1) ㉯ (2) ㉮ **4** (1) ○

1 네로와 할아버지는 숲속에서 버려진 개를 발견하고 오두막집으로 데려와 정성껏 보살펴 줍니다. 그 후, 개는 기운을 차리게 되고 네로와 할아버지는 그 개를 키우기로 합니다.

2 개의 주인은 인정이라곤 없는 철물 장수였습니다. 쇠로 만든 물건을 수레 가득 싣고서 개에게 끌게 하고 언덕길을 오를 때에도 뒤에서 밀어 준 적이 없을 정도였습니다. 그래서 수레를 끌던 개가 결국 쓰러지게 되었는데, 철물 장수는 개가 정신을 잃고 쓰러져 일어나지 않자 숲속에 버렸습니다.

오답 풀이

① 사냥꾼은 이 글에 등장하지 않습니다.
② 힘들게 수레를 끄는 일을 하다 쓰러진 것으로, 더운 곳에 계속 서 있지는 않았습니다.
③ 숲속의 다른 짐승은 나오지 않습니다.
④ 철물 장수가 버린 것이지, 개가 숨어 있던 것은 아닙니다.

3 ㉠은 혀끝으로 죽을 핥는 모습을, ㉡은 파트라세라는 이름을 듣고 개가 꼬리를 흔드는 모습을 표현한 말입니다.

4 네로와 할아버지는 심한 상처를 입고 쓰러진 개를 보고는 잘 보살펴 주면 살아날 것이라 생각하여 집으로 데려왔습니다.

유형 공략 / 추론

인물의 속마음은 앞뒤 상황과 연결되는 것이어야 합니다. 그러므로 이야기의 흐름이 어떻게 되는지, 인물들이 처한 상황은 무엇인지, 그리고 어떤 태도를 보이는지를 파악하고, 이를 바탕으로 인물의 속마음을 상상해야 합니다.

오답 풀이

(2) 네로는 숲속에 버려진 개가 안쓰럽고 딱하여 집으로 돌아와서도 정성으로 보살핀 것입니다.
(3) 파트라세는 자신을 정성껏 보살펴 준 네로와 할아버지에게 고마운 마음을 가질 것입니다.
(4) 철물 장수는 개가 정신을 잃을 때까지 일을 시키고 개가 쓰러지자 버리고 떠나 버릴 정도로 인정이 없는 인물입니다.

126쪽 지문 분석

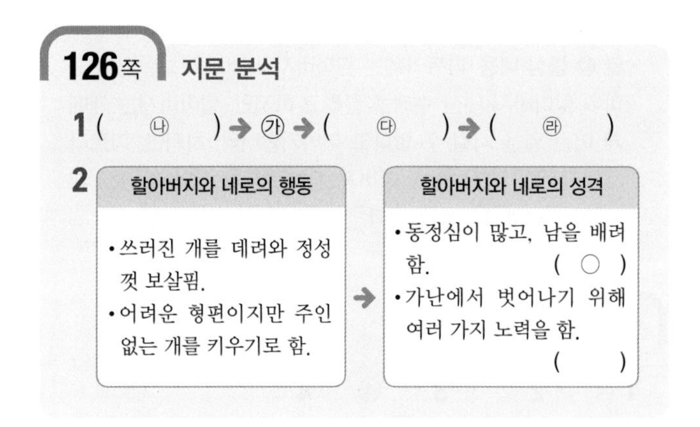

1 개가 정신을 잃고 쓰러지자 철물 장수는 그 개를 버리고 갑니다. 그 뒤 숲으로 가던 네로와 할아버지는 상처 입고 쓰러진 개를 발견하여 집으로 데리고 와서 정성스럽게 보살핍니다. 그러자 개는 건강을 회복합니다. 할아버지는 개에게 '파트라세'라는 이름을 지어 주고, 파트라세는 네로네 집의 식구가 됩니다.

2 네로와 할아버지는 쓰러진 개를 데려와 우유를 입에 흘려 넣어 주고 다리도 주물러 주며 개가 기운을 차릴 수 있게 해 줍니다. 그리고 개가 눈을 뜨자 죽을 끓여 먹여 주고 어려운 형편이지만 주인 없는 개를 키우기로 합니다. 이처럼 할아버지와 네로는 동정심이 많고, 남을 배려하는 따뜻한 마음씨를 지녔습니다. 그런데 가난한 형편에도 개를 키우는 것이므로, 여기서 가난에서 벗어나기 위해 노력하는 성격을 이끌어 내기는 어렵습니다.

127쪽 오늘의 어휘

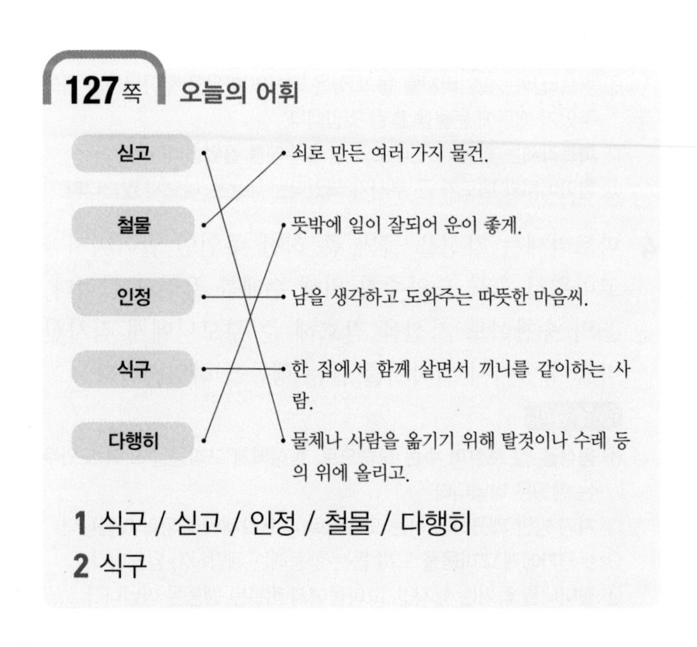

- **글 ❸ 중심 내용** 파트라세는 할아버지와 네로의 보살핌이 고마워 할아버지 대신 수레를 끌려고 하지만, 할아버지는 개에게 이런 일을 시킬 수 없다고 이야기합니다. 하지만, 파트라세의 진심을 알게 된 할아버지는 네로, 파트라세와 함께 서로 힘을 합쳐 수레를 끕니다.

129쪽 지문 독해

1 ㉣ **2** ② **3** ③, ④ **4** ⑤

1 파트라세는 자신을 돌보아 준 할아버지와 네로에게 고마움을 느끼며 무슨 일이든 돕고 싶어 하지만, 할아버지와 네로 때문에 외로움을 느끼는 부분은 이 글에 나타나 있지 않습니다.

오답 풀이

㉮ 파트라세는 수레를 끌고자 하는 자기 마음을 할아버지가 받아 주자 기뻐서 컹컹 짖었습니다.
㉯ 파트라세는 상처 입은 자신을 돌보아 준 할아버지와 네로에게 고마움을 가지고 있었습니다.
㉰ 파트라세는 감사한 마음으로 할아버지를 돕고 싶어 했습니다. 하지만 할아버지가 힘든 일은 시키지 않겠다고 했을 때 파트라세는 할아버지가 자기 마음을 몰라주는 것에 속상했습니다.

2 ㉡은 '파트라세'를 가리키고, ㉠, ㉢, ㉣, ㉤은 '할아버지'를 가리킵니다.

3 파트라세는 할아버지, 네로와 함께 우유 배달을 하게 됩니다. 다리를 절뚝거리며 무거운 우유 통이 담긴 수레를 혼자서 끄는 할아버지를 보며 안타까워했던 마을 사람들도 이를 보고 잘 되었다고 이야기합니다.

오답 풀이

① 파트라세는 할아버지를 돕고 싶은 자신의 마음을 할아버지가 몰라주었기 때문에 눈물을 흘린 것입니다.
② 파트라세는 할아버지, 네로와 함께 수레를 끌었습니다.
⑤ 할아버지와 네로가 큰 부자가 되었다는 내용은 나오지 않습니다.

4 파트라세는 자신을 돌봐 준 착한 주인인 할아버지가 고마워서 그를 도와주기 위해 수레를 끌려고 합니다. ⑤의 승찬이도 자신을 간호해 준 부모님에게 감사한 마음이 있어서 설거지를 돕는 행동을 하였습니다.

오답 풀이

① 동생을 잘 보살펴 주는 모습으로, 동생에게 고마움을 느껴 도와주는 행동은 아닙니다.
② 자기 방만 깨끗하게 하는 모습으로, 파트라세의 행동과 다릅니다.
③ 누군가에게 고마움을 느껴 돕는 행동에는 해당하지 않습니다.
④ 할머니를 돕기는 했지만, 고마움에서 비롯된 행동은 아닙니다.

130쪽 지문 분석

1

할아버지의 말	→	할아버지의 마음
"파트라세, 생각은 기특하다만 개한테 이런 일을 시키는 것은 싫단다."	→	• 파트라세가 기특하지만, 힘든 일을 시키고 싶지 않음. (○) • 파트라세가 기특하지만, 개가 우유 배달을 잘 할 수 있을지 걱정이 됨. ( )

2

마지막 내용	→	글쓴이가 하고 싶은 말
할아버지와 네로, 파트라세는 서로 힘을 합쳐 수레를 밀고 당기며 하나도 힘든 줄을 몰랐음.	→	• 쉽고 편한 일을 하려면 경쟁하기보다는 협동하려는 마음을 가져야 한다. ( ) • 어려운 형편 속에서도 서로를 위하고 도우는 따뜻한 마음을 가져야 한다. (○)

1 할아버지는 수레를 끌려고 하는 파트라세의 기특한 생각을 칭찬하면서도 파트라세에게 수레를 끄는 일을 맡기려고 하지 않습니다. 이는 개를 고생시키지 않으려는 따뜻한 마음에서 비롯된 것입니다.

2 할아버지와 파트라세의 모습을 통해 글쓴이는 서로를 위하고 협동하는 따뜻한 마음을 가지자는 생각을 전하고 있습니다. 그런데 글쓴이는 쉽고 편한 일을 하는 방법에 대해 말하고 있지는 않습니다.

131쪽 오늘의 어휘

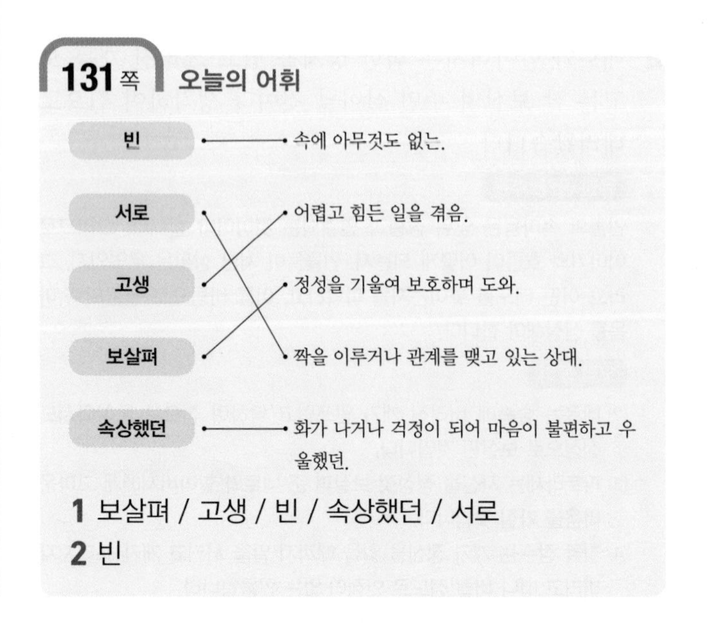

1 보살펴 / 고생 / 빈 / 속상했던 / 서로
2 빈

- **글의 종류** 동시
- **글의 특징** 엄마와 할머니가 김장하는 것을 지켜보고 있는 어린 아이의 생각을 노래한 시입니다. 엄마와 할머니가 김치를 입에 넣으며 손가락을 빠는 모습을 보고, 손가락 맛이 더 좋은가 보다고 말하는 아이의 순수한 생각이 재미있게 표현되었습니다.
- **글의 짜임** 4연 10행

135쪽 지문 독해

1 ③ **2** (1) ○ **3** ⑤ **4** ②

1 이 시에서는 김장하는 날 할머니와 엄마가 김치 한 가닥을 먹으며 손가락을 빠는 모습을 중심으로 이에 대한 말하는 이의 생각과 느낌을 노래하고 있습니다. 따라서 김장하는 날의 모습을 노래한 시라고 할 수 있습니다.

오답 풀이

① 김장하고 있는 상황이 나왔을 뿐, 김장을 하는 까닭은 나와 있지 않습니다.
② 김치를 담그는 상황일 뿐, 담그는 방법이 나온 것은 아닙니다.
④ 김치 한 가닥을 먹는 내용이 나왔을 뿐, 김치의 종류는 나오지 않았습니다.
⑤ 김치만 나왔을 뿐, 다른 음식은 나오지 않았습니다.

2 ㉠에 쓰인 '봅니다'는 '어렴풋이 짐작하다'의 뜻으로 쓰여 '손가락 맛이 더 좋은 것이라고 짐작하다.'라는 의미를 나타냅니다.

3 이 시에서 말하는 이는 김장하는 엄마와 할머니를 보고 있습니다. 그런데 엄마와 할머니가 김치 한 가닥을 입에 넣고 손가락을 빠는 모습을 보면서 김치 맛보다 손가락 맛이 더 좋은가 보다고 생각하고 있습니다. 따라서 ㉮에는 '김치 맛'이 아닌 '손가락 맛'이 들어가는 것이 알맞습니다.

4 '쪽'은 입으로 힘차게 빠는 소리를 흉내 내는 말이므로 무엇을 빠는 것처럼 읽어야 할머니와 엄마가 손가락을 빨고 있는 모습을 실감 나게 나타낼 수 있습니다.

유형 공략 / 감상

시를 실감 나게 읽기 위해서는 먼저 시에 나타난 상황을 잘 이해해야 합니다. 그리고 그 상황에서 어떠한 목소리와 말투, 행동을 할지 생각해 봅니다. 특히 흉내 내는 말을 읽을 때는 그 말이 흉내 내는 소리나 모양을 잘 생각하면서 읽는 것이 중요합니다.

136쪽 지문 분석

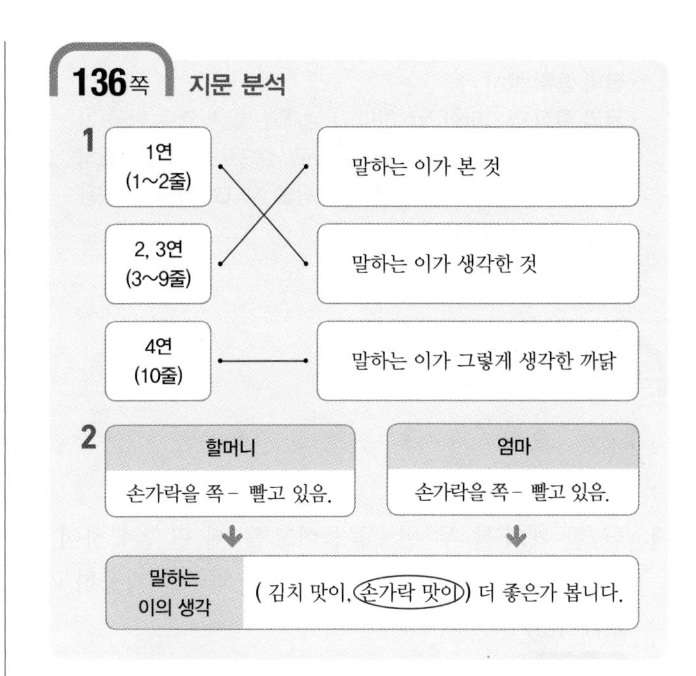

1 1연에서는 김치 맛보다 손가락 맛이 더 좋은 것 같다는 말하는 이의 생각이 드러나 있습니다. 그리고 2, 3연은 김치 한 가닥을 찢어 입에 넣고 손가락을 빠는 할머니와 엄마의 모습이 나타나는데, 이것은 말하는 이가 본 것입니다. 그리고 4연은 1연에서 손가락 맛이 좋다고 한 까닭을 밝힌 부분입니다.

2 말하는 이는 할머니도 엄마도 손가락을 '쪽 -' 빨고 있는 모습을 보고, 손가락 맛이 더 좋은가 보다고 생각하게 되었습니다.

137쪽 오늘의 어휘

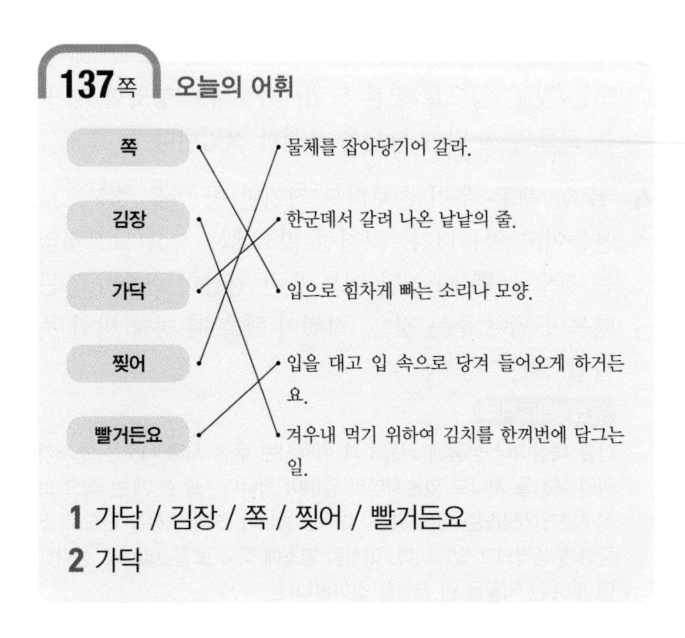

1 가닥 / 김장 / 쪽 / 찢어 / 빨거든요
2 가닥

- **글의 종류** 동시
- **글의 특징** 조그마한 '귤 하나'가 냄새와 빛, 맛으로 방을 가득 채우고 있는 모습을 나타낸 시로, 겉으로 보기에 사소하고 평범한 존재도 사실 엄청난 의미를 지니고 있을 수 있음을 말해 주고 있습니다.
- **글의 짜임** 5연 15행

139쪽 지문 독해

1 ① **2** (2) ○ **3** ①, ③, ⑤ **4** 수연

1 '귤/한 개가'를 두 번, '물들이고'를 세 번 반복하여, 조그마한 '귤 한 개'가 가져다주는 의미를 강조하고 있습니다.

오답 풀이

② 1연(1~3줄)에서는 한 문장을 세 줄로 나누어 쓰고 있고, 2~5연(4~15줄)에서는 한 문장을 열두 줄로 나누어 썼습니다.
③ 물어보는 말은 사용되지 않았습니다.
④ '사르르'는 모양을 흉내 내는 말이며, 소리를 흉내 내는 말은 사용되지 않았습니다.
⑤ 말하는 이의 마음을 그대로 드러내고 있을 뿐, 반대로 이야기한 부분은 없습니다.

2 ㉠은 귤 한 개의 짜릿하고 향긋한 냄새가 방 안을 가득 채우며 퍼지는 모습을 나타낸 것입니다.

오답 풀이

(1) 귤의 상큼한 맛이 입 안에 퍼지는 모습과 관련된 부분은 '사르르 군침 도는 / 맛'입니다.
(3) 귤의 주황빛 색깔이 방 안을 물들이는 모습은 '양지짝의 화안한 / 빛으로 / 물들이고'에 나타납니다.

3 '양지짝의 화안한/빛'은 눈으로 본 느낌, '사르르 군침 도는/맛'은 입으로 맛본 느낌, '짜릿하고 향긋한/냄새'는 코로 냄새 맡은 느낌을 표현한 것입니다.

4 '귤 한 개'는 우리 손보다도 작지만 방 안을 행복으로 물들이고 있습니다. 이처럼 평소에는 작고 보잘것없는 것으로 생각했지만 어느 순간 굉장히 소중하고 큰 행복이 되어 주는 것은, 정전이 됐을 때 방을 밝힌 촛불입니다.

유형 공략 / 적용

다른 대상이나 상황에 적용하기 위해서는 우선 시에 나오는 소재가 어떤 특징을 지니고 있는지부터 알아야 합니다. '귤 한 개'는 작고 보잘것없게 생각되는 것이지만, 지금은 방보다 크게 느껴질 정도로 소중하게 생각되고 있습니다. 이처럼 평소에 작고 보잘것없다고 생각했던 것이 큰 역할을 한 경험을 찾아봅니다.

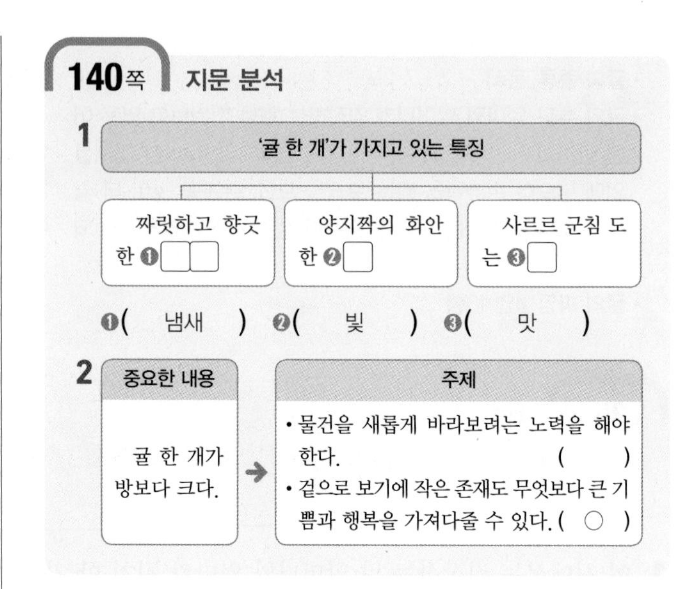

1 2연에서는 '짜릿하고 향긋한 / 냄새'를 통해 귤 한 개의 냄새가 방 안 가득 퍼지는 장면을 나타내고 있습니다. 그리고 3연에서는 '양지짝의 화안한 / 빛'이라고 하여 귤 한 개의 주황빛이 방 안을 물들이는 듯한 느낌을 나타내고 있습니다. 마지막으로 4연에서는 '사르르 군침 도는 / 맛'이라고 하여 입 안으로 퍼지는 귤 한 개의 맛이 마치 방 안 가득 채우는 것 같은 느낌을 표현하고 있습니다.

2 말하는 이는 '귤 한 개'가 냄새, 빛, 맛으로 방 안을 가득 채우며 기쁨과 행복을 주는 모습을 통해 '귤 한 개'처럼 작은 것도 그 어떤 것보다 큰 기쁨과 행복을 가져다줄 수 있음을 이야기하려 했습니다.

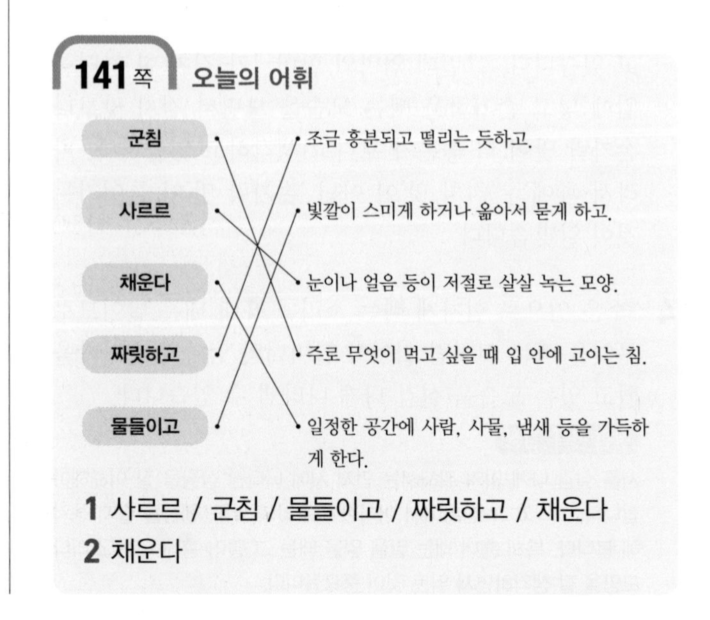

- **글의 종류** 동시
- **글의 특징** 기린과 하마가 서로의 모습을 보며 엉뚱한 걱정을 하는 마음을 재미있게 노래한 시입니다. 하마와 기린이 자신의 기준에서 상대방을 바라보면서 엉뚱한 걱정을 하는 모습을 재미있게 표현하고 있습니다.
- **글의 짜임** 4연 8행

143쪽 지문 독해

1 ② **2** (1) ㉮ (2) ㉯ **3** (1) ㉯ (2) ㉮ **4** (2) ○

1 기린과 하마는 서로의 모습을 보면서 '걱정'을 하고 있습니다. 하마는 기린이 키만 크다가 하늘이 뚫리게 될까 봐, 기린은 하마가 살만 찌다가 땅이 꺼질까 봐 '걱정'을 하고 있습니다.

2 하마와 기린이 서로의 모습을 보며 걱정하는 내용을 통해 기린은 키가 매우 크고, 하마는 살이 많이 쪘다는 것을 알 수 있습니다.

3 '뚫리면'의 반대말은 길이나 통로 따위가 통하지 못하게 된다는 의미의 '막히면'이고, '꺼지면'의 반대말은 물체가 아래에서 위로 세차게 움직인다는 의미의 '솟으면'입니다.

유형 공략 / 어휘

서로 반대되는 뜻을 가지고 있는 낱말들은 공통되는 뜻을 가지고 있으면서 동시에 서로 다른 하나의 차이점이 있는 낱말입니다. 예를 들어 '엄마'와 '아빠'는 사람, 어른, 부모 등의 공통되는 뜻이 있지만, 성별이 남자와 여자라는 한 가지 차이점이 있습니다. 그러므로 반대말을 찾을 때는 어떤 한 가지가 반대의 뜻을 가지는지 생각해 보도록 합니다.

4 기린과 하마가 서로의 모습을 보며 하마는 기린 때문에 하늘이 뚫릴까 봐, 기린은 하마 때문에 땅이 꺼질까 봐 엉뚱한 걱정을 하는 것이 재미있게 느껴지는 시입니다.

오답 풀이

(1) 하마는 기린이 키가 큰 것을 단점으로 여겨 하늘을 뚫게 생겼다고 생각할 수 있고, 기린은 하마가 살이 찐 것을 단점으로 여겨 땅이 꺼지게 생겼다고 여길 수 있습니다. 그런데 이 시의 내용을 하마와 기린이 서로의 단점을 이야기한 것으로 이해했다면, 여기에서 정답고 따뜻한 느낌을 받기는 어렵습니다.

(3) 기린이 키가 큰 것을 걱정한 것은 하마이고, 하마가 살이 찐 것을 걱정한 것은 기린입니다. 그런데 이 시에서 기린이 키가 더 크고 싶다거나 하마가 살이 더 찌고 싶다고 바라는 마음을 드러내고 있지는 않습니다.

144쪽 지문 분석

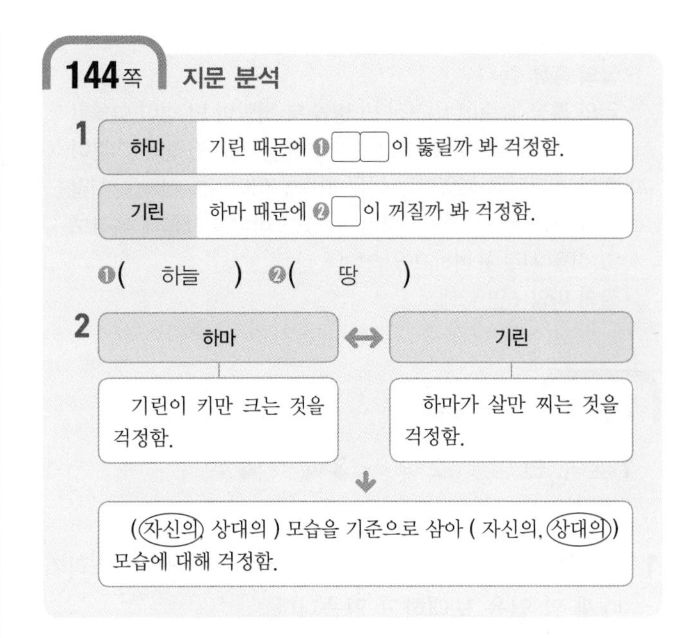

1 시에 나오는 내용을 다시 떠올리며 빈칸에 들어갈 말을 생각해 봅니다. 하마는 기린 때문에 하늘이 뚫릴까 봐 걱정하고, 기린은 하마 때문에 땅이 꺼질까 봐 걱정했습니다.

2 하마는 자신과 다르게 키만 크고 있는 기린을 보면서 기린의 키 때문에 하늘이 뚫리게 될까 봐 걱정합니다. 그리고 기린은 자신과 다르게 살만 찌고 있는 하마를 보면서 무거운 하마 때문에 땅이 꺼질까 봐 걱정하고 있습니다. 이처럼 두 동물은 모두 자신의 모습을 기준으로 삼아 상대의 모습에 대해 걱정하고 있습니다.

145쪽 오늘의 어휘

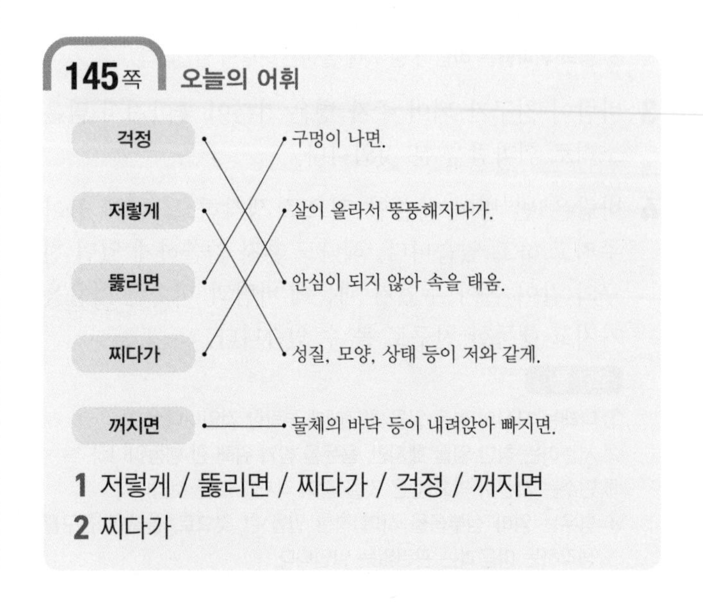

- **글의 종류** 동시
- **글의 특징** 숲속에 버려진 빈 병을 본 바람이 빈 병이 쓸쓸할까 봐 함께 놀아 주려고 그 속으로 들어가고, 빈 병은 기분이 좋아 휘파람을 불었다는 마음 따뜻한 이야기를 전하는 시입니다. 시인은 무심히 지나칠 수 있는 바람을 새롭게 바라보고 이를 시로 표현하고 있습니다.
- **글의 짜임** 6연 10행

147쪽 지문 독해

1 숲속, 빈 병 **2** ② **3** ⑤ **4** ⑤

1 이 시는 '숲속'에 있는 '빈 병'에 바람이 들어가 소리가 나게 된 일을 노래하고 있습니다.

2 바람이 빈 병 속으로 들어간 까닭은 버려진 빈 병이 쓸쓸해 보였기 때문입니다.

유형 공략 / 세부 내용

시에는 말하는 이가 등장하기도 하지만 말하는 이가 바라본 대상들만 나타나기도 합니다. 이 시에서는 말하는 이가 직접 등장하지 않고, 말하는 이가 바라본 바람과 빈 병이 등장하고, 이들의 생각과 행동이 나와 있습니다. 이들의 생각이나 행동을 파악하기 위해서는 시의 흐름을 잘 파악해야 하고, 앞뒤로 나오는 내용을 잘 살펴보아야 합니다. 또, 대상이 한 행동의 까닭을 찾기 위해서는 앞에 나오는 내용을 자세히 살펴보아야 합니다. '빈 병 속으로 들어갔습니다.'라는 행동보다 앞에 나오는, '함께 놀아 주려고'라는 말이 행동의 까닭이 됩니다.

오답 풀이

① 숲속이 춥다는 내용은 나와 있지 않습니다.
③ 빈 병이 들어오라고 해서가 아니라, 바람이 스스로 빈 병 속으로 들어간 것입니다.
④ 바람은 병 안의 모습이 궁금해서가 아니라 빈 병이 쓸쓸할까 봐 놀아 주려고 병 속에 들어갔습니다.
⑤ 병의 휘파람은 바람이 병 속에 들어간 이후의 일입니다.

3 바람이 친구가 되어 주자 병은 기분이 좋아져서 맑은 소리로 휘파람을 분 것입니다.

4 바람은 빈 병이 쓸쓸할 것으로 생각하고, 함께 놀아 주려고 하고 있습니다. 혜나도 혼자 쓸쓸하게 있던 친구와 같이 놀아 주었기 때문에 바람과 비슷한 마음을 가지고 행동한 친구로 볼 수 있습니다.

오답 풀이

① 나래는 자신의 힘든 일을 친구에게 부탁한 것입니다.
② 서준이는 착한 일을 했지만, 용돈을 받기 위해 한 행동입니다.
③ 민수는 자신이 먹고 싶은 것을 같이 먹자고 조른 것입니다.
④ 형우는 엄마 심부름을 하며 착한 일을 한 것으로, 쓸쓸한 친구를 생각하는 마음과는 관련없는 일입니다.

148쪽 지문 분석

1

2줄	보았습니다
5줄	들어갔습니다
7줄	좋았습니다
10줄	불었습니다

→ **반복되는 표현이 주는 느낌**: (반말, (높임말))을 사용하여 ((친절), 딱딱)하게 설명해 주는 느낌을 줌.

2

바람의 행동		바람의 성격
숲속에 버려진 빈 병이 쓸쓸해 보인다고 생각하여 함께 놀아 주려고 병 속으로 들어감.	→	• 남을 배려하고 도와주는 따뜻한 성격임. (○) • 작은 것에도 감사할 줄 알고 겸손한 성격임. ( )

1 이 시에서는 말하는 이가 '~습니다'라는 높임말을 사용하여 시를 읽는 우리들에게 바람이 빈 병 속으로 들어가면서 병에서 휘파람 소리가 나게 된 상황을 말해 주고 있습니다. 이 시에서와 같이 높임말을 사용하여 상황을 이야기해 주면 더 친절하게 설명해 주는 느낌을 주게 됩니다.

2 쓸쓸해 보이는 빈 병과 함께 놀아 주려고 병 속으로 들어간 바람의 행동을 통해 바람이 남을 배려하고 도와주는 따뜻한 성격을 지녔음을 짐작할 수 있습니다. 하지만 바람이 병과 함께 놀아 주고자 하는 마음만 나타날 뿐, 바람이 빈 병에게 감사해하는 마음을 드러내고 있는 것은 아닙니다.

149쪽 오늘의 어휘

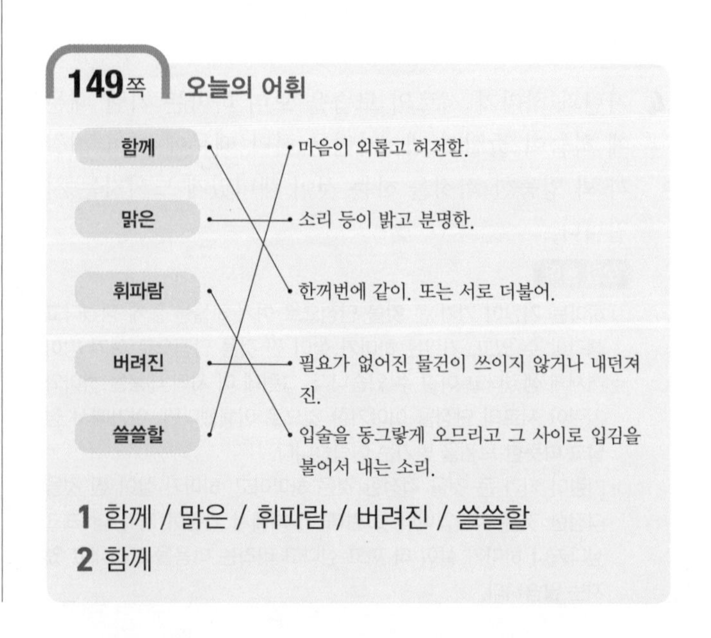

1 함께 / 맑은 / 휘파람 / 버려진 / 쓸쓸할
2 함께

- **글의 종류** 동시
- **글의 특징** 친구를 좋아하는 마음을 쉽게 드러내지 못하고 고민하는 상황을 재미있게 표현한 시입니다. 말하는 이는 결국 참지 못하고 고백하고 말았지만, 자기도 어쩔 수 없는 '입 안의 말들' 때문이었다고 재치 있게 표현하고 있습니다.
- **글의 짜임** 5연 13행

151쪽 지문 독해

1 ㉰ **2** ③ **3** ② **4** ⑤

1 '입 안이 근질근질'이라는 제목은 참기 어려울 정도로 무엇을 하고 싶은 마음을 의미합니다. 이 시에서 말하는 이는 선영이를 좋아하는 마음을 자랑하고 싶어서 입 안이 근질근질한 것입니다.

유형 공략/중심 내용

시의 제목은 보통 시에서 가장 중요한 소재이거나 중심이 되는 일인 경우가 많습니다. '자랑하고 싶어서 / 입 안이 근질근질'이라는 내용을 통해 제목의 의미를 파악할 수 있습니다.

오답 풀이

㉮ 무엇인가를 먹고 싶은 것이 아니라 말하고 싶은 것입니다.
㉯ '근질근질'에는 자꾸 근지러운 느낌이 드는 상태를 나타내는 뜻도 들어 있지만, 이 시에서는 참기 어려울 정도로 자꾸 몹시 어떤 일을 하고 싶어 하는 상태를 뜻하고 있습니다.

2 말하는 이가 입 밖으로 한 말은 "난, 널 좋아해!"입니다. 나머지는 모두 말하는 이의 마음속에서 일어나는 생각을 표현한 것입니다.

3 말을 하면 안 될 것 같은 불안하고 떨리는 마음에 가슴이 뛰는 모양을 '두근두근'으로 표현했습니다.

4 말하는 이는 입 밖으로 튀어나온 "난, 널 좋아해!"라는 말이, ㉠을 모르고 한 말이라고 이야기하고 있습니다. 따라서 ㉠은 말하는 이가 선영이를 좋아하는 것을 비밀로 하고 싶은 마음이라고 할 수 있습니다.

오답 풀이

① 선영이도 말하는 이를 좋아하는지 고민하는 내용은 이 시에 나타나 있지 않습니다.
② 말하는 이 자신이 선영이를 좋아하는지 아닌지를 헷갈려 하는 마음은 이 시에서 찾아볼 수 없습니다.
③ 왜 비밀로 해야 하는가를 궁금해하는 마음은 이 시에서 찾아볼 수 없습니다.
④ 입 밖으로 튀어나온 말, 즉 고백은 정말 비밀로 하고 싶은 '내 마음(㉠)'을 모르고 튀어나온 말입니다. 그러므로 고백을 못 하는 것에 대해 생각하는 것이 ㉠이 될 수는 없습니다.

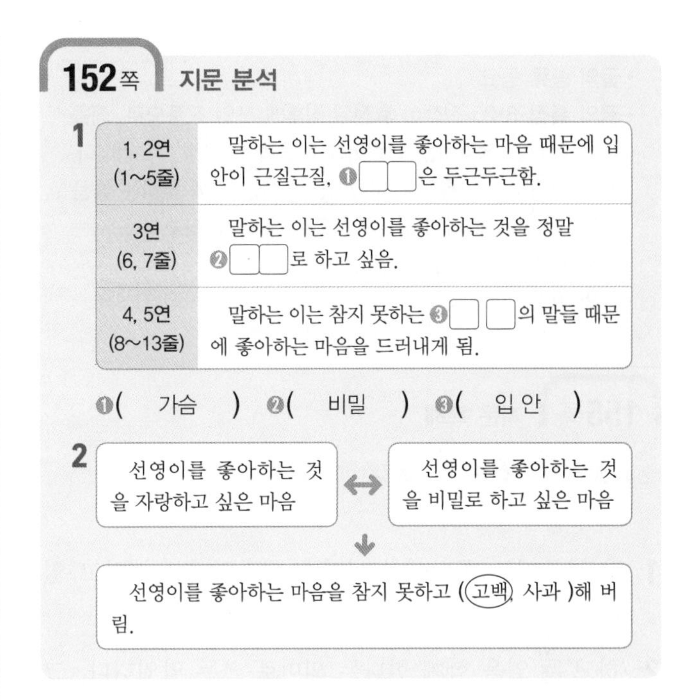

152쪽 지문 분석

1

1, 2연 (1~5줄)	말하는 이는 선영이를 좋아하는 마음 때문에 입 안이 근질근질, ❶□□은 두근두근함.
3연 (6, 7줄)	말하는 이는 선영이를 좋아하는 것을 정말 ❷□□로 하고 싶음.
4, 5연 (8~13줄)	말하는 이는 참지 못하는 ❸□□의 말들 때문에 좋아하는 마음을 드러내게 됨.

❶(가슴) ❷(비밀) ❸(입 안)

2

선영이를 좋아하는 것을 자랑하고 싶은 마음 ↔ 선영이를 좋아하는 것을 비밀로 하고 싶은 마음

↓

선영이를 좋아하는 마음을 참지 못하고 (고백, 사과)해 버림.

1 1~2연에서는 선영이를 좋아하는 마음을 자랑하고 싶은 말하는 이의 마음이 나타나 있습니다. 3연에서 말하는 이는 선영이를 좋아하는 마음을 비밀로 하고 싶다고 밝히고 있습니다. 그러나 4~5연에 이르면 말하는 이가 비밀로 하려던 선영이를 좋아하는 마음이 '널 좋아해!'라는 말을 통해 입 밖으로 드러나게 됩니다.

2 말하는 이는 선영이를 좋아하지만 자랑하고 싶은 마음과 비밀로 하고 싶은 마음 사이에서 어쩔 줄 몰라 하다가 결국 고백을 하고 말았습니다.

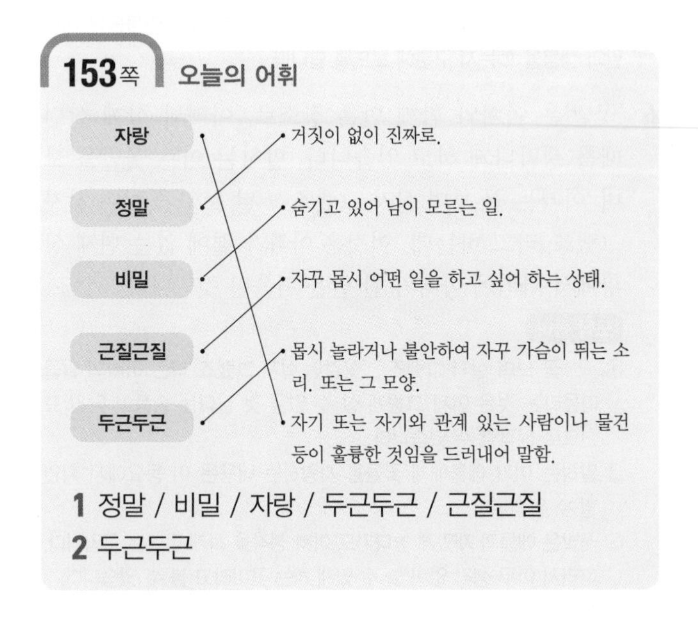

153쪽 오늘의 어휘

1 정말 / 비밀 / 자랑 / 두근두근 / 근질근질
2 두근두근

- **글의 종류** 동요
- **글의 특징** 6·25 전쟁이 휴전된 직후에 쓰인 작품으로, 집을 떠난 아빠를 생각하는 어린이의 마음을 노래한 동요입니다. 꽃은 변함없이 아름답게 피었지만 아빠는 곁에 없다는 슬픔이 가슴 아프게 다가오는 작품으로, 꽃을 바라보며 느끼는 아빠에 대한 그리움을 표현하고 있습니다.
- **글의 짜임** 2절 8행

155쪽 지문 독해

1 꽃밭 **2** ④ **3** ② **4** ④

1 말하는 이는 꽃밭에서 아빠를 생각하며 노래하고 있습니다.

2 '하고'는 일을 함께 한다는 의미로 쓰는 말입니다. 그러므로 '아빠와 내가 함께 만든'으로 바꾸어 쓰는 것이 가장 알맞습니다.

오답 풀이

① ㉠은 아빠와 '내'가 같이 꽃밭을 만들었다는 뜻만 담고 있습니다.
② 아빠와 '내'가 상상한 것이 아니라 실제로 만든 꽃밭입니다.
③ 아빠가 물려준 것이 아니라 아빠와 '내'가 함께 만든 것입니다.
⑤ 아빠와 '내'가 만들고 싶어 했던 것이 아니라 실제 만든 꽃밭입니다.

3 새끼줄은 아빠가 매어 놓은 것으로, 나팔꽃의 줄기가 새끼줄을 따라 자라고 있는 것이지, 말하는 이가 새끼줄을 따라 가고 있는 것은 아닙니다.

유형 공략 / 세부 내용

시는 주로 말하는 이를 중심으로 내용이 나타나지만, 다른 인물들의 말이나 행동, 생각 등이 나타나기도 합니다. 따라서 시를 읽으면서 말하는 이가 한 말이나 행동, 생각을 표시해 보고, 다른 인물들은 어떤 말과 행동을 했는지 구분해 보도록 합니다.

4 '꽃밭'은 아빠와 함께 만든 장소로, 아빠와 함께 살던 때를 생각나게 하고 있습니다. 말하는 이는 꽃밭을 보며 '아빠는 꽃 보며 살자 그랬죠. / 날 보고 꽃같이 살자 그랬죠.'라고 하는데, 이것은 아빠가 곁에 없는 현재 상황에서 과거에 아빠가 한 말을 떠올린 것입니다.

오답 풀이

①, ② '꽃 보며 살자 그랬죠.', '꽃같이 살자 그랬죠.'라는 아빠의 말을 떠올리는 것은 이제 그렇게 살 수 없을 것 같다는 슬픔이 담긴 표현으로 생각할 수 있습니다.
③ 말하는 이가 애들에게 꽃들을 자랑하는 내용은 이 동요에서 확인할 수 없습니다.
⑤ 꽃밭은 애들과 재밌게 놀다가도 아빠 생각을 하게 만드는 곳입니다. 따라서 아무 생각 없이 놀 수 있게 하는 곳이라고 볼 수 없습니다.

156쪽 지문 분석

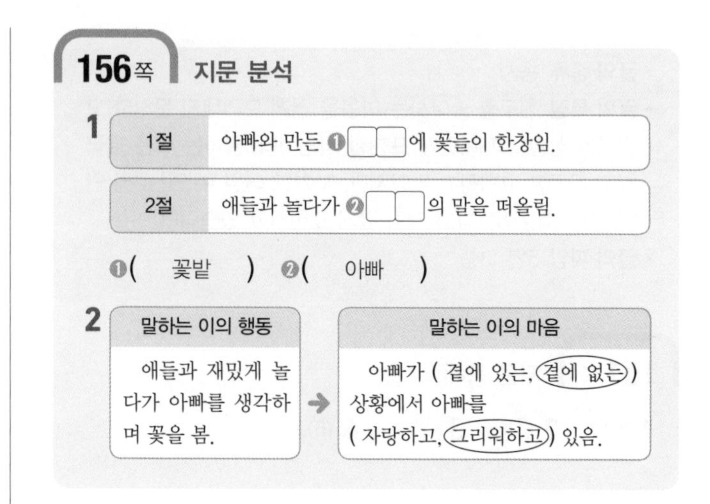

1 1절에서 말하는 이는 아빠와 함께 만들었던 꽃밭을 바라보고 있습니다. 이 꽃밭에는 채송화, 봉숭아, 나팔꽃 등이 한창입니다. 말하는 이는 꽃밭을 보며 아빠와 함께했던 시간을 떠올리고 있습니다. 2절에서 말하는 이는 친구들과 재미있게 뛰어놀다가 아빠가 생각이 나서 꽃밭의 꽃을 봅니다. 그리고 '꽃을 보며 살자', '꽃같이 살자'라고 했던 아빠의 말을 떠올립니다.

2 아빠와 만든 꽃밭에 예쁜 꽃들은 한창이지만, 아빠는 말하는 이의 곁에 없는 것 같습니다. 그러니까 꽃을 보면서 아빠를 생각하는 것이겠죠. 따라서 이 동요는 말하는 이가 과거에 아빠와 함께 만든 꽃밭을 보며 현재 곁에 없는 아빠를 보고 싶어 하는 마음을 노래하고 있다고 할 수 있습니다.

157쪽 오늘의 어휘

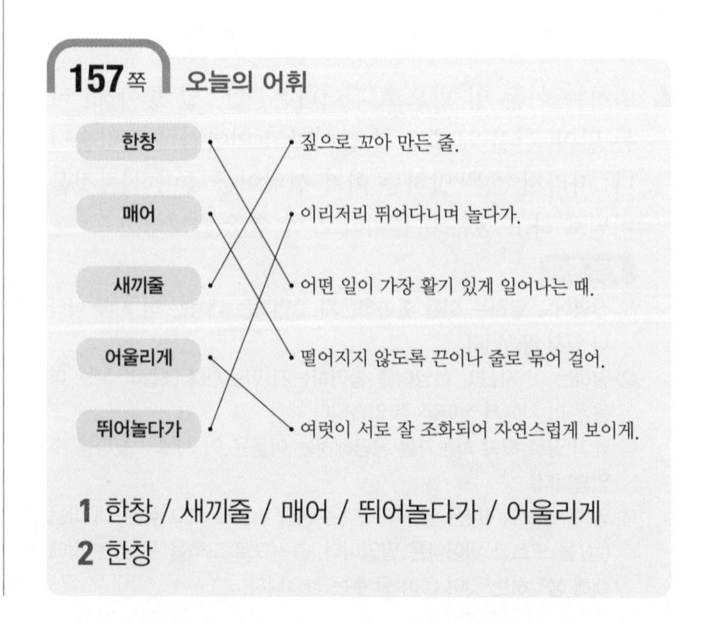

- **글의 종류** 수필
- **글의 특징** 글쓴이가 어렸을 때 가졌던 마음을 돌아보며, 아이들을 위한 장난감 가게를 하고 싶다는 생각을 쓴 수필입니다. 어린이와 같은 마음으로, 어린이가 행복하기를 바라는 글쓴이의 따뜻한 마음이 드러난 글입니다.
- **글의 주제** 어린이들을 지켜 주고 행복하게 만들어 줄 수 있는 장난감 가게를 하고 싶어요.

161쪽 지문 독해

1 꿈꾸는 **2** (2) ○ **3** ④ **4** 정주

1 '장난감 가게'는 글쓴이가 하고 싶어 하는 가게로, 아이들에게 위험하지 않은 것, 아이들을 행복하게 할 수 있는 것들을 파는 가게입니다. 그러므로 다른 제목을 붙인다면 '내가 꿈꾸는 가게'라고 할 수 있습니다.

2 '띠고'는 '어떤 감정이나 기운을 나타내고'의 뜻입니다. '한 칸을 띄고 써야 한다.'에서는 '띄고'를 써야 합니다.

유형 공략/어휘

어떤 낱말들은 소리가 비슷하거나 글자 모양이 비슷해 헷갈리거나 잘못 사용하는 경우가 있습니다. '띄다'와 '띠다'도 그러한 경우입니다. '띄다'는 간격이나 시간을 벌린다는 뜻인 '띄우다'의 준말이나 눈에 보인다는 뜻인 '뜨이다'의 준말로도 쓰입니다.

3 '나'는 장사를 한다면 장난감 가게를 하겠다고 말하고 있을 뿐, 지금 장난감 가게 주인이 된 것은 아닙니다.

오답 풀이

① '나는 어렸을 때 무서움을 잘 탔습니다.'에 나온 내용입니다.
②, ③ '나'는 어렸을 때 늘 머리맡에 용감한 장난감 병정들을 늘어놓아야 잠이 들었는데, 그것은 장난감들이 밤새도록 '나'를 지켜 주는 것 같았기 때문이라고 하였습니다.
⑤ '나'는 장난감 가게를 하게 되면 그 옆에 고장 난 장난감을 고쳐 주는 장난감 병원도 내고 싶다고 하였습니다.

4 글쓴이는 어렸을 때 장난감 덕분에 무서움을 이겨 내었고, 장난감을 친구처럼 생각했습니다. 이렇듯 장난감에 대한 좋은 기억들이 있기 때문에 장난감 가게를 하고 싶었을 것이라고 짐작해 볼 수 있습니다.

오답 풀이

민결: 글쓴이는 장난감을 좋아하지만, 장난감과 자신이 같다고 생각하는 내용은 나오지 않습니다.
영지: 글쓴이는 장난감 가게를 열어 손님이 많은 상황을 상상하며 금방 부자가 될 것이라고 말한 것으로, 부자가 되고 싶은 바람을 가지고 있는 것은 아닙니다.

162쪽 지문 분석

1 장난감 가게 → 파는 ❶□□이 재미있다. / 손님들의 ❷□□□ 표정을 볼 수 있다.

❶(물건) ❷(행복한)

2

글쓴이가 말한 내용	→	글쓴이의 생각
• 장난감 가게를 열면 딱총 같은 것은 팔지 않을 것입니다. • 장난감 병원을 열면 장난감을 고쳐 준 대가로 돈을 조금만 받겠습니다.	→	• 장난감 가게를 열어 아이들이 나를 좋아하게 만들고 싶다. ( ) • 장난감 가게를 열어 아이들을 지켜 주고 행복하게 해 주고 싶다. (○)

1 이 글에서 글쓴이는 장난감 가게에서 파는 물건이 재미있어 손님이 안 오더라도 글쓴이 혼자 장난감을 가지고 놀 수 있어 좋다고 했습니다. 또 그곳에 오는 손님들이 언제나 얼굴에 웃음을 띠며 행복한 표정을 짓고 있다고 이야기하고 있습니다.

2 딱총과 같이 아이들의 살갗을 델 수 있게 하는 위험한 장난감을 팔지 않겠다고 하는 것에는 아이들을 위험으로부터 지켜 주고 싶은 글쓴이의 따뜻한 마음이 담겨 있습니다. 또 장난감 병원을 만들어 돈을 조금 받고 고장 난 장난감을 고쳐 주겠다고 하는 것에는 아이들이 자신들이 좋아하는 장난감을 계속 가지고 놀며 행복하기를 바라는 글쓴이의 따뜻한 마음이 나타납니다.

163쪽 오늘의 어휘

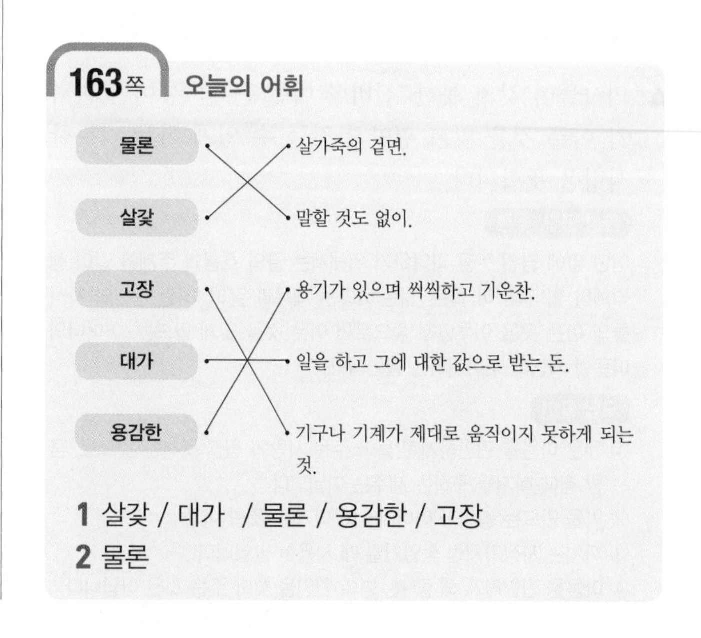

1 살갗 / 대가 / 물론 / 용감한 / 고장
2 물론

- **글의 종류** 수필
- **글의 특징** 의사인 글쓴이가 늙으신 '어머니의 손'을 보고 느낀 것을 쓴 수필입니다. 의사의 치료보다 더 빠르고 편안하게 병을 낫게 하는 어머니의 신비한 손에 숨어 있는 따뜻한 사랑을 이야기한 글입니다.
- **글의 주제** 어머니의 손에 숨어 있는 따뜻한 사랑

165쪽 지문 독해

1 민준 **2** ② **3** 고목 껍질 **4** ⑤

1 이 글은 글쓴이가 경험한 일과 그것을 통해 느낀 점을 쓴 '수필'입니다. 또 '어머니의 손'이라는 중심 소재가 지닌 따뜻한 사랑의 힘을 이야기하는 글입니다.

오답 풀이

주영: 글쓴이의 생각이 옳은지를 판단하며 읽어야 하는 글은 글쓴이의 주장이 중심이 되는 글입니다.

서현: 꾸며 낸 재미있는 장면들을 상상하며 읽어야 하는 글은 동화나 소설과 같은 글들입니다.

2 글쓴이인 '나'는 민옥이가 의사인 자신을 피해 달아난 까닭을 자신이 민옥이에게 주사를 놓을까 봐, 즉 민옥이가 주사를 무서워하기 때문으로 생각하고 있습니다.

오답 풀이

① 나이가 80이 넘은 것은 글쓴이의 어머니입니다.
③ 글쓴이가 어렸을 때 그의 집은 무척 가난했습니다.
④ 글쓴이의 형제들은 가난해서 약을 못 먹은 것입니다.
⑤ 글쓴이는 의사이지만 어머니는 의사가 아닙니다.

3 마르고 거칠어진 어머니의 손을 '고목 껍질'에 빗대어 표현하였습니다.

4 의사들이 갖지 못한 '신비한 어떤 큰 힘'은 어린 손녀가 아픈 것을 잊고 편안히 잠들 수 있게 하는 따뜻한 사랑을 뜻합니다.

유형 공략 / 추론

어떤 말에 담긴 뜻을 파악하기 위해서는 글의 흐름과 주제를 같이 생각해야 합니다. 이 글은 '약손'이라는 제목과 같이, 어린 손녀와 자식들의 아픈 곳을 어루만져 줌으로써 아픈 것을 잊게 만드는, 어머니의 따뜻한 사랑을 이야기하는 글입니다.

오답 풀이

① ㉠은 마음을 편안하게 만들어 주는 사랑의 힘을 뜻하는 것으로, 금방 잠에 빠져들게 하는 재주는 아닙니다.
② 약을 만드는 솜씨가 아니라 사랑의 힘을 뜻합니다.
③ 까치는 자장가처럼 중얼거릴 때 사용한 말입니다.
④ 마음을 편안하게 해 줄 뿐, 병의 원인을 찾아 주는 것은 아닙니다.

166쪽 지문 분석

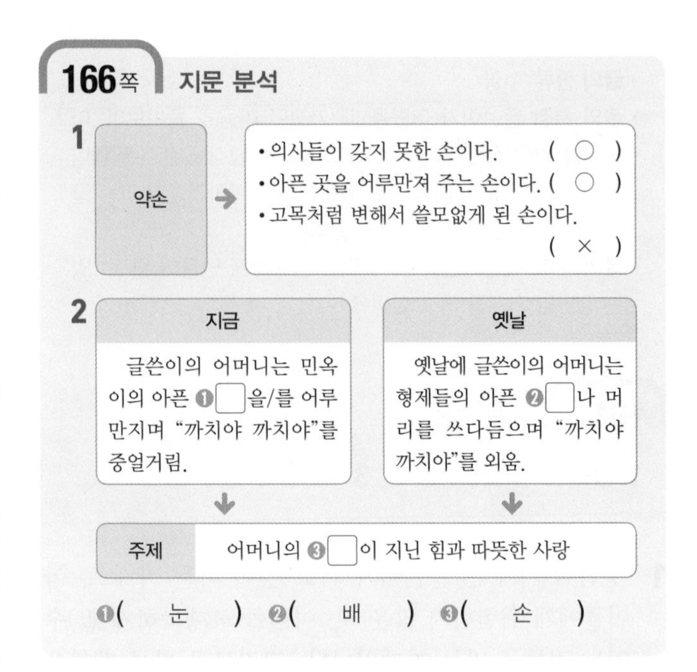

1 '약손'은 손녀의 아픈 눈을 어루만져 주고, 옛날 자식들의 아픈 배나 머리를 쓰다듬어 주었던 어머니의 따뜻한 손으로, 금방 아픈 것을 잊게 만들어 주는 신비한 힘을 가진 손입니다. 그런데 이러한 약손은 의사들이 갖지 못한 손입니다. 한편, 고목 껍질은 늙어 거칠어진 어머니의 손을 빗댄 표현으로, 쓸모없음을 나타내지는 않습니다.

2 글쓴이는 오늘 민옥이의 아픈 눈을 어루만지는 어머니의 모습을 통해, 옛날에 어머니가 '우리 형제들'의 아픈 배나 머리를 쓰다듬어 주던 기억을 떠올리고 있습니다. 그리고 이를 통해 '어머니의 손'이 지닌 힘을 생각하고 있습니다.

167쪽 오늘의 어휘

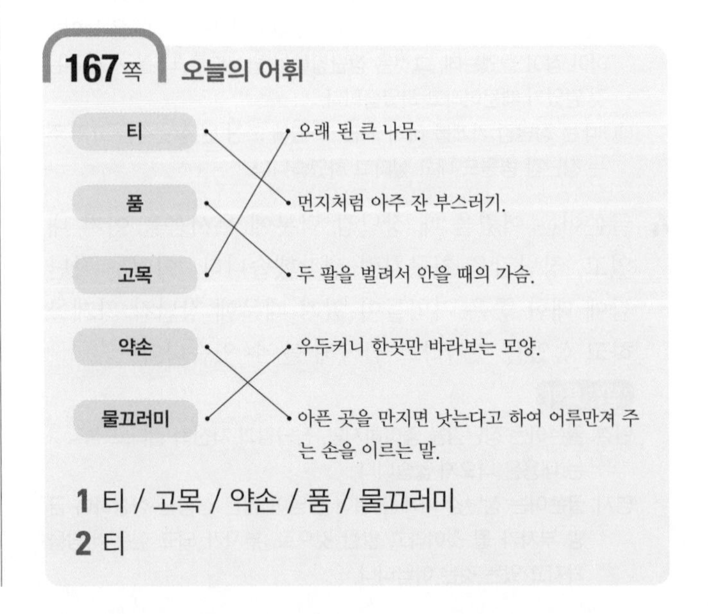

1 티 / 고목 / 약손 / 품 / 물끄러미
2 티

- **글의 종류** 희곡
- **글의 특징** 전래 동화 「양반을 가르친 하인」을 연극의 대본으로 바꿔 쓴 글로, 욕심 많은 양반과 그 하인인 돌쇠의 이야기입니다. 지나친 욕심을 내다 결국 자기 꾀에 자기가 넘어간 꼴이 되고 마는 양반의 모습이 웃음을 불러일으키는 재미있는 작품입니다.
- **글의 주제** 지나친 욕심을 부리다 보면 손해를 볼 수 있다.

169쪽 지문 독해

1 양반, 돌쇠 **2** ③ **3** ③ **4** ④

1 이 글은 양반과 그의 하인인 돌쇠가 꿩고기를 놓고 내기를 벌이는 일과 관련하여 이야기가 펼쳐지고 있습니다. 따라서 나오는 인물은 양반과 돌쇠입니다.

2 '돌쇠가 말을 마치자마자 꿩고기를 먹는 시늉을 한다.'를 통해 돌쇠가 꿩고기를 먹는 척하고 있는 모습을 확인할 수 있습니다.

오답 풀이

① 양반은 꿩고기를 혼자 먹을 꾀를 내었을 뿐이며, 실제로 꿩고기를 먹지는 않았습니다.
② 꿩고기를 굽는 것은 돌쇠입니다.
④ '꺄' 자가 세 번 들어간 시를 먼저 짓는 사람이 고기를 다 먹자는 양반의 요구에 돌쇠는 놀라기만 할 뿐, 이를 거절하지는 않습니다.
⑤ 히죽 웃는 것은 양반입니다.

3 무릎을 치는 것은 갑자기 좋은 생각이 났을 때 하는 행동입니다. 이것은 뒤에 이어지는 '옳지! 그 방법을 써야겠어!'라는 말을 통해서도 알 수 있습니다.

오답 풀이

①, ⑤ 돌쇠에 대한 생각이나 무릎이 가려운 상황은 이야기의 흐름상 어울리지 않습니다.
②, ④ 꿩고기가 부족하므로, 양반은 둘이 먹을 수 있을까, 어쩌면 좋을까 걱정할 수 있습니다. 그런데 이것은 무릎을 친 행동이 아닌 '잠시 생각하다'에 포함될 수 있습니다.

4 양반의 말을 들은 돌쇠는 '예? 제가 어떻게 시를 짓습니까?'라며 당황하는 모습을 보이고 있습니다. 시를 지어 본 적이 없는 돌쇠가 양반의 말에 깜짝 놀라 당황한 것입니다. 따라서 ㉢에는 '깜짝 놀라며'라는 말이 들어가는 것이 어울립니다.

유형 공략 / 추론

연극 대본에는 인물들의 말과 행동이 써 있습니다. 그러므로 연극 대본을 읽을 때에는 인물이 하는 말을 보면서 그 말을 하는 상황에 어울리는 행동을 상상해 보는 것이 필요합니다.

170쪽 지문 분석

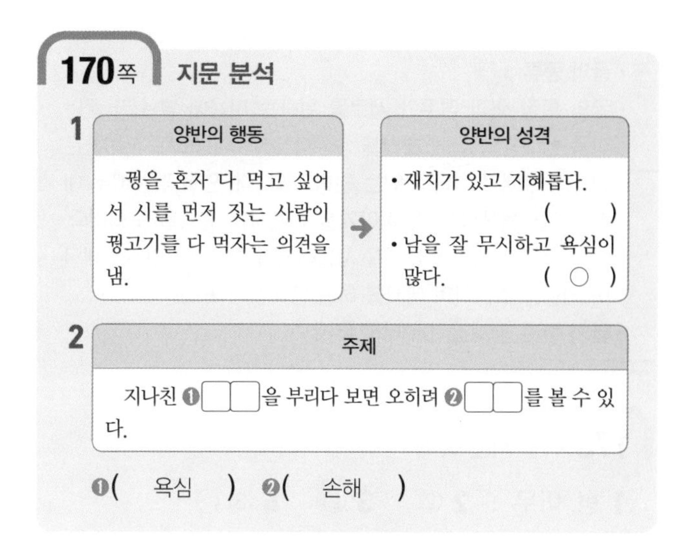

1 양반은 돌쇠가 시를 짓지 못할 것이라고 생각해서 꿩고기를 혼자 차지하려고 시를 짓자고 한 것입니다. 따라서 양반은 남을 무시하고 욕심이 많은 성격을 지녔다고 할 수 있습니다. 그런데 자기 욕심을 채우기 위한 의견이므로 재치가 있다거나 지혜로운 성격이라고 말하는 것은 알맞지 않습니다.

2 양반은 꿩고기를 자기 혼자 다 먹을 생각으로, 시를 지어 본 적 없는 돌쇠에게 시 짓기 내기를 제안합니다. 그런데 돌쇠가 곧바로 시를 지어 꿩고기를 다 먹게 됩니다. 결국 양반은 꿩고기를 혼자 먹겠다는 욕심을 부렸지만, 오히려 손해를 보게 되었습니다. 이처럼 이 글에서는 지나친 욕심을 부리면 오히려 손해를 볼 수 있다는 주제를 전달하고 있습니다.

171쪽 오늘의 어휘

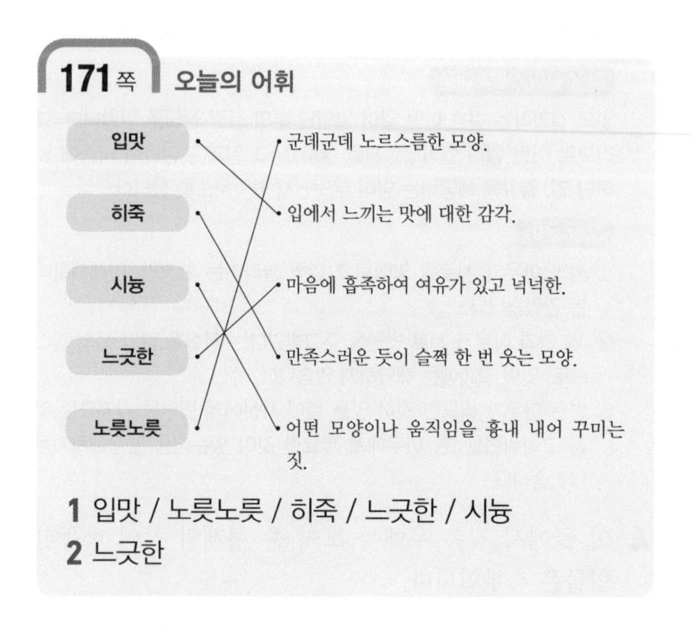

1 입맛 / 노릇노릇 / 히죽 / 느긋한 / 시늉
2 느긋한

- **글의 종류** 희곡
- **글의 특징** 형과 아우가 서로를 위하는 마음에, 추수가 끝난 다음 상대방의 집에 볏단을 가져다 놓는 내용으로 사이좋은 형제의 우애가 나타나 있는 인형극입니다. 인형극은 배우 대신에 인형을 등장시켜 이야기를 전개하는 연극을 뜻합니다. 손과 같은 신체의 일부분을 사용하거나 줄 또는 막대에 매달아 인형을 조종하며 대사를 하는 연극입니다.
- **글의 주제** 형제간의 두터운 우애

173쪽 지문 독해

1 형, 아우 **2** ② **3** ② **4** (3) ○

1 이 글은 형과 아우가 서로를 위해 볏단을 가져다준 일을 중심으로 쓴 글입니다. 또, 아우가 '어린이 여러분!'이라고 말한 것을 통해 어린이 관객을 대상으로 한 인형극임을 알 수 있습니다.

2 ㉡에서 '댁'은 잘 모르는 상대를 높여서 말한 것으로 '당신'과 바꿔 쓸 수 있습니다.

유형 공략/어휘

문장에 사용된 말과 바꿔 쓸 수 있는 말은 뜻이 비슷한 말이어야 합니다. 그런데 모든 말의 뜻을 알 수는 없으므로, 바꿔 쓸 수 있는 말을 찾을 때에는 먼저 문장에 바꾼 말을 넣고 문장이 자연스러운지를 살펴보도록 합니다. 자연스럽다면 바꿔 쓰기에 알맞은 말이고 그렇지 않다면 바꿔 쓸 수 없는 말입니다.

3 형과 아우는 서로 볏단을 주고받았다는 사실을 알게 되면서 서로에게 고마워하였습니다. 그리고 해설자의 말에서 알 수 있듯이, 형과 아우는 오래오래 의좋게 잘 살았습니다.

유형 공략/세부 내용

일의 결과라는 것은 어떤 일이 일어난 후의 결말 상태를 말합니다. 그러므로 어떤 일이 일어났는지를 살피고, 그 일과 관련하여 나중에 일어난 일, 결말에 해당하는 일이 무엇인지 파악하도록 합니다.

오답 풀이

① 형과 아우가 서로를 알아보고 깜짝 놀라기는 했지만, 어색해하지는 않았습니다.
③, ⑤ 형과 아우가 서로 볏단을 주고받았다는 사실을 알기 전의 일이므로, 일의 결과에는 해당하지 않습니다.
④ 형은 아우가 필요한 것이 많을 텐데 자신에게 볏단을 가져다준 것을 고마워했을 뿐, 아우에게 필요한 것이 있는지를 궁금해하지는 않았습니다.

4 이 글에서 깊은 우애를 보여 준 형제와 같이 행동한 인물은 흥부입니다.

174쪽 지문 분석

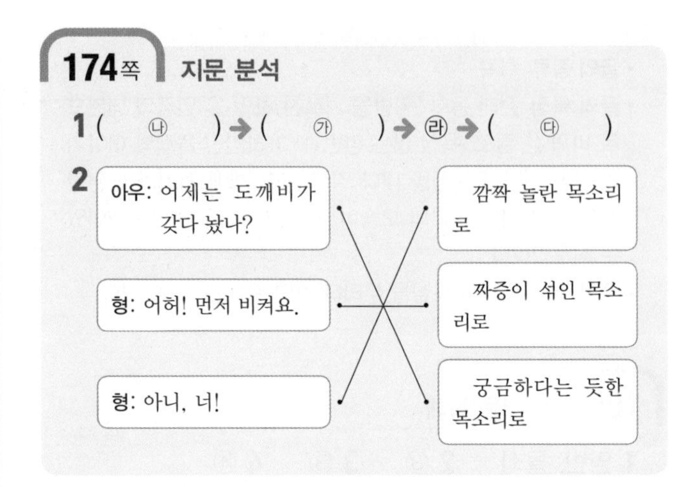

1 형과 아우는 서로의 집에 볏단을 옮겨 놓은 다음 날, 논 가운데에서 만났고, 자기 집에 볏단이 그대로 있었던 까닭을 알게 됩니다. 서로의 집에 볏단을 가져다 놓았다는 사실을 알게 된 형과 아우는 더 의좋게 잘 살게 됩니다.

2 아우와 형이 어떤 상황에서 주어진 대사를 했는지 떠올려 보고, 어울리는 목소리를 찾아야 합니다. 아우는 볏짚을 도깨비가 갖다 놓은 것인지 궁금해합니다. 그리고 형은 동생인 줄 모르고 먼저 길을 비키라고 짜증을 내며 말하고, 또 동생인 줄 알았을 땐 깜짝 놀라고 있습니다.

175쪽 오늘의 어휘

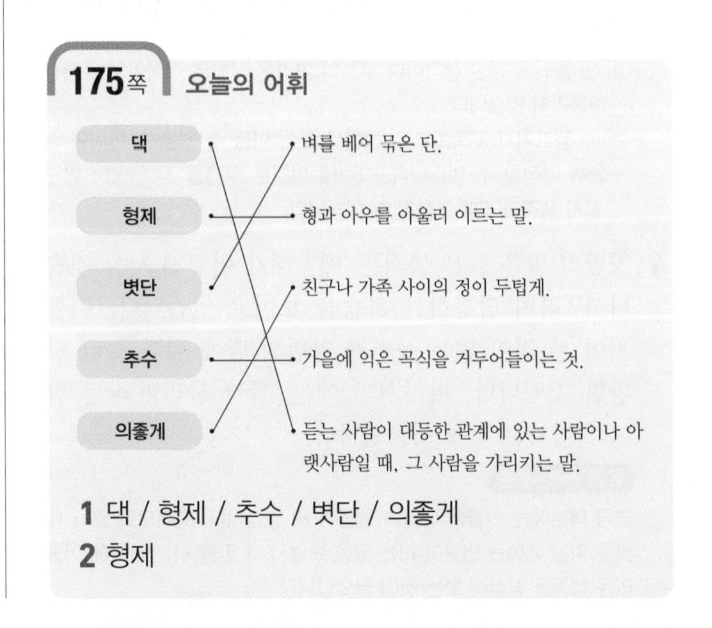

정답과 해설

초등 국어 **문학 독해**

믿고 보는 동아출판
초등 교재
기초학습서부터 교과서 개념 다지기, 과목별 전문서까지!
초등학교 입학 전부터, 예비 중등까지!
초등학생에게 꼭 필요한 영역을 빠짐없이! 동아출판 초등 교재 라인업
BEST
초능력 맞춤법 + 받아쓰기
초등 국어 1·2
쉽고 빠른 맞춤법 학습
받아쓰기 단계별 연습
국어 교과서 어휘 학습
초등 영역별 기초학습서
초능력 국어/수학/과학/한국사/한자
초능력 비주얼씽킹 과학
초능력 비주얼씽킹 초등 한국사
초능력 수학 연산
초능력 급수 한자
초능력 국어 독해
초고필 비문학 독해 1
5~6학년 예비 중등
초고필 지금 유리수의 사칙연산 을 해야 할 때
초고필 지금, 국어 문법을 해야 할 때
초고필 지금 국어 어휘 를 해야 할 때
초고필 지금 한국사 를 해야 할 때
적중 반편성 배치고사 + 진단평가
예비 중등
초고필 국어/수학/한국사
적중 반편성 배치고사 + 진단평가